D1054636

BIBLIOTHÈQUE DU VOYAGEUR

LE GRAND GUIDE DE L'ESPAGNE

Traduit de l'anglais par Noël Chassériau,
Pascale Jusforgues et Patricia Ranvoisé.

GALLIMARD

Aucun guide de voyage n'est parfait. Des
erreurs, des coquilles se sont certainement
glissées dans celui-ci, malgré toutes nos
vérifications. Les informations pratiques,
adresses, numéros de téléphone, heures
d'ouverture, peuvent avoir été modifiés ;
certains établissements cités peuvent avoir
disparu. Nous serions très reconnaissants à
nos lecteurs de nous faire part de leurs
commentaires, de nous suggérer des
corrections ou des compléments qui
pourront être intégrés dans la prochaine
édition.

Insight Guides, Spain
© Apa Publications (HK) Ltd, 1988,
© Éditions Gallimard, 1989, pour la traduction française.

1er dépôt légal : février 1990
Dépôt légal : février 1995
N° d'édition : 71502
ISBN 2-07-071766-6
Imprimé à Singapour

CEUX QUI ONT FAIT CE GUIDE

Hoefer

Wheaton

Le *Grande Guide de l'Espagne* est le sixième volume de la Bibliothèque du Voyageur consacré à un pays d'Europe. En dix-sept ans les éditions APA, dont le siège est à Singapour, ont publié des guides qui ont été primés sur l'Asie, l'Amérique du Nord, l'Afrique, l'Europe, et préparent actuellement des guides sur l'Amérique du Sud. L'idée et la conception des guides de la Bibliothèque du Voyageur sont celles de l'écrivain et photographe **Hans Hoefer**.

Viesti

Alors que les Grands Guides obtenaient un vif succès et guidaient les lecteurs à travers quelques-uns des pays les moins visités du monde, concevoir un guide sur l'Espagne représentait un défi légèrement différent. L'Espagne est la destination touristique la plus populaire du monde, bien que la plupart de ses trente millions de visiteurs n'en connaissent pas toutes les ressources.

La direction de l'ouvrage a été confiée à **Kathleen Weaton**. Elle vint pour la première fois en Espagne en 1977 afin d'étudier à l'université de Salamanque. L'Espagne se réveillait alors, et les changements qui s'y produisaient l'intriguèrent.

K. Weaton revint en Espagne en 1980 pour enseigner l'anglais. Durant cette période, elle écrivit des articles pour un hebdomadaire madrilène en anglais, le *Guidepost Magazine*. Elle a écrit les parties sur l'histoire primitive ibérique, les châteaux et Madrid. Elle est actuellement responsable des guides à venir sur Buenos Aires et Madrid.

Plus de cent vingt photographies de ce livre sont dues au photographe **John Viesti**. Sa fascination pour les festivals l'ont amené à couvrir plus d'une centaine d'entre eux à travers le monde ces dix dernières années. Il y a longtemps que Viesti photographie l'Espagne, mais pour ce guide il a voyagé des plaines d'Estramadure aux pics des Pyrénées de concert avec les auteurs, saisissant l'Espagne sur le vif à travers ses fêtes.

Honneur d'abord au poète, écrivain, et traducteur new-yorkais **David Unger**, qui a écrit la partie historique ; il a vécu et voyagé à travers l'Amérique latine et l'Espagne. Du fait de ses réflexions sur son propre héritage latin, juif et nord-américain, les liens culturels disparates et l'histoire espagnole ont particulièrement intéressé Unger.

Ruth MacKay, journaliste à Madrid depuis 1977, a écrit les chapitres sur l'Espagne contemporaine, Tolède et l'Escurial, la Navarre et l'Aragon. Elle peut d'autant plus apporter au lecteur qu'elle a effectué de nombreux reportages sur le développement économique et social après la mort de Franco.

Vega McVeagh, correspondante de l'Agence de presse nationale espagnole, a écrit le chapitre sur les gens. Bien qu'Américaine, elle a presque toujours vécu en Espagne.

L'une des collaboratrices les plus actives fut **Lisa Beebe**. Écrivain, rédactrice et photographe, pour des publications diverses, elle a été chargée de s'occuper de la partie Itinéraire concernant l'Andalousie, les grands sites naturels et la vie des cafés à Madrid.

Robert Crowe est d'origine hispanique. Il enseigna l'anglais en Espagne, puis devint chroniqueur régulier du *Guidepost Magazine*. Il a écrit le chapitre sur la province de Valence.

George Semler a pu écrire avec d'autant plus de facilité sur Barcelone qu'il y vit avec sa famille. Il s'est aussi occupé du chapitre sur la Catalogne. Journaliste, traducteur, rédacteur en chef, adaptateur, ses travaux ont été publiés dans l'*International Herald Tribune, El País.*

D'origine espagnole, **Francisco Gonde** a écrit le chapitre concernant la Galice, région natale de sa famille. Il est désormais correspondant de l'Associated Press.

Les chapitres sur le flamenco et la corrida

Unger   MacKay   McVeagh

Beebe   Carbajal   Semler

ont été écrits par des spécialistes. **Julian Gray** est professeur de guitare et d'histoire de la guitare dans des universités américaines.

Muriel Freiner, elle, a écrit le chapitre concernant la corrida ; passionnée, fascinée par cet art typiquement espagnol, elle s'installa à Madrid et fonda le cercle international Taurino, ouvert aux femmes contrairement à ceux existant alors. Elle est la seule femme et la seule étrangère à avoir reçu la médaille d'or du Mérite Taurin de la part de la Fédération nationale espagnole des clubs tauromachiques.

Smith   Conde   Gray

Feiner   Campbell

Meg Campbell, directeur de la revue *Guidepost Magazine*, à Madrid, a rédigé les informations pratiques.

A part Joe Viesti, d'autres photographes méritent une mention spéciale. Tout d'abord le couple **Rosa** et **Fernando Martin Sanchez**, qui a réalisé les splendides reproductions de tableaux et les photographies d'archives, ainsi que des photographies de Madrid, de la Castille et de la Galice.

Carl Purcell, chroniqueur et photographe du magazine *Popular Photography*, a de nouveau prouvé son talent avec les photographies de Madrid et du Sud de l'Espagne. **Fiona MacGrégor** a, elle aussi, pris des vues de Madrid. Le photographe barcelonais **Robin Townsend,** dont les œuvres ont paru dans plusieurs magazines espagnols, a apporté toutes ses lumières concernant sa ville ; tandis que les chapitres sur l'Espagne du Nord ont bénéficié du travail de **Rita Kümmel**. Ce livre s'enrichit également des photographies de **Bill Wassman, Gaetano Barone, Jean Kugler**, et de **John** et **Dallas Heaton**. Les auteurs **Lise Beebe** et **Muriel Freiner** illustrent toutes deux leurs chapitres avec leurs propres photographies.

Nous remercions particulièrement Pilar Vico, de l'office de tourisme espagnol de New York, Antonio Alonza de Marketing Ahead, assisté d'Eduardo Sanchez à Madrid.

Nos remerciements chaleureux vont aussi à George Melrod, rédacteur inspiré, de bon conseil durant toute la réalisation du projet, ainsi qu'à Monica Yates et Christopher Flacke pour leur travail acharné. *Mil gracias* à Anne, Alex et Pepe, pour leur hospitalité ; à Inès et Paco, Berta et Julio, Santiago et Conchita, pour leur regard pénétrant sur leur beau pays natal, et à tous les écrivains et photographes qui ont partagé une *caña* ou un *café con leche*. De tout cœur nous remercions ici tous ceux qui ont participé d'une façon ou d'une autre à la réalisation de ce livre et plus spécialement le chaleureux peuple espagnol.

Table

Table

HISTOIRE ET SOCIÉTÉ

Bienvenido pour les Grecs de l'Antiquité, l'Espagne était le pays où poussaient les pommes d'or des Hespérides ; pour les Arabes, c'était le sol du paradis ; pour George Orwell et Ernest Hemingway, c'était une arène où l'histoire était étroitement liée à la tragédie, et où les *toreros* flirtaient avec la mort l'espace d'un après-midi. Rares sont les pays qui ont autant stimulé l'imagination et attiré un aussi grand nombre de visiteurs.

Malgré la fréquentation assidue des stations balnéaires et le trafic intense qui s'est développé entre les grandes villes, l'Espagne a gardé tout son mystère aux yeux de l'étranger et demeure, aujourd'hui encore, un pays quasiment mythique. Les Espagnols les plus célèbres — don Juan, don Quichotte, Carmen, pour ne citer qu'eux — ne sont-ils pas des personnages de fiction ? Ce n'est pas seulement l'éclat et le panache des fiestas et du flamenco qui les rendent attrayants, mais l'indéniable originalité qui en émane.

L'isolement de l'Espagne vis-à-vis de l'Europe, dû en premier lieu à sa configuration péninsulaire, a été accentué par le cours de l'histoire, des sept cents ans d'occupation maure à la dictature de Franco, en passant par l'empire du Nouveau Monde. Comme pourra le constater le voyageur qui entreprend de traverser l'Espagne, plusieurs siècles de solitude ont abouti à former un pays qui est tout, sauf homogène. Les Espagnols ont d'ailleurs coutume de dire *las Españas* pour parler de leur patrie, soulignant ainsi la pluralité qui la caractérise, tant sur le plan des langues — au nombre de quatre : castillan, catalan, galicien et basque, sans compter sept dialectes différents — que des variations climatiques et de la diversité de la flore et des paysages.

Votre voyage sera marqué par deux constantes. La première est l'omniprésence de la lumière : le soleil éclatant que recherchent si avidement les gens du Nord, l'or rougeoyant qui baigne le cœur des villes, la clarté éblouissante qui inonde la campagne, le contraste lunaire entre l'ombre et le soleil, la lumière chatoyante qu'ont peinte le Gréco, Vélasquez ou Picasso. La seconde constante est la formidable vitalité que l'on observe partout : dans les cafés, parmi la foule des promeneurs du dimanche, dans l'arrogance des citadins, l'exubérance des danseurs, ou encore à travers la courtoisie d'un paysan rencontré au hasard d'un chemin, qui vous proposera de partager son repas et demandera des nouvelles de votre famille sans même la connaître.

De toutes les Espagne que vous découvrirez durant votre séjour, la plus frappante, la plus grisante est assurément la « Nouvelle Espagne », fière de sa vieille monarchie et de sa toute jeune démocratie, membre récent et ambitieux de la Communauté économique européenne ; un pays qui, en l'espace d'une décennie, a vu naître des artistes d'avant-garde, des journalistes qui ne craignent plus la censure, des politiciens idéalistes et des consommateurs insatiables de culture et de modernisme. Cette nouvelle Espagne est en train de chasser allégrement certains de ses mythes les plus sombres tout en préservant ses valeurs fondamentales et la splendeur traditionnelle des paysages qui vous attendent.

TYPVS HISPANIAE

ab Hesselo Gerardo delineata
et juxta annotationes Doctiss. Dⁿⁱ Don Andreæ
d'Almada S. Theologiæ Publici Professoris
apud Coimbricenses emendatus
M.DC.XXXI

Castiliarum Imperium
extendit FERDINANDVS,
rexit PHILLIPPVS
CAROLVS confirmavit
PHILLIPPVS II. autem
adjunxit Lusitaniam cum Indis
ab EMMANVELE conquestis;
quæ omnia nunc a PHILLIPPO III.
fœliciter reguntur.

LES ORIGINES DE LA PÉNINSULE IBÉRIQUE

Les anciens cartographes comparaient la péninsule Ibérique à une peau de taureau tendue au soleil. La terre que se partagent aujourd'hui l'Espagne et le Portugal est une partie du continent hercynien qui s'est brisé à Gibraltar peu avant la dernière période glaciaire. Distante de 13 kilomètres seulement de l'Afrique du Nord en son point le plus méridional, la péninsule se trouve quelque peu à l'écart du reste du continent européen : elle en est séparée, au nord, par la chaîne des Pyrénées, d'une altitude moyenne de 1 500 mètres, et son avancée dans l'Atlantique la porte, à l'ouest, à la même longitude que l'Irlande. En superficie, avec ses 504 748 km^2, l'Espagne est le deuxième pays d'Europe occidentale après la France. Ses 38,4 millions d'habitants sont principalement répartis dans des villes à faible densité de population. A l'instar des Britanniques, les Espagnols tendent souvent à considérer l'Europe comme un domaine dont ils ne font pas véritablement partie.

Le climat

Deux caractéristiques géographiques essentielles ont contribué à façonner le climat de la péninsule Ibérique : la rareté des cours d'eau et la présence de montagnes. Avec une altitude moyenne de 600 mètres, l'Espagne est en effet le pays européen le plus montagneux après la Suisse. Les montagnes font obstacle aux influences méditerranéennes tout comme aux influences atlantiques et divisent le pays en régions climatiques bien distinctes : océanique sur le littoral atlantique, continentale à l'intérieur, et méditerranéenne dans le Sud.

La péninsule fut baptisée *Ibéria* (pays des Rivières) par les Maures qui débarquèrent en 711 en passant par Gibraltar. Il n'est pas étonnant que les cours d'eau espagnols aient produit une vive impression sur ces peuples du

Pages précédentes : éventails peints à la main ; jeune femme en costume traditionnel d'Ibiza ; maisons de pierre dans les Picos de Europa ; paysage du littoral ; la ville blanche de Casarès en Andalousie ; moulins à vent de Consuegra dans la Manche ; carte d'Espagne du XVIᵉ siècle ; troupeau de moutons en Aragon.

désert, bien qu'il n'y ait en réalité que deux fleuves — l'Èbre et le Guadalquivir — suffisamment importants pour permettre la navigation et l'irrigation.

Les Maures s'établirent le long du Guadalquivir et firent à ce point l'éloge de la région qu'ils n'hésitèrent pas à la qualifier de paradis terrestre. A ce propos, Alexandre Dumas ne cacha pas son indignation en écrivant, en 1846 : « *Nous autres, écrivains français qui n'avions jamais vu la région, avons cru ce qu'en disaient les Arabes. Les écrivains espagnols auraient certes pu rétablir la vérité, mais pourquoi auraient-ils pris la peine de décrire un fleuve — fût-il le seul de leur pays — juste assez large*

Les richesses

L'homme de Neandertal est arrivé en Espagne il y a plus d'un demi-million d'années. Les traces humaines les plus anciennes ont été découvertes sur le plateau de la Meseta, à Soria, non loin de Madrid. A Gibraltar, des vestiges paléolithiques vieux de deux cent mille ans ont amené les archéologues à penser que les premiers Espagnols auraient été africains.

Parmi les nombreux sites préhistoriques d'Espagne, les plus remarquables sont les grottes d'Altamira, dans le nord de la côte atlantique. Des artistes de l'âge de la pierre y ont peint

pour permettre le passage d'un bateau ? Lorsque nous arrivâmes, nous découvrîmes qu'entre les berges plates et sans attrait coulait un flot, non pas d'eau mais de boue liquide qui, par sa couleur et sa consistance, sinon par le goût, ressemblait fort à du chocolat au lait. »

Ainsi découpée par de nombreux massifs montagneux et manquant d'un réseau fluvial unificateur, l'Espagne apparaît, selon les termes du philosophe Ortega y Gasset, comme un pays « *sans colonne vertébrale* ».

Pourtant, malgré cette fragmentation intérieure et son isolement, sa position à l'entrée de la Méditerranée a fait de l'Espagne la terre d'élection des immigrants, des commerçants et des colons.

des bisons, des chevaux, des cerfs et des sangliers qui ont maintenant 14 000 ans. Par la vigueur de leur style et la perfection technique dont elles témoignent, ces fresques constituent le premier chapitre de l'histoire de l'art espagnol. D'autres peintures rupestres ont été découvertes près de Valence. Vieilles de cinq à dix mille ans, elles représentent des personnages munis d'arcs et ont des affinités avec les peintures africaines de la même époque.

De grands courants d'immigration eurent lieu vers 3 000 av. J.-C., lorsque les Ibères traversèrent le détroit de Gibraltar et que les Ligures arrivèrent d'Italie par les Pyrénées. En 900 av. J.-C., les Celtes, venus de Gaule et des îles Britanniques, s'installèrent en Espagne.

Le terme de Celtibères utilisé pour désigner l'ensemble de ces groupes ethniques ne signifie pas pour autant qu'ils se sont mélangés au point de se confondre. Le territoire qu'occupaient les Celtes comprenait la Galice et le Portugal, ainsi que le nord-est de la Meseta, où de nombreux forts (ou *castros*) ont été exhumés. Les Celtes ont généralement fait de bons mercenaires ; ce sont eux qui introduisirent le fer et le port des braies dans la péninsule.

Les Ibères s'étaient implantés dans le Sud. Ils habitaient des villes fortifiées et construisaient pour leurs morts des sépultures raffinées. Ils ont été les premiers à exploiter les gisements de cuivre autour d'Almería. Ce peuple de fermiers paisibles se montra nettement plus ouvert aux étrangers et à leur culture que ne le furent leurs voisins celtes. Néanmoins, le géographe grec Strabon (né vers 58 av. J.-C.) relevait déjà les similitudes de caractères des groupes ethniques de la péninsule : hospitalité, fierté, arrogance, endurance et aversion pour toute ingérence dans les affaires de la tribu.

Un eldorado

Les Ibères passèrent maîtres dans l'art de travailler les métaux ; attirés par leurs merveilleuses réalisations, des marchands venus de tous les pays du bassin méditerranéen commencèrent à affluer en Espagne. En 1100 av. J.-C., les Phéniciens découvrirent les immenses ressources minérales de la péninsule et y établirent de nombreux ports d'escale, notamment à Gadir (Cadix), qui devint la cité la plus prospère de leur empire. De Tyr, les Phéniciens importèrent la technique du salage du poisson, l'alphabet punique et la musique. Selon la légende, ils quittèrent Cadix tellement chargés de richesses que les canons et les ancres de leurs vaisseaux étaient en argent massif.

Célèbres eux aussi pour la vitalité de leur commerce maritime, les Grecs abordèrent l'Espagne lors d'un naufrage. Tartessos ayant été épargnée par les Phéniciens, les rescapés en repartirent, selon un chroniqueur de l'époque, après avoir réalisé « les plus gros bénéfices qu'ils aient jamais faits jusqu'alors ». Les Grecs commencèrent à coloniser le littoral espagnol au VIIᵉ siècle av. J.-C., s'établissant tout d'abord à Ampurias (Gérone) et à Mainke, dans le sud

A gauche, travail d'orfèvrerie ibère ; à droite, la dame d'Elche, conjugaison des styles grec et ibère.

du pays. Ainsi la civilisation grecque vint-elle se greffer sur une côte déjà très cosmopolite. Outre une forte influence artistique, les Grecs transmirent aux Celtibères la passion des taureaux et apportèrent l'huile d'olive et le vin dans le pays. La *Dame d'Elche*, célèbre statue de pierre représentant une princesse ibère, est un exemple typique de la fusion des styles grec et ibère.

Véritable creuset des nations phénicienne, grecque et ibère, Cadix était réputée, au VIᵉ siècle av. J.-C., pour être un lieu de luxe et de débauche. Tartessos, en revanche, était d'après les Grecs une cité si raffinée que ses lois étaient rédigées en vers.

L'Espagne finit par s'immiscer dans la mythologie grecque : elle avait vu pousser, disait-on, les pommes d'or du jardin des Hespérides, celles-là mêmes qu'Hercule fut chargé de dérober — ce fut l'un des douze travaux. Par ailleurs, certains historiens ont vu en Tartessos le Tarshish de la Bible, pays fabuleux de « *l'or et de l'argent, de l'ivoire, des singes et des paons* », où Jonas voulait se rendre avant d'être malencontreusement avalé par la baleine. Les Romains, quant à eux, connaissaient la péninsule Ibérique sous le nom d'Hispania, tiré d'un mot sémitique signifiant « éloigné, caché ». Cette terre mystérieuse, perdue aux confins de l'Europe, devait bientôt devenir l'objet de la conquête et du commerce romains.

ROMAINS
ET WISIGOTHS

La bataille pour la péninsule

Au ve siècle av. J.-C., le sort de la péninsule Ibérique était entre les mains de Rome et de Carthage, les deux grandes puissances d'alors, qui rivalisaient pour obtenir la suprématie militaire et économique dans tout le bassin méditerrannéen occidental. Vaincus par les Romains en 241 av. J.-C. au cours de la première guerre punique, les Carthaginois furent contraints de quitter la Sicile et passèrent plusieurs décennies à reconstituer leur armée et à préparer une nouvelle offensive depuis leur base africaine. Seul le détroit de Sicile séparait Carthage de l'Italie, mais les Carthaginois décidèrent d'emprunter une route nettement plus détournée pour attaquer Rome : le point de départ serait la péninsule Ibérique, à plusieurs centaines de kilomètres de là.

Les Carthaginois gagnèrent l'Espagne sous le commandement d'Hamilcar Barca. Grâce à la supériorité écrasante de son armée, Hamilcar s'empara de la majeure partie de l'Andalousie, rasant Tartessos au passage. Il remonta ensuite la côte jusqu'à Valence, mettant en déroute les troupes ibères qui avaient le malheur de lui faire front. Pour alimenter la machine de guerre carthaginoise, les autochtones étaient enrôlés de force dans l'armée ou bien forcés de travailler comme esclaves dans les mines d'or et d'argent. Hamilcar Barca entreprit ensuite de fortifier les villes côtières tombées sous sa domination et donna son nom à la première d'entre elles, Barcelone. La deuxième possession carthaginoise fut appelée Carthago Nova, l'actuelle Carthagène.

A la mort d'Hamilcar, son fils Hannibal poursuivit la lutte contre les Romains et leva une armée de 60 000 hommes qui fit route vers le nord, en direction des Pyrénées. Au cours de sa progression, il s'assura l'alliance de diverses tribus celtes et ibères qui vinrent grossir les rangs de ses troupes. Escorté de ses célèbres éléphants, il parvint en Gaule puis franchit les Alpes et déferla sur Rome par le nord. Hanni-

Statue féminine romaine : les colons romains furent nombreux à s'installer en Hispanie.

bal défit l'armée romaine à Canne en 216 av. J.-C., mais la victoire finale devait pourtant lui échapper. Pendant les treize années qui suivirent, ses troupes parcoururent l'Italie du nord au sud sans pour autant vaincre les Romains de façon décisive. En 203 av. J.-C., Hannibal fut contraint de battre en retraite vers l'Afrique du Nord ; un an plus tard, il fut définitivement vaincu près de Carthage.

Dans le même temps, les Romains avaient dû combattre les Carthaginois sur le sol de la péninsule Ibérique. En 218 av. J.-C., Publius Scipion était arrivé à Emporia avec un corps expéditionnaire. Il combattit les Carthaginois durant plusieurs années et occupa Carthago Nova en 209 av. J.-C., et se rendit enfin maître de Cadix en 206 av. J.-C., chassant définitivement les forces carthaginoises d'Espagne.

L'Espagne sous
la domination de Rome

Il ne fallut que sept ans aux Romains pour soumettre la Gaule, mais la conquête de l'Espagne dura presque deux siècles. Les guerres successives avaient sensiblement entamé la trésorerie romaine et l'armée fut obligée de recruter par conscription, car personne ne voulait aller se battre en Espagne. Les Romains furent également confrontés aux difficultés de communication inhérentes au pays. Leurs troupes durent traverser des terres mornes et désolées sous un soleil brûlant ; l'eau était rare, les provisions et le fourrage pour les animaux aussi. De leur côté, les Espagnols — parfaitement acclimatés et habitués aux privations — opposèrent à l'envahisseur une farouche résistance.

Le siège le plus long et le plus pathétique fut celui de Numance, une ville de 4 000 habitants située dans le Centre. Il fallut plusieurs années à une armée de 60 000 hommes pour s'en rendre maître. A l'issue du siège, les rares habitants qui avaient survécu à la famine et aux épidémies préférèrent se jeter dans les flammes qui ravageaient leur cité plutôt que de se rendre aux Romains. Cet épisode de la résistance prit une valeur symbolique et, plusieurs siècles plus tard, on citait encore les habitants de Numance en exemple pour exhorter les Espagnols à défendre leur pays contre les envahisseurs. Toutefois, cette ferveur patriotique ne saurait s'étendre à tous les Celtibères, et nombreuses furent les tribus qui trahirent. Paradoxalement, c'est précisément le manque d'unité ibérique qui a freiné les Romains dans leur progression, du moins au début, car chaque victoire n'était qu'une victoire ponctuelle remportée sur un groupe isolé.

L'étape finale de la conquête romaine fut la guerre contre les Cantabres (29-19 av. J.-C.), à laquelle prirent part sept légions romaines. L'empereur Auguste en personne dirigea la dernière campagne, qui se déroula dans les monts Cantabriques. Les habitants de cette région étaient si rebelles qu'ils continuèrent à lutter contre les vainqueurs bien après que leurs propres chefs eurent été crucifiés par les Romains.

Ce n'est qu'en 19 av. J.-C. que la *Pax romana* fut enfin établie dans la péninsule.

La citoyenneté romaine, au début de la colonisation, fut donnée aux colons d'origine romaine ou italienne. Dès 74 ap. J.-C. par l'édit de Vespasien, elle fut accordée à tous les Celtibères.

Le christianisme apparut en Espagne au premier siècle de notre ère, sous le règne de Néron. On dit que saint Jacques y aurait prêché l'Évangile et que saint Paul se serait rendu en Aragon entre 63 et 67. Mais l'intransigeance de Rome face au christianisme aboutit à la persécution de nombreux Espagnols, dont plusieurs dizaines subirent le martyre. Parmi eux, sainte Eulalie, une fillette de treize ans qui avait osé défier les autorités romaines sur la grand-place

La vie au temps des Romains

Sous le règne de César, le latin devint la langue officielle de l'aristocratie ibérique. Peu à peu unis par un langage commun, les Espagnols adoptèrent bientôt les lois et les coutumes romaines. A l'instar de leurs prédécesseurs carthaginois, les Romains ne tardèrent pas à découvrir l'immense richesse minérale du sol hispanique et tirèrent profit des ressources en or et en argent, apparemment illimitées. Par ailleurs riche en bétail et en produits agricoles (essentiellement fruits et légumes), l'Hispanie devint l'une des provinces les plus prospères — et par conséquent l'une des mieux exploitées — de l'Empire romain.

de Mérida en s'écriant : « *Les dieux anciens ne valent rien, l'empereur lui-même n'est rien !* » Après avoir été torturée, Eulalie fut précipitée dans un puits ; on dit que son âme s'en échappa sous la forme d'une colombe blanche qui s'envola droit vers les cieux, attestant ainsi qu'elle était vouée au paradis. La légende dorée espagnole regorge de récits similaires.

Pourtant, malgré les persécutions dont elles étaient l'objet, les communautés chrétiennes se développaient inexorablement. En majorité chrétienne à l'avènement de Constantin en

A gauche, le théâtre romain de Mérida ; à droite, pavement de mosaïque figurant les sept jours de la semaine.

325 apr. J.-C., l'Espagne fut reconnue officiellement comme telle sous le règne de Théodose Ier (379-395), empereur d'origine espagnole.

L'influence de la civilisation romaine en Espagne se reflète tout particulièrement dans le domaine de l'architecture. Des aqueducs, des ponts et des routes datant de l'époque romaine sont encore en service, comme l'aqueduc de Ségovie.

Dans le domaine de la littérature et de la philosophie, l'occupation romaine a donné naissance à ce que l'on appelle communément l'Age d'argent espagnol, qui vit se distinguer les poètes Martial et Lucain, et l'oncle de ce dernier, le philosophe stoïcien Sénèque, dont

Rome neuf ans plus tard. Dans le même temps, les Suèves, les Vandales et les Alains déferlèrent en Espagne par les Pyrénées et écrasèrent sous leur nombre les armées privées des propriétaires terriens espagnols. Tristement célèbres pour leur barbarie et leur cruauté, ces guerriers à qui nous devons le terme de « vandalisme » mirent fin à cinq siècles de domination romaine durant laquelle la péninsule avait prospéré.

Les tribus germaniques achevèrent d'occuper presque toute l'Hispanie en 415. Elles forgèrent des alliances et se partagèrent le pouvoir jusqu'à ce que les Wisigoths débarquent à leur tour de Gaule et installent leur propre dynastie

les idées eurent un effet déterminant sur l'évolution du tempérament espagnol. Citons encore Quintilien, maître de rhétorique qui devint le professeur de Pline le Jeune et de Tacite. Mais bien que tous fussent nés en Espagne, ils firent leurs études dans des écoles de rhétorique latines et passèrent la majeure partie de leur vie à Rome.

Vandales et Wisigoths

Le Ve siècle a marqué la décadence de l'Empire romain dans toute l'Europe méridionale. En 401, les Wisigoths traversèrent les Alpes sous la conduite d'Alaric et réussirent à s'emparer de

sur la péninsule Ibérique. Curieusement, ces envahisseurs barbares avaient eu le temps de subir l'influence des Romains puisqu'il leur était jadis arrivé de s'allier à eux ou de les servir en tant que mercenaires, de sorte que cette nouvelle conquête apporta peu de changement en territoire occupé. Les Wisigoths instaurèrent un commandement militaire mais permirent toutefois à la culture hispano-romaine de se perpétuer à travers son administration, ses lois et sa religion, ce qui était assurément l'attitude la plus sage à adopter, étant donné leur petit nombre, 200 000 environ, face à une population indigène de plusieurs millions d'individus. Ainsi les différents groupes hispano-romains purent-ils conserver leurs propres souverains, du moins en théorie ; ils continuèrent à mener une vie sociale quasiment indépendante de l'occupant, à tel point que les mariages mixtes furent interdits jusqu'à l'avènement de Léovigild (568-584).

Léovigild fit plus pour l'unité de la péninsule que tout autre roi wisigoth. Il assujettit les Basques, soumit les Suèves, qui avaient réussi à former un royaume autonome en Galice, et reprit la Bétique, laquelle correspondait approximativement à l'Andalousie, aux Byzantins qui la contrôlaient jusqu'alors. Il permit au latin de devenir la langue dominante dans toute la péninsule et il autorisa le mariage entre Wisigoths et Hispano-Romains. En renforçant

Mais dorénavant la brèche était ouverte. A la mort de Léovigild, son second fils, Reccared, se convertit au catholicisme et devint le premier roi catholique d'Espagne. Le problème de la religion étant définitivement résolu, les Hispano-Romains firent allégeance à la monarchie wisigothique.

La conversion de Reccared fut le symbole de la victoire de la civilisation hispano-romaine et marqua le commencement d'une nouvelle alliance entre l'Église et l'État, situation qui s'est perpétuée presque sans interruption jusqu'au XXᵉ siècle.

S'appuyant sur le modèle romain, les Wisigoths promulguèrent par la suite un *Liber judi-*

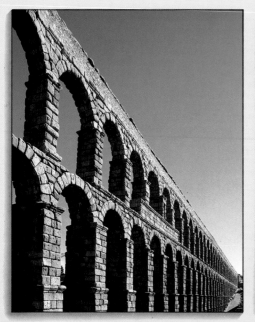

l'unité culturelle, géographique et linguistique, Léovigild donna pour la première fois à l'Hispanie le sentiment d'une destinée nationale totalement indépendante de Rome.

Dans le domaine de la religion, cependant, Léovigild ne parvint pas à convertir les Hispano-Romains à l'arianisme, culte qu'avaient embrassé les Wisigoths et qui niait le concept de la sainte Trinité. Il permit à son fils Herménégild d'épouser une catholique, mais lorsque ce dernier voulut se convertir au catholicisme, il n'hésita pas à le tuer et à poursuivre les chrétiens de sa vindicte, pillant les églises, extorquant d'énormes sommes aux riches chrétiens et condamnant grand nombre de ses adversaires à mort.

ciorum — code applicable à tous les sujets — et mirent en vigueur un système d'impôt valable sur l'ensemble du territoire. Ils souhaitaient en quelque sorte devenir les « nouveaux Romains ». Néanmoins, ils n'acceptèrent jamais de renier leur foi en une monarchie élective : la société wisigothique était en effet une assemblée de guerriers libres, particulièrement attachés au droit de pouvoir élire leur roi ; ce droit coutumier permettait à n'importe quel noble d'avoir une chance de monter sur le trône, s'il en avait l'ambition. Durant les trois siècles de domination wisigothique, plus de trente rois se succédèrent sur le trône d'Espagne, dont beaucoup périrent de mort violente et prématurée.

Le déclin de la monarchie wisigothique

Les juifs avaient immigré en Hispanie sous le règne d'Hadrien (117-138). Sous la suprématie romaine, les juifs pouvaient circuler librement. Sous les Wisigoths, ils continuèrent à jouir des mêmes libertés jusqu'à l'avènement de Sisebut, en 613. Selon un décret royal, les juifs devaient se faire baptiser ou bien quitter le pays. Cette alternative concernait plusieurs milliers de personnes et ceux qui refusèrent de se convertir tout en restant sur le territoire ibérique furent torturés, se firent confisquer leurs biens et chas-

nobles qui s'opposèrent à son projet, mais quand il mourut en 710, Akhila se trouvait alors dans le Nord, et Rodéric, duc de Bétique, fut proclamé roi par les Wisigoths du Sud. Estimant que Rodéric avait usurpé le trône, la famille de Witizia fit appel aux Maures d'Afrique du Nord pour récupérer la couronne d'Espagne. Le gouverneur de Tanger, Tariq ibn Ziyad, fervent adepte de la nouvelle religion de Mahomet, accepta de prêter main-forte à l'ex-famille royale. Il traversa le détroit de Gibraltar (*Djebel al-Tariq*, « montagne de Tariq ») et débarqua en Espagne avec 12 000 hommes, en grande majorité berbères. Écrasée sous leur nombre, l'armée du roi fut mise en déroute lors

ser de leur foyer. En 693, les juifs non convertis se virent refuser l'accès aux places de marché et interdire de faire du commerce avec des chrétiens. Il n'est pas étonnant, dans ces conditions, que les juifs d'Espagne aient été les premiers à rallier les Maures d'Afrique du Nord lorsque ceux-ci lancèrent leur offensive, en 711.

L'Espagne wisigothique allait subir une importante transformation au début du VIIIe siècle. En 702, le roi Witizia tenta de déroger à la tradition en voulant laisser la couronne à son fils Akhila ; il châtia impitoyablement les

De gauche à droite : l'aqueduc de Ségovie ; la couronne royale wisigothique ; bas-reliefs wisigothiques de l'église de Quintanilla de la Viñas.

de la bataille du Guadalete, au cours de laquelle Rodéric périt noyé.

En 711, les Wisigoths se retrouvèrent donc sans chef ; ils se replièrent à Mérida et tentèrent une ultime résistance, mais les Maures remportèrent la victoire finale. Tāriq aurait pu rentrer en vainqueur dans son pays, mais deux désirs le poussèrent à rester sur place ; le premier était de répandre sa propre religion en terrain conquis, le second de s'approprier le trésor légendaire du roi Salomon, censé se trouver à Tolède. Avec une rapidité étonnante et sans rencontrer beaucoup d'opposition, les troupes de Tāriq se déployèrent à travers toute l'Espagne. En 714, les Maures tenaient sous leur contrôle la quasi-totalité de la péninsule.

L'ESPAGNE MAURESQUE

L'invasion musulmane mit fin à l'unité culturelle, linguistique et religieuse que les Wisigoths s'étaient efforcés d'établir. Il serait toutefois inexact de considérer ces siècles d'occupation — de 711 à 1492, date à laquelle les Maures furent officiellement chassés d'Espagne — comme une période d'influence exclusivement mauresque. Tandis que les Maures s'emparaient de Séville, Mérida, Tolède et Saragosse, les nobles wisigoths se réfugièrent dans les montagnes des Asturies. Dans cette région où, sept cents ans plus tôt, d'intrépides montagnards avaient tenu tête aux légions romaines pendant dix ans, la petite armée chrétienne de Pélage dut résister à un envahisseur encore plus puissant. En dépit de leur enthousiasme pour la religion de Mahomet, au nom de laquelle ils menaient une guerre acharnée, les Maures ne purent venir à bout des troupes de Pélage et se firent ravir la victoire à Covadonga, en 722. Ce triomphe marqua le début de la reconquête de l'Espagne, la *Reconquista*, et finit par prendre une valeur symbolique : pour les chrétiens c'était la preuve que Dieu n'avait pas abandonné son peuple.

Dans leur ambition de conquérir l'Europe, les Maures ne se laissèrent point impressionner par cette défaite et continuèrent à progresser vers les Pyrénées. Les troupes de Charles Martel les arrêtèrent à Poitiers en 732, mettant un terme définitif à leur progression européenne.

Contrairement aux Romains qui avaient toujours gardé le contact avec un gouvernement très centralisé situé hors de la Péninsule, les Maures n'entretinrent qu'un contact symbolique avec le calife de Damas. Les conquérants rivalisèrent pour se partager le butin et le contrôle du territoire. Les premières années de domination maure furent donc marquées par de nombreuses rébellions et des luttes intestines entre les royaumes musulmans récemment constitués. De plus, l'Espagne devint la terre d'élection des nouveaux convertis à l'islam, comme les Berbères venus de Mauritanie qui se virent attribuer une grande partie de la vallée du Douro ; ils devaient en repartir quelques années plus tard, après avoir été cruellement frappés par la famine.

Un roi espagnol selon Alonso Cano ou l'archétype du souverain médiéval.

Pendant que les Maures tentaient d'enrayer l'expansion des Berbères dans le Sud, Pélage, soutenu par son fils Favila, entreprit de former un puissant royaume chrétien dans le Nord. Plus tard, sous le règne d'Alphonse Ier (739-757), les Asturies s'étendirent de la Galice à l'est des monts Cantabriques. Sous Alphonse II, la capitale du royaume fut établie à Oviedo, où les Asturiens tentèrent de restaurer la monarchie wisigothique. Dans l'intervalle, les Basques, d'ordinaire soucieux de sauvegarder leur indépendance, acceptèrent de s'allier avec leurs coreligionnaires catholiques. Toutes ces manœuvres n'avaient qu'un seul objectif : expulser les Maures et rétablir le catholicisme en Espagne. Quand Charlemagne s'empara de Pampelune, puis de la Catalogne à la fin du VIIIe siècle, il créa la Marche espagnole, une zone tampon destinée à repousser les musulmans. Ces derniers n'eurent bientôt plus d'autre choix que de se replier dans l'extrême Sud de la péninsule, qu'ils nommèrent *Al-Andalus*.

L'émirat

En 756, Abd al-Rahman Ier, prince omeyyade, fonda l'émirat de Cordoue, lequel était aligné sur Damas mais indépendant. Abd al-Rahman se proclama émir d'Andalousie et son influence marqua la naissance de la civilisation la plus brillante du Moyen Age. Cordoue devint alors le centre culturel et artistique le plus important d'Europe occidentale. A son apogée, au milieu du Xe siècle, cette cité de 300 000 habitants comptait plus de 800 mosquées, puisque l'islam y était la religion majoritaire ; et pour permettre aux musulmans de faire leurs ablutions rituelles quotidiennes, il n'existait pas moins de 700 établissements de bains publics dans la ville.

Les califes qui se succédèrent à Cordoue encouragèrent tous vivement le développement des sciences et l'érudition sous toutes ses formes. Sous le règne d'Al-Hakem II (961-976), on construisit une bibliothèque de 250 000 volumes. Pour la première fois, l'Europe découvrait les textes grecs que les Arabes avaient réunis au cours de leur marche triomphante à travers le Moyen-Orient. Les ouvrages d'Aristote, d'Euclide, d'Hippocrate, de Platon et de Ptolémée furent traduits et commentés par de non moins célèbres philosophes arabes tels qu'Avicenne et Averroès. Ce dernier se fit l'exégète de l'œuvre d'Aristote et tenta d'unifier la science et la religion.

L'influence arabe

La poésie tenait également une place importante à Cordoue. On dit que le puissant Al-Mansur était entouré de trente à quarante poètes lorsqu'il partait au combat. Nombreux et respectés, les poètes écrivaient généralement en arabe, plus rarement en castillan, en galicien ou en hébreu. L'art de la métaphore, chère aux Arabes, devait influencer les poètes lyriques espagnols du XVe siècle, et certains vers de Garcia Lorca en portent encore l'empreinte.

La langue espagnole utilise encore plus de 4 000 mots d'origine arabe. Les produits agricoles importés par les Maures — le sucre (*azu-*

car), les pastèques (*sandias*), les aubergines (*berenjenas*) et les oranges (*naranjas*) — font souvent partie des repas quotidiens. De même les termes relatifs à l'administration, à l'irrigation, aux mathématiques, à l'architecture et à la médecine remontent-ils à l'époque de la domination mauresque.

Presque toutes les expressions ayant trait à la courtoisie et à la religion trouvent leurs racines dans la culture arabe. La part importante accordée à Dieu dans la vie de tous les jours atteste certaines réminiscences mauresques fortement enracinées dans le comportement espagnol, reflet que l'on retrouve tout particulièrement dans l'habitude de se signer ou d'invoquer Dieu à tout propos.

Au Moyen Age, Cordoue devint aussi la capitale européenne des sciences. L'introduction des chiffres arabes, nettement moins encombrants que leurs équivalents romains, permit aux mathématiciens de l'époque de faire des progrès considérables ; on leur attribue d'ailleurs l'invention de l'algèbre et de la trigonométrie sphérique. Les astronomes et astrologues étaient fort nombreux, et les sciences occultes avaient beaucoup d'adeptes.

De toutes nouvelles industries se sont développées sous le règne des émirs de Cordoue. La manufacture royale de tapis était célèbre dans toute l'Espagne, et la remarquable habileté des tisserands de Cordoue augmenta la réputation de la ville, où l'on pouvait se procurer des étoffes de première qualité et des vêtements raffinés. On construisit des fabriques de verre et de céramique, et la lourde vaisselle de métal fut bientôt remplacée sur toutes les tables par des verres fins et de la poterie émaillée. On venait à Cordoue des quatre coins de l'Espagne pour admirer les dessins inédits des orfèvres et des artisans du cuir. Les médecins arabes étaient réputés pour la sûreté de leur diagnostic et leur dextérité comme chirurgiens. Les rois et les nobles chrétiens n'hésitaient pas à parcourir des centaines de kilomètres pour venir les consulter, parfois aux prix de larges détours afin d'éviter les escarmouches qui survenaient souvent en cours de route. Les Maures connaissaient déjà l'anesthésie et pratiquaient des interventions délicates, telles que l'opération de la cataracte ou la trépanation.

Mais c'est incontestablement dans le domaine architectural que les Maures ont laissé l'empreinte la plus marquante. Les églises romanes des siècles précédents furent supplantées par des constructions plus fines, plus claires, plus aérées et plus colorées. Les dômes, les arches en fer à cheval et les colonnes effilées — souvent en onyx, en marbre ou en jaspe — sont l'œuvre des architectes arabes ; l'un des plus beaux exemples en est la Mezquita (mosquée) de Cordoue. Puisque le Coran interdit de représenter des personnages humains, les artistes musulmans surent créer des motifs géométriques souvent associés aux gracieuses lettres de l'alphabet arabe, utilisant la mosaïque et des pierres de couleur pour former d'éclatantes réalisations.

Outre les nombreux bains publics, l'eau coulait partout à flots dans leurs palais et leurs villas. Cette profusion de bassins, de fontaines et de jets d'eau est particulièrement remarquable à l'Alhambra (le « palais Rouge ») et dans les jardins du Generalife de Grenade, où se tenait la résidence d'été des califes. Bâti vers la fin de l'occupation maure (fin XIVᵉ-début XVᵉ siècle), cet édifice où l'eau et la végétation se marient à la perfection est un exemple typique du raffinement et de la splendeur des constructions arabes en Espagne.

Les juifs d'Espagne

L'histoire de l'occupation maure serait incomplète si l'on faisait abstraction du rôle important qu'a joué la population juive durant cette période.

teurs d'impôts, ce qui leur attira la haine des classes populaires. Mais dès l'arrivée des Almoravides (fin XIᵉ-début XIIᵉ siècle), puis des Almohades (Berbères fanatiques convertis à l'islam, qui régnèrent sur la moitié de l'Espagne et la totalité du Maghreb de 1147 à 1269), les juifs furent contraints d'émigrer vers les royaumes chrétiens s'ils voulaient échapper à la mort.

La population juive fut particulièrement prospère sous le califat de Cordoue (929-1031). Le théologien et philosophe Maimonide, auteur du *Guide des égarés*, naquit à Cordoue et y vécut jusqu'à ce que les Almohades le forcent à fuir vers l'Égypte. L'école talmudiste de

Après avoir été persécutés par les Wisigoths, les juifs furent tenus en grande estime par les envahisseurs musulmans. Ils jouissaient de la protection des souverains et des nobles, et occupaient de hauts postes dans l'administration tout comme dans le commerce ou la diplomatie. Le ministre des Finances du premier calife Abd al-Rahman III (912-961) était juif et au XIᵉ siècle, le vizir du souverain de Grenade l'était également. En raison de leur honnêteté, les juifs étaient souvent changeurs ou percep-

Cordoue attira les grands penseurs juifs de toute l'Europe.

Les juifs bénéficiaient aussi de l'estime des souverains chrétiens en raison de leurs compétences administratives et médicales. Alphonse X (1252-1284), dit le Sage, roi de Castille et fondateur de l'université de Salamanque, créa une école de traducteurs à Tolède, où chrétiens, juifs et Arabes travaillaient de concert. C'est à sa demande que la Bible, le Talmud, le Zohar et le Coran furent traduits en espagnol.

Mais bientôt les effets des croisades, qui se développèrent à travers toute l'Europe afin de délivrer les lieux saints occupés par les musulmans, se firent sentir en Espagne. Dans ce climat de peur, de suspicion et d'intolérance, on

A gauche, portrait d'Alfonso el Sabio (Alphonse le Sage ou Alphonse X) ; à droite, calligraphies arabes de la mosquée de Cordoue.

en vint même à tenir les juifs pour responsables d'une épidémie de peste qui décima la population. Des moines zélés soulevèrent une vague d'antisémitisme qui aboutit à la destruction des ghettos et de leurs habitants. Le judaïsme fut proscrit, et de nombreux juifs, surtout ceux de Castille, furent obligés de se convertir sous peine de ne pouvoir conserver leurs fonctions. Au XIVᵉ siècle, les *Urdenamientos* de Valladolid privèrent la communauté juive de son autonomie financière et juridique. Mais une menace plus grande encore la guettait : l'Inquisition, créée sous le règne d'Isabelle et de Ferdinand.

Le Cid

Né près de Burgos en 1043, Rodrigo Díaz de Bivar servit d'abord le roi de Castille, puis le frère ennemi de ce dernier, Alphonse VI. Tombé en disgrâce, il fut chassé de Castille par Alphonse VI et parcourut l'Espagne, offrant ses services à différents princes, qu'ils fussent chrétiens ou musulmans. Les victoires éclatantes qu'il remporta lui valurent le nom de *Cid* (de l'arabe *sidi*, « mon seigneur ») *Campeador* (en espagnol « guerrier illustre »). En 1094, il s'empara du royaume maure de Valence, dont il fut le souverain jusqu'à sa mort, en 1099. Symbole de la chevalerie castillane au temps de la Reconquête, Díaz de Bivar devint un personnage légendaire et inspira dès 1140 l'un des chefs-d'œuvre de la littérature espagnole, le *Cantar de mio Cid*. Écrit en castillan par un auteur anonyme, ce poème épique, apparemment influencé par *la Chanson de Roland,* reste fidèle aux faits historiques et donne au lecteur une idée précise de ce que pouvait être la vie d'un héros indépendant dans la société espagnole du XIᵉ siècle. Par la suite, la légende du Cid inspira des auteurs dramatiques, dont les plus importants sont Guilhem de Castro et Corneille.

La Reconquête

La Reconquête de l'Espagne s'étendit sur sept cent cinquante ans ; ce ne fut pas seulement une guerre menée contre l'envahisseur, mais un combat contre l'islam. La longue bataille entreprise pour repousser les Maures avait donc deux objectifs, l'un religieux, l'autre territorial. A la fin du IXᵉ siècle, Alphonse II (866-911) tira parti des conflits internes qui régnaient parmi les Maures pour coloniser la vallée du Douro, que les Berbères avaient abandonnée.

A l'Est, il fit bâtir de nombreuses forteresses. Descendants du peuple des Asturies — comme le précisent les premières chroniques chrétiennes existantes —, les partisans d'Alphonse II se proclamaient les héritiers des Wisigoths qui avaient vaincu les Maures.

Mais lorsque la capitale des Asturies (Oviedo) fut transférée dans la ville de León en 914, les Maures — entre-temps réconciliés et soumis à l'autorité des califes de Cordoue — s'unirent pour infliger une cuisante défaite aux chrétiens. Al-Mansūur prit le pouvoir en 976 et, pour détourner les musulmans de la mauvaise gestion du royaume, il commença à harceler les cinq États de l'Espagne chrétienne : Asturies, León, Navarre, Aragon et Catalogne. En 985, il incendia Barcelone, dont les habitants furent massacrés ou réduits en esclavage. Trois ans plus tard, il pillait Burgos et León ; puis ce fut le tour de Saint-Jacques-de-Compostelle. Sur son ordre, les célèbres cloches et les portes de la cathédrale furent acheminées par des esclaves jusqu'à Cordoue, où on les transforma en lampes et en décor de plafond pour la Mezquita, Al-Mansur prit ensuite le contrôle du Maroc, qu'il annexa au califat de Cordoue.

La riposte chrétienne survint en 1002, à la mort d'Al-Mansur. Le comte de Barcelone, Ramón Borrell, conduisit ses troupes vers le Sud, où il rejoignit des rebelles maures. Cordoue fut mise à sac en 1010 ; ainsi prit fin la suprématie de cette cité en Andalousie. A la même époque, Sanche III le Grand devint roi de Navarre (1000-1035). Par alliance et grâce à certaines victoires militaires, il vint à régner sur les provinces d'Aragon, de Castille, de Ribagorza, de Sobrarbe et sur la ville de León.

Par la suite, des luttes confuses entre différentes bandes et le morcellement du territoire en petits royaumes appelés *taifas* accélérèrent le déclin du pouvoir maure sur la Péninsule. Les rois chrétiens profitèrent de la situation pour dresser les souverains maures les uns contre les autres.

Les Castillans réussirent à s'emparer de Tolède en 1085. Ce fut une victoire déterminante, car Tolède était considérée comme la capitale de l'Espagne.

Dans le même temps, le royaume d'Aragon annexait Saragosse et les Catalans reprenaient les villes de Lérida et de Tarragone. Quand la fille du roi d'Aragon épousa Ramón Berenguer, comte de Barcelone, en 1151, la Catalogne et l'Aragon s'unirent pour former un seul et même royaume.

Les guerres saintes

Les Maures n'entendaient cependant pas renoncer si facilement à l'Espagne. Pour contrecarrer les forces chrétiennes de plus en plus menaçantes, les rois musulmans sollicitèrent l'aide des Almoravides — « Ceux qui sont voués à Dieu ». Ce peuple du Sahara récemment converti à l'islam avait déjà conquis une grande partie de l'Afrique occidentale. Sous le commandement de Yusuf, les Almoravides débarquèrent dans la Péninsule avec des caravanes de chameaux et une puissante armée de soldats africains. Ils s'emparèrent de Badajoz, de Lisbonne, de Guadalajara et de Saragosse,

musulmane, écrasèrent le roi de Castille Alphonse VIII à Alarcos (1195), puis expulsèrent d'Andalousie des milliers de juifs et de mozarabes (chrétiens vivant en territoire maure). En réponse à cet acte, le pape Innocent III incita les royaumes chrétiens des autres pays d'Europe à partir en croisade. Plusieurs contingents de chevaliers partirent donc en guerre contre les « infidèles » et remportèrent la victoire de Las Navas de Tolosa, au sud d'Irún, en 1212. Ferdinand III de Castille exploita ce succès en dressant les armées de Navarre, d'Aragon et du Portugal contre les forces de Miramolin, chef des Almohades. Les chrétiens l'emportèrent de nouveau et ce triomphe leur

mais furent repoussés aux portes de Barcelone et de Tolède. Malgré ces deux échecs, les Almoravides restèrent maîtres des territoires acquis pendant cinquante ans.

Le pouvoir des Almoravides commença à s'affaiblir au milieu du XIIe siècle, et les chrétiens parvinrent à reconquérir la majeure partie de l'Andalousie. Mais c'est alors qu'arrivèrent les Almohades. Vainqueurs des Almoravides en Afrique du Nord, ces Berbères originaires de l'Atlas imposèrent leur domination à l'Espagne

Médaillon de la façade de l'université de Salamanque : Ferdinand et Isabelle, les Rois Catholiques.

permit d'occuper une position stratégique à la frontière nord de l'Andalousie.

La soumission de toute l'Espagne musulmane n'allait pas tarder à suivre. En 1229, Jacques Ier d'Aragon conquit les Baléares, puis le royaume de Valence en 1238. Dans le même temps, Ferdinand III rassembla les deux royaumes de Castille et de León, unissant ainsi leurs forces pour combattre les Maures. Cordoue se rendit en 1236 et les autres possessions musulmanes résistèrent en vain aux troupes chrétiennes. En 1246, Ferdinand III assiégea Jaén, qui céda après de longs mois. C'est après un siège de plus de seize mois, durant lequel les chrétiens firent le blocus du Guadalquivir, que Séville se rendit enfin en 1248. La ville et ses environs furent mis à sac et seul le minaret de la mosquée, la célèbre Giralda, resta debout.

A la fin du XIIIe siècle, seules les provinces de Grenade et de Málaga, ainsi qu'une partie des provinces de Cadix et d'Almería, n'étaient pas encore tombées aux mains des chrétiens. Un État musulman bénéficiant de la protection chrétienne fut formé à Grenade ; la dynastie des Nasrides y régna de 1238 à 1492 et la ville accueillit les réfugiés musulmans venant des autres parties d'Espagne.

Pourtant, l'unification de l'Espagne était loin d'être achevée ; les rébellions nobiliaires, les conflits de succession et de minorités en empêchèrent la réalisation pendant cent cinquante ans. Pierre Ier, dit le Cruel, qui monta sur le trône en 1350, s'efforça de ramener la noblesse à l'obéissance avec une rigueur implacable. Jusqu'en 1369, son règne fut marqué par une longue série de meurtres visant aussi bien les membres de sa famille que ses amis.

Pierre Ier fut poignardé à Montiel, et, à sa mort, la branche bâtarde des Trastamar prit le pouvoir en Castille, grâce à l'aide des « Grandes Compagnies » amenées de France par Du Guesclin. Dans les années qui suivirent, le pays ne connut qu'instabilité politique, guerres et trahisons.

Ferdinand et Isabelle

Au début du XVe siècle, la maison d'Aragon prit le contrôle de la Catalogne et de Valence, tandis que la dynastie castillane assumait la charge de Murcie et d'Almería. Les deux grandes familles s'unirent en 1474, quand Ferdinand II d'Aragon épousa Isabelle de Castille. Mais l'union des couronnes ne signifiait cependant pas l'union des royaumes, et chaque région conserva son propre gouvernement et ses institutions. Il fut également stipulé que la couronne de chaque royaume reviendrait à des héritiers distincts à la mort des souverains régnants.

Entre 1483 et 1497, les Cortes (assemblée représentative des nobles de la cour) ne se réunirent pas. Durant toutes ces années, en effet, les Rois Catholiques — ainsi nommait-on Ferdinand et Isabelle — étaient parvenus à étendre leur autorité sur tous les États de la péninsule jusqu'aux plus petits d'entre eux ; peu à peu, ils mirent fin à l'ordre féodal qui existait jusqu'alors et établirent une monarchie absolue. Ils limitèrent les privilèges de la vieille noblesse, préférant favoriser le développement d'une grande bourgeoisie qui allait devenir l'un des facteurs prédominants de l'Espagne nouvelle.

L'Inquisition

Soucieux de donner à l'Espagne l'unité religieuse qui lui faisait défaut, ils obtinrent du pape Sixte IV l'autorisation de fonder une Sainte Inquisition visant à combattre « *l'influence diabolique* » des juifs en Espagne et à s'assurer de la sincérité des *conversos* (juifs convertis au christianisme). Constituée comme une sorte de tribunal royal dès 1478, l'Inquisition espagnole accueillait toutes les dénonciations, ne commettait pas d'avocat à la défense des accusés et pratiquait la torture. Les accusés ne pouvaient pas demander de contre-interrogatoire des témoins à charge. Des milliers de *conversos* furent ainsi condamnés à mort, tandis que des milliers d'autres fuyaient le pays à la hâte pour échapper aux griffes de l'Inquisition. Les juifs ne pouvaient demeurer en Espagne que si leur conversion avait été jugée sincère et totale. Parmi ces *conversos* nombreux étaient ceux qui occupaient des postes importants au gouvernement, mais aussi au sein de l'Église elle-même. Dans l'intervalle, l'armée des Rois Catholiques avait entrepris d'assiéger Grenade. Le statut particulier qui avait été accordé à la ville allait désormais à l'encontre de la politique de plus en plus intolérante suivie à l'égard des minorités religieuses. Le 2 janvier 1492, après onze années de lutte et de résistance, le roi maure Boabdil remit personnellement les clefs de Grenade aux Rois Catholiques, lesquels s'installèrent à l'Alhambra pour une courte période.

Deux mois après la prise de Grenade, Ferdinand et Isabelle, sur le conseil de Tomás de Torquemada, premier grand inquisiteur — lui-même issu d'une famille convertie — ordonnèrent l'expulsion de tous les juifs qui refusaient le baptême. 170 000 d'entre eux gagnèrent l'Afrique du Nord, la Grèce ou la Turquie, où ils perpétuèrent la culture et la langue de leurs ancêtres espagnols. Mais pour les quelque 300 000 *conversos* qui étaient restés en Espagne, la situation restait précaire. Toutefois, sans eux, le Siècle d'or de l'Espagne n'aurait pas pu s'épanouir.

A droite, un autodafé (peinture de Pedro Beruguete, XVe siècle).

L'EMPIRE ESPAGNOL

La découverte de l'Amérique

A la fin du xvᵉ siècle, le Portugal était l'une des plus grandes puissances maritimes du monde. Explorant sans relâche le littoral atlantique, les capitaines portugais fondèrent des colonies à Madère, aux Açores et dans les îles du Cap-Vert, au large des côtes africaines. En 1485, Christophe Colomb, navigateur génois établi au Portugal, vint proposer ses services à Ferdinand et à Isabelle. Ayant soumis en vain au gouvernement portugais son projet de trouver par l'ouest la route des Indes, il gagna à sa cause les Rois Catholiques et obtint d'eux le financement de l'expédition en échange de nouveaux territoires et d'abondantes richesses.

Le 12 octobre 1492, environ soixante-dix jours après son départ d'Espagne, Colomb et son équipage atteignirent les côtes de l'île de San Salvador, aux Bahamas (qu'il prit pour les Indes), puis les Grandes Antilles, Cuba et Haïti. Il revendiqua la possession de ces nouvelles terres au nom de la couronne d'Espagne. A son retour (le 15 mars 1493), il fut accueilli en grande pompe et confirmé dans ses fonctions de vice-roi. Encouragés par une bulle du pape qui leur cédait une grande partie du Nouveau Monde, Ferdinand et Isabelle multiplièrent les grandes expéditions maritimes au cours desquelles Christophe Colomb allait découvrir l'Amérique. Quelques années plus tard, le Mexique et le Pérou vinrent grossir l'Empire.

Ayant financé les expéditions, la Castille revendiquait le droit de contrôler tout le commerce des colonies et exigeait que le *quinto real* (le « cinquième royal ») des transactions fût reversé à la couronne espagnole. Sur un plan plus spirituel, les Espagnols prenaient à cœur leur rôle de missionnaires et souhaitaient aller prêcher la parole chrétienne jusqu'en ces lointaines contrées où l'on pratiquait souvent le sacrifice humain.

Plusieurs empires indiens furent anéantis et leurs richesses minières dilapidées pour financer des guerres européennes qui se déroulaient à des milliers de kilomètres de là. A la mort de

A gauche, « les Ménines », un des plus célèbres tableaux de Vélasquez, représentant de la famille de Philippe IV et l'artiste à l'œuvre.

la reine Isabelle en 1504, sa fille Jeanne, épouse de Philippe Iᵉʳ le Beau, monta sur le trône de Castille. Elle devait perdre la raison à la mort de son mari (d'où son surnom de Jeanne la Folle, « Juana la Loca ») et la régence fut assurée par son père, Ferdinand d'Aragon.

Le règne de Ferdinand fut jalonné de nombreuses batailles visant à consolider la couronne d'Espagne. L'Aragon, qui possédait déjà la Sicile et la Sardaigne, annexa la Sicile, jusque-là territoire français, en 1504. Cette lutte marqua la rupture de l'alliance traditionnelle entre la France et la Castille. En 1512, Ferdinand s'empara de la Navarre. En menant une habile politique de mariages, Ferdinand réussit à renforcer la position de l'Espagne vis-à-vis de certains de ses rivaux européens.

Les Habsbourg

A la mort de Ferdinand en 1516, la couronne d'Espagne revint à son petit-fils Charles, fils de Jeanne la Folle et de Philippe. Héritier des terres des Habsbourg en Autriche et en Allemagne, prince de Bourgogne et des Pays-Bas, Charles, encore inexpérimenté, se trouva subitement à la tête d'un immense empire. Quand il arriva à Santander en 1517, l'Espagne ne cacha pas sa réticence à être gouvernée par un étranger. De fait, la première attitude de Charles n'apaisa pas les craintes. Non content d'avoir choisi ses principaux conseillers parmi des Flamands et des Bourguignons, il manquait fréquemment de consulter la noblesse espagnole, ce qui lui valut le ressentiment de cette dernière. L'une des mesures les plus impopulaires fut de nommer son propre neveu au poste prestigieux d'archevêque de Tolède. Charles voulut en outre lever un nouvel impôt sur l'Église et la noblesse, ce qui ne fit qu'empirer la situation.

Lorsque son grand-père Maximilien mourut, en 1519, Charles fut proclamé empereur du Saint Empire sous le nom de Charles V, ou Charles Quint. Mais alors qu'il faisait route vers l'Allemagne, les Castillans, écrasés par les impôts et se sentant de plus en plus tenus à l'écart des grandes décisions, se rebellèrent. Ce fut la fameuse révolte des *comuneros* (1520-1521). Partis de Tolède, les *comuneros* voulaient détrôner Charles Quint pour le remplacer par Jeanne la Folle, qui était toujours reine en titre de la Castille. Ils exigeaient que les hautes fonctions administratives ne soient tenues que par des Castillans de pure souche et que les Cortes aient, seules, le droit de déclarer la guerre. Après quelques hésitations, les nobles se rallièrent à la cour ; le mouvement fut écrasé par l'armée royale en 1521 (bataille de Villalar) et les chefs *comuneros* décapités. Le pouvoir de la monarchie fut donc restauré et, pour prouver sa reconnaissance aux nobles qui lui avaient apporté leur soutien, Charles Quint supprima certains impôts qui les frappaient.

La politique de Charles Quint favorisa l'ouverture vers l'Amérique du Sud. Sous son règne, Hernán Cortés conquit l'empire des Aztèques et Francisco Pizarro fit de même avec les Incas du Pérou. Le pillage du trésor des vaincus et l'ouverture de mines d'or et d'argent au Mexique, en Bolivie et au Pérou (mines du Potosi) rapportèrent d'immenses richesses à

une vaste partie de l'Afrique du Nord. Dans le même temps, il déclarait la guerre à la France et, jusqu'à la fin de son règne, il se trouva tour à tour en conflit avec chaque pays d'Europe.

Entretenir une armée de plusieurs milliers d'hommes exigeait évidemment d'énormes ressources. Pour combler un déficit grandissant, il lui fallut de nouveau augmenter les impôts et établir un contrôle des prix sur les rares produits manufacturés de l'époque. Les nobles avaient préféré investir dans les terres, les bijoux et les objets d'art plutôt que dans l'industrie ou l'agriculture ; l'Espagne demeurait économiquement faible et peu compétitive. Sa dette s'alourdit d'année en année alors que ses

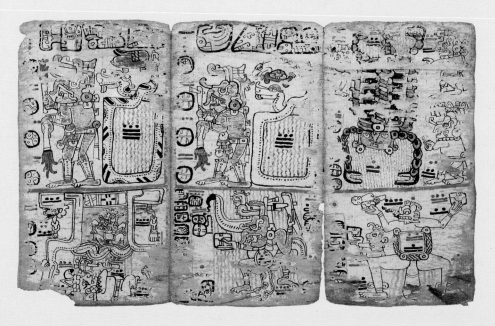

l'Espagne. Séville devint le centre du commerce de l'or et doubla de taille en l'espace de quelques années.

Dettes et hérésie

Au XVIᵉ siècle, malgré la paix retrouvée à l'intérieur de ses frontières et l'or qui lui arrivait à flots de ses possessions d'outre-Atlantique, l'Espagne, puissance prépondérante d'Europe, se trouva impliquée dans de nombreuses et coûteuses guerres étrangères. En défendant l'Italie du Sud contre les invasions turques, Charles Quint fut amené à lutter directement contre l'Empire ottoman, qui contrôlait alors

rivaux européens développaient considérablement leur secteur industriel.

L'autre grand combat de Charles Quint fut de mener à bien le triomphe de l'orthodoxie sur la Réforme et les infidèles. Alors que les idées de Martin Luther s'implantaient fermement en Allemagne, en Suisse et en Angleterre, le pape fit appel à Charles Quint pour mettre fin au mouvement hérétique. Celui-ci apporta son soutien à plusieurs groupes catholiques, parmi lesquels se trouvait la compagnie de Jésus, fondée par saint Ignace de Loyola. Une Contre-Réforme eut lieu en Espagne même ; certains

A gauche, fragment du Codex maya ; à droite, Hernán Cortéz, le conquistador du Mexique.

livres furent interdits et les idées de l'humaniste Érasme déclarées hérétiques.

Prématurément usé et las de ces conflits permanents, Charles Quint abdiqua en 1556 et se retira au monastère de Yuste, en Estrémadure. Son frère Ferdinand reçut les possessions germaniques de l'empire des Habsbourg, tandis que son fils Philippe II se voyait confier les possessions espagnoles, les Pays-Bas et une partie de l'Italie.

Philippe II poursuivit la politique de son père d'une façon beaucoup plus systématique et plus étroite. Il s'attacha tout particulièrement à résoudre des problèmes d'ordre intérieur et surtout à assurer le triomphe du catholicisme dans ses États. Quand les calvinistes se révoltèrent aux Pays-Bas, créant les Provinces-Unies, Philippe II fit assassiner leur stathouder, Guillaume d'Orange-Nassau, et massacrer bon nombre de ses partisans, ce qui lui valut une réputation de despote fanatique et impitoyable. Il n'hésita pas à faire arrêter son propre fils, don Carlos, accusé de trahison et d'hérésie, ni à faire destituer de ses fonctions le primat d'Espagne, lequel avait imprudemment clamé son admiration pour Érasme. Impénétrable et méfiant, alliant le goût du faste à l'austérité — attitude symbolisée par la configuration de l'Escurial —, tour à tour cruel ou tendre pour son entourage, Philippe II a été immortalisé par Schiller dans *Don Carlos* et par Goethe dans *Egmont*.

Vers 1560 l'Espagne était, en dépit d'une apparente opulence, dans une situation financière catastrophique. L'industrie stagnait, les guerres extérieures avaient épuisé le Trésor et les pirates anglais commençaient à détourner les navires espagnols qui revenaient des Amériques avec leurs précieux chargements. En 1575, Philippe II, à court d'argent, fut obligé de suspendre le paiement de ses dettes auprès des banques étrangères.

Mais la scrupuleuse religiosité de Philippe II continua de l'emporter sur les considérations d'ordre économique. Pour lutter contre les Turcs qui menaçaient régulièrement le littoral espagnol, il forma une ligue avec le pape Pie V, Malte et Venise, alliance qui aboutit à la victoire de Lépante, près de Corinthe, en 1571.

Le naufrage

Dans le cadre de la lutte contre l'Angleterre, les préoccupations économiques et religieuses étaient étroitement liées : Philippe II lança l'Invincible Armada contre les forces de la reine Élisabeth, non seulement parce qu'elle protégeait les pirates qui attaquaient les galions espagnols, mais aussi parce qu'elle persécutait les catholiques et avait fait emprisonner sa cousine, Marie Stuart. Mais l'Armada se trouva confrontée en 1588 à la flotte de sir Francis Drake, plus rapide et plus manœuvrable. L'Espagne dut alors subir la perte de plusieurs milliers d'hommes et la destruction de plus de la moitié de ses navires. La victoire d'Élisabeth marquait la fin de la suprématie maritime de l'Espagne. Philippe II décida alors de se retirer à l'Escurial, où il passa le restant de ses jours.

Au cours du XVIIᵉ siècle, l'Espagne fut gouvernée par les trois derniers rois de la dynastie

A 6

des Habsbourg. Quand Philippe III monta sur le trône en 1598, son empire comprenait l'Espagne, le Portugal, les Flandres, une grande partie du Centre et du Sud de l'Italie, les Amériques de la Californie au cap Horn, ainsi que les Philippines. Mais peu soucieux de ses responsabilités, Philippe III confia les affaires de l'État à des favoris, dont le duc de Lerma, qui pratiqua une politique extérieure pacifique mais une politique intérieure plus douteuse. Non content de profiter de sa position pour s'enrichir et placer parents et amis à de hauts postes, Lerma conseilla à Philippe III d'expulser les Morisques. Parmi les 270 000 Morisques qui furent contraints de quitter le pays en 1609 se trouvaient les plus grands fermiers d'Espagne. Bientôt les terres non cultivées commencèrent à se désertifier, ce qui allait aggraver une situation économique déjà bien fragile. La production des mines d'argent commença à baisser, la corruption se mit à régner partout ; de plus l'Espagne allait se trouver impliquée dans un nouveau conflit avec la Hollande, la France et l'Angleterre, dans le cadre de la guerre de Trente Ans.

Philippe IV prit le pouvoir en 1621 ; dominé, comme son prédécesseur, par un favori, le comte-duc d'Olivares, son règne se distingua par son caractère belliqueux qui mena l'Espagne au bord de l'effondrement. Quand, en 1640, Olivares tenta de faire payer l'entretien fort coûteux

des troupes castillanes aux Catalans, ces derniers sollicitèrent l'aide de Louis XIII, à qui ils prêtèrent serment d'allégeance ; Philippe IV s'inclina et fut contraint d'accorder son autonomie à la Catalogne. La même année, le duc de Bragance se proclama roi du Portugal, qui reprit ainsi son indépendance. Parallèlement, des mouvements séparatistes se développèrent en Andalousie et à Naples. Les Français vainquirent les Espagnols à Rocroi en 1643 et le traité de Westphalie (1648) marqua la fin de l'hégémonie espagnole en Europe.

Cependant, les défaites militaires ne furent pas seules responsables du déclin de l'Espagne. Le pays n'avait pas su tirer parti de l'or américain pour donner une base solide à son

industrie. La laine produite en quantité était vendue à bas prix aux pays d'Europe du Nord, qui la revendaient, après transformation, à des prix exorbitants dans la péninsule. Après le départ des Morisques, les meilleures terres furent abandonnées au bétail et il fallut donc importer les produits agricoles. Comme l'Église et la noblesse étaient exemptées d'impôts, les paysans et les commerçants eurent à supporter les frais de l'État. L'escudo, jadis accepté comme devise dans toute l'Europe, perdit sa valeur, et l'Espagne fut incapable de garantir sa dette étrangère. En conséquence, les vastes armées de l'Empire furent sous-payées, et le moral tomba au plus bas.

L'entêtement de Philippe IV dans son dogmatisme religieux se retourna finalement contre lui : en refusant d'admettre les marchands anglais dans les colonies espagnoles, il s'attira les foudres de l'Angleterre qui, en représailles, s'empara de plusieurs navires espagnols chargés de richesses dont l'Espagne aurait pourtant eu grand besoin.

A sa mort, en 1665, Philippe IV laissait une économie en ruine et une montagne de dettes à son fils Charles, un enfant de cinq ans. Sa mère, nommée régente, gouverna le pays jusqu'à ce que Charles II ait atteint l'âge de 15 ans. Son règne amorça une certaine renaissance intérieure mais se révéla désastreux sur le plan extérieur. Toujours en guerre contre la France, l'Espagne dut finalement céder à Louis XIV la Flandre, l'Artois et la Franche-Comté au traité de Nimègue en 1678. Ce que la France n'avait pu remporter sur les champs de bataille, elle l'obtint par le testament de Charles II qui, sans héritier, mourut en laissant la couronne à Philippe, duc d'Anjou, petit-fils de Louis XIV.

Le Siècle d'or

Malgré le déclin politique et militaire qui s'était amorcé dès l'avènement de Charles Quint, l'Espagne fut le théâtre d'une brillante renaissance littéraire et artistique connue sous le nom de *Siglo de Oro*, « Siècle d'or ». Les historiens en font remonter le début à 1543, date de la publication posthume d'un recueil de poèmes de Juan Boscán et de Garcilaso de la Vega. Les poèmes de saint Jean de la Croix, carme ascétique et mystique (1542-1591), concilient l'idéal médiéval, les réminiscences populaires et l'élan de la foi.

La prose s'est enrichie de plusieurs chefs-d'œuvre dès la fin du XVᵉ siècle. *Tirant lo Blanc* est un récit écrit en catalan aux environs de 1460, où se mèlent aventures galantes et militaires. *La Célestine*, ouvrage écrit en 1499 par Fernando de Rojas, est considéré comme la première grande œuvre littéraire de la Renaissance espagnole. Ce roman en forme de dialogue est une peinture magistrale des mœurs du temps ; il fut connu de Machiavel et de Shakespeare et exerça une influence considérable sur le théâtre européen. Citons également l'autobiographie et les œuvres mystiques de sainte Thérèse d'Avila.

L'un des plus grands romans de tous les temps demeure le *Don Quichotte* de Miguel de Cervantès. Publiée au début du XVIIᵉ siècle,

parfaitement l'esprit de son temps, et son langage simple et accessible lui conféra les faveurs du grand public. On lui oppose le style baroque et raffiné de Luis Góngora (1561-1625), considéré comme le type même du sonnettiste espagnol. Francisco de Quevedo (1580-1645) fut à la fois poète et romancier ; ses œuvres politiques et philosophiques firent de lui l'humoriste le plus impitoyable de son temps. Le Siècle d'or de la littérature s'éteignit en 1681, à la mort de Calderón de la Barca, dont les tragédies ont fait l'admiration de Shelley et de Schopenhauer.

Cette période de cent cinquante ans fut également l'âge d'or de la peinture espagnole. Le

cette tragi-comédie relate les exploits du « chevalier à la triste figure », idéaliste au grand cœur, qui parcourt la Castille en compagnie de son écuyer Sancho Pança. Alors que Sancho Pança, bourgeois réaliste, reflète le sens commun et ses limites, don Quichotte tente d'imposer son idéal d'amour, d'honneur et de justice au mépris des trivialités de la vie courante.

Lope de Vega (1562-1635) fut le fondateur du théâtre national espagnol et l'auteur de quelque 1 500 pièces. Ses comédies reflètent

A gauche, portrait d'Isabelle II par Federico de Madrazo ; à droite, « les Exécutions du 3 mai 1808 » ou l'hommage de Goya aux « madrileños », soulevés contre Napoléon Iᵉʳ.

Greco (1541-1614), originaire de Crète, fut l'élève de Titien avant de venir s'installer à Tolède. Son mode d'expression original et passionné dénote une forte influence byzantine. Diego de Vélasquez (1599-1660) s'imposa comme le peintre majeur du XVIIᵉ siècle ; il fut peintre officiel de la cour sous Philippe IV, ce qui ne l'empêcha pas d'exprimer la décadence de l'aristocratie à travers des portraits sans concession. Ribalta, Zurbarán et Ribera comptent également parmi les grands peintres de cette période. Les toiles de Murillo, qui s'est notamment attaché à décrire des scènes de la vie populaire dans un style picaresque vif et aimable, ponctuèrent la fin du Siècle d'or de la peinture espagnole.

Les Bourbons

Premier Bourbon de la dynastie, Philippe V monta sur le trône d'Espagne en 1700 et dut faire face à la guerre de Succession, qui allait durer treize ans. Son manque d'expérience lui fit chercher l'appui de conseillers français. Dans le même temps, l'Autriche, alarmée par l'hégémonie française en Europe, déclara la guerre à la France ; la Catalogne, Valence et les Baléares virent alors une occasion de s'opposer à Philippe V et acceptèrent comme souverain l'archiduc d'Autriche, Charles de Habsbourg. Pour la première fois depuis la Reconquête, un ennemi étranger marchait sur la Castille. Le traité d'Utrecht (1713) reconnut Philippe V comme roi d'Espagne, non sans avoir auparavant exigé un lourd tribut : la Flandre et les possessions italiennes furent perdues, tandis que Gibraltar était cédé aux Anglais.

Les Bourbons s'efforcèrent d'unifier l'Espagne et de renforcer le pouvoir de l'État en diminuant le rôle de l'Église. Au milieu du XVIIIᵉ siècle, l'économie du pays se stabilisa enfin. L'armée et la flotte avaient été reformées et de nouvelles industries commencèrent à se développer, particulièrement en Catalogne.

L'influence française, tant sur le plan des idées que des mœurs, était désormais amorcée. Charles III, fils de Philippe V, régna de 1759 à 1788. Il se conduisit en despote éclairé, renforçant la centralisation, encourageant l'agriculture et le commerce, et réformant les finances. Fervent catholique, il lutta néanmoins contre l'emprise de l'Église et fit expulser les jésuites en 1767, sous prétexte d'intrigues politiques de leur part. Malheureusement pour les Bourbons, le peuple espagnol était très conservateur et réticent à toute tentative de changement. L'œuvre de renouveau de Charles III, fondée sur des réformes mal assimilées, ne lui survécut donc pas.

L'Espagne connut pourtant de grands progrès à cette époque. Charles III ordonna que les travaux du Palais royal fussent terminés et fit construire le musée du Prado, qui renferme aujourd'hui encore certaines des plus grandes œuvres d'art au monde. Il lança également un vaste projet de travaux publics incluant le percement de nombreux canaux et la construction de nouvelles routes et de grandes voies de communication. La hausse régulière des prix fut un facteur de développement économique et de prospérité générale. Sous son règne, le théâtre, qui avait stagné durant plus d'un siècle, redevint un pilier de la vie culturelle espagnole.

L'année 1793 fut essentielle dans l'histoire espagnole. Quand Louis XVI fut guillotiné, son cousin Charles IV, qui gouvernait alors l'Espagne, s'effraya de l'essor du libéralisme à la frontière nord du pays et déclara la guerre à la France. L'Espagne sortit vaincue du conflit et perdit la Trinité, la Louisiane et la moitié de l'île d'Hispaniola, l'actuelle Saint-Domingue.

Charles IV fut un roi faible et un piètre dirigeant. Il subit fortement l'influence de la reine Marie-Louise et du favori de cette dernière — un soldat du nom de Godoy qui avait réussi à grimper les échelons rapidement et termina premier ministre et prince de la Paix. Après avoir pris le pouvoir en France, Napoléon se tourna vers l'Espagne. Sous prétexte d'occuper le Portugal, il conduisit l'armée impériale en terrain espagnol et contraignit la famille royale à venir le rejoindre à Bayonne. Tirant parti des factions qui existaient au sein de la famille d'Espagne, Napoléon obtint l'abdication de Charles IV et de son fils Ferdinand, lequel avait formé une ligue contre Godoy et avait été jeté en prison par ses propres parents. Charles quitta définitivement l'Espagne, Ferdinand fut interné au château de Valençay, et Napoléon donna la couronne à son frère, Joseph Bonaparte.

Mais le 2 mai 1808, les paysans espagnols se soulevèrent spontanément pour protester contre cet état de fait. Dans Madrid, tout citoyen français devint la cible des rebelles. La répression des troupes françaises ne se fit pas attendre ; elle fut violente et brutale, telle que Francisco Goya l'a immortalisée dans deux tableaux : le *Dos de Mayo* et le *Tres de Mayo*. D'autres soulèvements se produisirent dans les régions et la France eut de plus en plus de mal à gouverner le pays. La guerre d'indépendance dura ainsi jusqu'à l'écrasement des troupes françaises par Wellington en 1813 à Vitoria.

Durant ces années de conflit, les Cortes se réunirent régulièrement à Cadix pour élaborer un projet de constitution qui fut adopté en 1812. Cette constitution abolissait l'Inquisition, la censure et le servage, et stipulait que, désormais, le roi devrait se soumettre aux décisions des Cortes.

Un retour en arrière

En dépit de la constitution, Ferdinand VII, sorti de sa retraite, monta sur le trône d'Espagne en 1814 et se déclara monarque absolu. Il rétablit l'Inquisition, persécuta les libéraux et permit aux jésuites de revenir. Refusant de s'accommoder de ce régime despotique, les provinces américaines se soulevèrent et gagnèrent leur indépendance. Ferdinand VII était loin d'être un homme d'avenir. Il tourna résolument le dos aux trois mouvements essentiels du XVIIIe siècle — les Lumières, la Révolution française et la révolution industrielle.

L'épouse de Ferdinand VII Marie-Christine de Bourbon-Deux-Siciles, issue d'un milieu libéral, obtint de lui qu'il révoque la loi de 1714 et laisse le trône à leur fille Isabelle au détriment de don Carlos, frère du roi. Cela déclencha l'insurrection d'un groupe religieux d'extrême droite, les apostoliques. Les conser-

menées par les monarchistes, la république fut de courte durée.

Ce climat de conflits réciproques ne prit fin qu'à l'avènement d'Alphonse XII (1875-1885). Se proclamant monarque constitutionnel, Alphonse XII tenta de faire l'unité des Espagnols en signant le manifeste de Sandhurst : « *Quoi qu'il advienne, je m'efforcerai d'être un bon Espagnol ; comme mes ancêtres, un bon catholique et, comme un homme du présent, un libéral sincère.* » La constitution de 1873 fonctionna jusqu'en 1923. Elle établissait une monarchie parlementaire avec deux chambres : Sénat et Cortes. Le suffrage restreint fut remplacé par le suffrage universel en 1890.

vateurs se joignirent à eux et accordèrent leur soutien à don Carlos.

Les guerres carlistes furent en réalité une guerre civile entre les libéraux, partisans d'un gouvernement constitutionnel dégagé de la domination de l'Église, et les conservateurs favorables au rapprochement de l'État et de l'Église.

Le pouvoir oscilla longtemps d'un parti à l'autre. En 1873, les libéraux établirent la première république espagnole, mais, en raison des dissensions qui existaient parmi eux, de l'hostilité des Cortes à leur égard et des intrigues

Le XIXe siècle madrilène évoqué par un tableau de Manuel Castellano.

Les deux partis acceptèrent d'un commun accord le principe de l'alternance au sein du gouvernement. La population espagnole s'accrut, de même que le niveau de vie. Les transports et les communications firent d'énormes progrès et, pour la première fois depuis des siècles, l'agriculture connut un essor. Le point faible demeurait l'enseignement ; malgré l'adoption d'un plan de réforme de l'université en 1845 et l'obligation théorique de l'instruction primaire, la masse de la population était illettrée (75 % d'analphabètes en 1877, 66 % en 1900). Ainsi, malgré l'amorce d'un timide rapprochement, l'Espagne restait-elle, à la fin du XIXe siècle, à l'écart du grand mouvement scientifique et moderniste européen.

LA GUERRE CIVILE ET LE RÉGIME FRANQUISTE

En 1878, l'armée espagnole avait réussi à apaiser l'insurrection de Cuba et des Philippines. Mais à la fin du siècle, les partisans de l'indépendance se soulevèrent de nouveau. L'intervention des États-Unis aux côtés des insurgés allait conduire l'Espagne à un véritable désastre.

Au début de l'année 1898, les États-Unis envoyèrent à Cuba un navire de guerre, *le Maine*, pour protéger les intérêts américains ; pour une raison mal définie — à cause d'une mine ou d'une avarie —, le navire explosa dans le port de La Havane. L'événement bouleversa l'opinion publique américaine, et le président McKinley, tenant l'Espagne pour responsable de la destruction du *Maine*, exigea l'armistice et la libération immédiate de tous les rebelles emprisonnés. Devant le refus de l'Espagne, une série de batailles navales s'ensuivit, d'où l'Espagne sortit vaincue, écrasée par la supériorité de l'artillerie américaine. Dans le même temps, la marine américaine attaquait la flotte espagnole aux Philippines, et, le 12 août 1898, Manille capitulait. Le traité de Paris, signé le 22 décembre, reconnaissait l'indépendance de Cuba et rattachait Porto Rico et les Philippines aux États-Unis.

La perte de ces territoires, douloureusement ressentie par le peuple espagnol, sonna le glas des ambitions internationales de l'Espagne. La « génération de 98 », célèbre groupe d'écrivains et d'intellectuels comprenant, entre autres, Miguel de Unamuno, Antonio Machado et Ortega y Gasset, répondit à cet échec en déclarant que l'Espagne devait abandonner une fois pour toutes ses rêves de suprématie mondiale afin de se consacrer à son propre épanouissement.

Troubles sociaux et politiques

Au début de son règne en 1902, Alphonse XIII se trouva confronté à des problèmes plus graves que ceux qu'avaient connus ses prédéces-

Pages précédentes, « Guernica » de Picasso : tableau longtemps interdit en Espagne et aujourd'hui exposé à Madrid ; à gauche, soldats dans Madrid déchirée par la guerre ; à droite, le roi Alphonse XIII et Edouardo Dato.

seurs. Le carlisme était devenu à peu près inoffensif, mais à sa place se développaient des mouvements régionalistes fort puissants. Ce fut pendant cette période de l'après-guerre hispano-américaine, connue sous le nom d'*el Desastre*, que les syndicats ouvriers firent leur apparition, tout d'abord dans les régions industrielles de Catalogne. Parallèlement, l'anarchisme, qui avait fait une percée en 1870 lors de la diffusion des idées de Bakounine, refit surface de façon plus sensible ; il trouva une formidable audience dans les régions méditerranéennes et en Andalousie, où journaliers agricoles et ouvriers vivaient dans la misère. En 1902 naquit un syndicat anarchiste à Barce-

lone, qui prôna la grève en guise d'action politique.

Lorsque le leader libéral Sagasta mourut, en 1903, les libéraux et les conservateurs (dont le chef avait été assassiné en 1897) se trouvèrent les uns comme les autres en plein désarroi. De son côté, l'armée, constituée principalement de Castillans libéraux opposés aux tendances absolutistes des conservateurs, était considérée par la majorité des Espagnols comme le garant traditionnel de l'ordre. Mais la défaite de 1898 la rendit vulnérable aux critiques. Les sentiments anti-socialistes et anti-anarchistes de l'armée s'intensifièrent lorsque Morral, un anarchiste catalan, jeta une bombe sur le carrosse d'Alphonse XIII, le jour de son mariage.

Le soulèvement du peuple

Quand l'armée espagnole fut assaillie au Maroc en 1909, le gouvernement conservateur alors au pouvoir fit appel aux réservistes catalans. Une grève générale fut déclenchée en Catalogne et pendant la « Semaine tragique » qui suivit, 200 églises et plus de 30 couvents furent rasés par les grévistes. En représailles, l'armée tira sur la foule et exécuta bon nombre de grévistes. L'Espagne entière fut provisoirement placée sous loi martiale. Après l'exécution sommaire d'un anarchiste catalan très populaire, accusé à tort d'avoir fomenté la grève, les conservateurs furent renversés et le libéral José Canalejas prit le pouvoir.

En accordant aux Catalans le contrôle régional de l'enseignement et des projets de travaux publics, Canalejas pensait pouvoir freiner les forces anarchistes en pleine expansion. Il alla même plus loin en autorisant les socialistes à faire partie des conseils municipaux dans toute l'Espagne, et chercha à marquer des points auprès de l'extrême gauche en limitant le nombre des membres du clergé. Mais lorsqu'il fit appel à l'armée pour réprimer la grève des cheminots en 1912, Canalejas s'attira la haine d'une grande partie de la classe ouvrière. Il devait mourir peu après, assassiné par un anarchiste.

Lorsque la Première Guerre mondiale éclata, l'Espagne garda la neutralité. Cette démarche opportune lui permit de continuer à faire du commerce avec les Alliés tout comme avec le camp austro-allemand. A l'instar de la Suisse, l'Espagne devint le pays où se réglaient les questions financières et internationales. Mais quand l'Allemagne établit le blocus de l'Atlantique, la pénurie dont l'Espagne souffrit en même temps que les Alliés fit monter les prix. En 1917, les syndicats de tendance anarchiste et socialiste appelèrent à la première grève nationale pour protester contre la vie chère et la nomination de ministres conservateurs au sein du cabinet du roi Alphonse XIII. L'armée intervint pour contrôler les grèves.

Par la suite, quand l'essor industriel favorisé par la guerre s'arrêta brutalement, des milliers d'ouvriers se retrouvèrent sans emploi. Gardant encore en mémoire le succès de la révolution russe, les anarchistes reprirent le combat et descendirent dans la rue. La loi martiale fut de nouveau décrétée à Barcelone.

Le peuple espagnol vouait une forte hostilité à l'armée. Le gouvernement fut renversé à la suite d'une enquête sur la conduite des militaires au Maroc et Garcia Prieto, un ancien monarchiste que les récents événements avaient rendu plus libéral, accéda au pouvoir. Une vague de terrorisme déferla sur l'armée et l'Église — le cardinal-archevêque de Saragosse fut assassiné —, mais le gouvernement refusa de céder à la pression de l'armée qui souhaitait réprimer brutalement ce mouvement.

Toujours en 1917, alors que les deux grands partis étaient déjà affaiblis par des dissidences, éclata une crise d'une extrême gravité : des « juntes de défense militaire », formées par des officiers mécontents de leur sort, traitèrent d'égal à égal avec le pouvoir civil. Les crises ministérielles se succédèrent à un rythme effréné, et le plus grand désordre régna dans tout le pays.

En septembre 1923, la garnison de Barcelone se révolta et le gouvernement civil s'effondra. C'est avec la bénédiction d'Alphonse XIII que Miguel Primo de Rivera, capitaine général de Barcelone, prit alors le pouvoir.

La fin de l'anarchie

Primo de Rivera suspendit immédiatement la constitution de 1876 et mit fin au pouvoir parlementaire en dissolvant les Cortes. Il soumit la presse à la censure, suspendit l'activité de tous les partis politiques, abrogea l'autonomie nominale de la Catalogne et parvint à neutraliser les forces anarchistes. La période du terrorisme était enfin révolue.

Sans adhérer à la doctrine fasciste, l'Espagne entretenait de très bonnes relations avec l'Italie, avec qui elle signa un traité d'amitié en 1926. A l'exemple de Mussolini, Primo de Rivera créa un parti, l'Union patriotique, et une « Assemblée nationale suprême » au rôle purement consultatif. Sa politique de redressement économique et de financement des grands travaux publics lui valut un certain prestige. Mais cet expansionnisme entraîna un énorme déficit budgétaire qui ne fit que s'aggraver avec la dépression mondiale de 1929.

Abandonné par ses pairs, à la suite de son ingérence dans le système de promotion de l'armée et des mauvais résultats obtenus dans les domaines social et politique, Primo de Rivera quitta le pouvoir en janvier 1930. Alphonse XIII essaya vainement de revenir au régime parlementaire par des cabinets de transition présidés tout d'abord par le général Berenguer qui relâcha la censure, rouvrit les universités et autorisa les grèves. Mais il fut forcé de donner sa démission après avoir ordonné l'exécution de deux jeunes officiers de la garnison de Jaca accusés d'avoir fomenté une révolte. L'opinion publique devenait nettement défavorable à la monarchie et l'amiral Aznar, successeur de Berenguer, décida de procéder à des élections municipales.

La IIᵉ République

Les élections d'avril 1931 furent décisives. Les partis de gauche remportèrent une majorité écrasante et Alphonse XIII, sans abdiquer officiellement, fut néanmoins forcé de quitter

Les élections de juin 1931 donnèrent une énorme majorité à une coalition où les éléments de gauche étaient prédominants. Six mois plus tard, une nouvelle constitution faisait de l'Espagne une « république démocratique de travailleurs, laïque et parlementaire ». En novembre 1931, Manuel Azaña fut chargé de former un gouvernement. Il entreprit aussitôt une œuvre de grande envergure qui visait non seulement à l'instauration d'un nouveau régime, mais encore à des transformations profondes de la société espagnole. Il commença par expulser les jésuites — toujours considérés par la gauche comme une « cinquième colonne » en raison de leur allégeance au pape — et confis-

l'Espagne. La IIᵉ République fut proclamée le 14 avril et les libéraux accédèrent au pouvoir. La monarchie venait d'être renversée sans la moindre effusion de sang. L'Espagne connut alors une brève accalmie.

Pourtant, les constitutionnels se trouvaient pris entre le feu d'une droite soucieuse de préserver les acquis d'un glorieux passé, et celui des forces anarchistes qui s'opposaient systématiquement à toute forme de gouvernement.

Le ministre de la Guerre Manuel Azaña pose au milieu des chefs des troupes républicaines au début de la guerre civile.

qua leurs biens. Le mariage civil et le divorce furent autorisés sans que l'Église ait son mot à dire, et l'éducation fut entièrement laïcisée. L'archevêque de Tolède protesta vivement contre ces mesures anticléricales. Des fanatiques lui répondirent en brûlant et pillant plus de 150 églises.

Ayant pris le portefeuille de la Guerre, Azaña réalisa une réforme militaire et permit aux officiers qui ne voulaient pas prêter serment de fidélité à la république de prendre leur retraite à des conditions avantageuses.

La réforme agraire de 1932 avait pour but de supprimer les grands domaines privés, les *latifundia*, et de faire accéder les paysans à la propriété. Enfin, pour donner satisfaction aux aspirations autonomistes des Catalans, des Basques et des Galiciens, Azaña instaura une organisation semi-fédérale de l'État.

Agitation politique

Les réformes entreprises par Azaña et l'agitation anarchiste suscitèrent une inquiétude croissante, non seulement dans les classes supérieures, mais aussi dans les classes moyennes et chez une partie de la communauté rurale. On le vit bien aux élections de novembre 1933, où la gauche fut écrasée. Le pouvoir revint aux radicaux centristes, lesquels étaient soutenus par

s'affaiblit encore sensiblement à l'occasion de l'insurrection des mineurs d'Oviedo. Il fallut l'intervention de l'armée, dirigée de Madrid par le général Franco, pour la réduire. Le bilan des affrontements fut lourd (plus de 1 400 morts et plusieurs milliers de blessés).

Quand se tinrent les élections de 1936, les partis de gauche — qui s'étaient unis en Front populaire — recueillirent la majorité des suffrages, bien que la droite demeurât presque aussi puissante ; le centre, quant à lui, s'était écroulé. Une nouvelle vague de violence succéda à ces élections : pillages d'églises, saisie des terres par les paysans, assassinats commandités par la gauche comme par la droite,

une coalition de droite (CEDA) regroupant les monarchistes, les démocrates-chrétiens, conservateurs mais plus modérés, et le nouveau parti de la Phalange, créé par José-Antonio Primo de Rivera, fils du général. On découvrit bientôt que l'Espagne était scindée en deux parties inconciliables représentées d'un côté par une gauche organisée mais divisée, et de l'autre par un parti de droite en pleine expansion, la Phalange, inspiré des partis fascistes d'Italie et d'Allemagne. Le gouvernement centriste dut faire face aux nouvelles revendications des Basques et des Catalans ; à l'hostilité des paysans et des anarchistes, mécontents de la décision d'arrêter l'expropriation des grandes fortunes terriennes. Le gouvernement

devinrent monnaie courante. Le gouvernement fut incapable d'enrayer la montée de la violence.

La guerre civile

Le 18 juin 1936, l'armée, soutenue par les régimes fascistes italien et allemand, décida de s'emparer du pouvoir et mit un terme à la IIe République par un *pronunciamiento*. La guerre civile venait de commencer.

Tandis que les républicains s'assuraient le soutien des populations des provinces catalanes et des grandes zones urbaines — Madrid, Barcelone, Murcie et Valence —, les nationalistes s'empressaient de contrôler les zones rurales et les provinces plus conservatrices : Andalousie, Galice, Vieille et Nouvelle-Castille. Comme l'armée, la police et la garde civile s'étaient rangées du côté des nationalistes, les républicains furent obligés d'improviser une force armée en donnant des armes aux milices ouvrières. Ainsi, à la différence des coups d'État classiques, qui réussissaient ou échouaient rapidement, le mouvement militaire n'avait obtenu qu'un demi-succès. L'Espagne se trouva scindée en deux zones où s'instaurèrent des régimes opposés.

Ce fut Francisco Franco, gouverneur des Canaries, qui internationalisa le conflit : quelques jours après le début de la rébellion, des

armes et des munitions à foison aux forces nationalistes.

Au début de l'année 1937, l'Allemagne et l'Italie avaient officiellement reconnu le régime de Franco, les troupes italiennes avaient participé à la prise de Málaga, et des navires allemands et italiens patrouillaient le long des côtes méditerranéennes d'Espagne.

Entre-temps, les républicains livraient leurs réserves d'or à la Russie soviétique pour obtenir d'importantes fournitures de matériel. A l'initiative du Komintern, des brigades internationales de volontaires furent formées ; elles contribuèrent à arrêter l'offensive nationaliste sur le front de Madrid. Les États-Unis dépê-

avions de guerre italiens arrivèrent au Maroc et les forces italiennes envahirent les Baléares. La France et l'Angleterre répliquèrent en formant un Comité de non-intervention pour tenter de limiter l'afflux des armes en Espagne et de restreindre l'ampleur du conflit. Les États-Unis acceptèrent également de respecter l'embargo des armes. Mais pendant que les Alliés ménageaient la chèvre et le chou, l'Allemagne, l'Italie et le Portugal de Salazar procuraient des

A gauche, Franco et son allié italien Benito Mussolini ; à droite, dans un autre contexte politique, le général et madame Franco accueillent le président Eisenhower à Madrid.

chèrent la brigade Abraham-Lincoln, essentiellement composée d'intellectuels, de socialistes et de communistes qui menaient un combat romantique en faveur du prolétariat.

Dès le départ, les républicains étaient dans une position de faiblesse ; ne fût-ce que sur le plan militaire, ils se trouvaient à un contre dix, pour les effectifs comme pour le matériel. Par ailleurs, ils manquaient d'unité ; certains des plus féroces combats eurent lieu entre les communistes, favorables à un encadrement militaire et idéologique strict, et les anarchistes, dont les milices préconisaient une forme de guérilla menée sans aucune rigueur.

La victoire républicaine la plus importante eut lieu en janvier 1938, à Teruel, mais leurs hommes en furent délogés le mois suivant. D'autres succès, plus modestes, furent remportés à Brunete et Belchite.

Les nationalistes, en revanche, étaient dirigés par des généraux expérimentés et recevaient tout le matériel nécessaire de l'étranger. Avec leur cri de ralliement, *Viva la muerte !* (« Vive la mort ! »), les nationalistes semblaient partir en croisade pour la survie de leur patrie. L'événement qui sonna le glas des républicains fut l'entrée des forces de Franco à Barcelone, au début de l'année 1939, après un long siège. Les 250 000 républicains qui restaient furent forcés de se retirer et de gagner la France en passant par les Pyrénées. Le 1er avril 1939, Franco

L'Espagne pendant la Seconde Guerre mondiale

Franco tenta de tenir l'Espagne en dehors du conflit mondial, mais il était tenu par sa dette à l'égard des puissances de l'Axe. Quand Hitler refusa de lui céder, comme il le souhaitait, le Maroc, la Tunisie et l'Algérie, Franco opta tout simplement pour une politique de non-intervention. Il n'autorisa pas les troupes allemandes à passer par l'Espagne pour attaquer les Britanniques à Gibraltar et il permit à des milliers de juifs qui fuyaient la France occupée de gagner l'Afrique du Nord.

entra dans Madrid ; la guerre civile était terminée.

Les véritables héros de la guerre civile furent les intellectuels qui défendirent la IIe République. Le premier d'entre eux fut le grand poète andalou Federico García Lorca, qui fut fusillé par les franquistes en 1936 pour avoir signé un document prorépublicain. De nombreux écrivains furent condamnés à l'exil ; ce fut le cas de Rafael Alberti, de Jorge Guillén et de Luis Cernuda. En peignant *Guernica*, saisissant tableau inspiré du bombardement d'un petit village basque par une escadrille allemande au service des nationalistes, Pablo Picasso réussit à mobiliser un grand nombre d'artistes et d'intellectuels contre Franco.

Cependant, la sympathie de l'Espagne à la cause antibolchevique était indubitable. Quand l'Allemagne attaqua l'Union Soviétique, Franco dépêcha une division de 17 000 volontaires pour combattre à ses côtés. Mais quand les troupes américaines débarquèrent en Afrique du Nord, Franco rappela ses hommes et adopta de nouveau une politique de neutralité.

L'ère franquiste

A la fin de la Seconde Guerre mondiale, les Alliés empêchèrent l'Espagne d'entrer aux Nations Unies et à l'OTAN, et l'exclurent du plan Marshall. L'Espagne se trouva dans l'isolement le plus total lorsque le blocus économique fut décrété ; elle ne put survivre que grâce aux cargaisons de viande et de céréales que lui envoya l'Argentine. En 1947 eut lieu un référendum et les Espagnols votèrent en faveur d'une monarchie catholique, tout en sachant que Franco resterait à la tête de l'État jusqu'à la fin de ses jours et qu'il choisirait lui-même un successeur de sang royal. Franco se mit à gouverner le pays avec le soutien de l'Église et de l'armée.

En 1953, deux accords importants furent signés, qui allaient marquer un certain rapprochement de l'Espagne avec le monde extérieur. Le gouvernement de Truman, s'inquiétant des

desseins soviétiques en Europe et en Afrique du Nord, signa avec l'Espagne un traité concédant aux Américains des bases militaires dans la péninsule en échange d'une aide de 226 millions de dollars. Le second accord fut un concordat signé avec le pape. Le catholicisme fut reconnu seule et unique religion de l'Espagne ; l'Église obtint le soutien financier de l'État et le droit de contrôler l'éducation, et les biens du clergé furent exemptés d'impôts. Selon le concordat, la nomination de tous les

prélats devait être ratifiée par le pape et par Franco.

En 1955, l'Espagne fut admise aux Nations Unies et son isolement prit fin. Dès lors, la situation économique commença à s'améliorer, surtout grâce au tourisme. Franco profita de l'afflux des devises étrangères pour revitaliser l'industrie et lancer un vaste programme de travaux publics : développement du réseau routier, construction de centrales hydroélectriques et irrigation des plaines du Centre. La sécurité sociale fut élargie à tous les travailleurs et les soins médicaux gratuits accordés aux indigents. L'éducation fut laïcisée, et des milliers d'Espagnols purent avoir accès aux universités. Une grande bourgeoisie très puissante se développa. Grâce à l'argent qu'envoyaient chez eux les nombreux Espagnols travaillant à l'étranger — ils étaient plus d'un million —, l'Espagne continua de prospérer.

L'essor économique s'accompagna d'une certaine libéralisation. Désireuse d'être admise au sein du Marché commun, l'Espagne adopta une loi sur la liberté religieuse en 1966, qui atténuait l'emprise de l'Église catholique sur tous les cultes, et, en 1968, une loi sur la presse, qui relâchait quelque peu la censure. En 1969, Juan Carlos, petit-fils d'Alphonse XIII, était proclamé héritier du trône d'Espagne.

Quarante ans de pouvoir

Les presque quarante années de gouvernement franquiste furent caractérisées par la prééminence de l'ordre et des valeurs traditionnelles. Les manifestations — parfois violentes — des autonomistes basques et catalans étaient écrasées. La plupart des artistes et des intellectuels vivant en Espagne furent obligés de rester à l'écart de la vie politique.

Jusqu'à sa mort, Franco bénéficia de l'appui de l'Église, de l'armée et de la Phalange. Mais, à mesure que le niveau de vie s'élevait dans tout le pays, naissait une bourgeoisie plus libérale. Cette nouvelle jeunesse espagnole était réceptive au changement et, au contact des millions de touristes qui, chaque année, affluaient en Espagne, elle s'ouvrit spontanément aux idées et aux mentalités étrangères.

Le décès de Franco, le 20 novembre 1975, marqua la fin d'une époque. Il fut enterré dans la vallée des Morts, dans un énorme mausolée, massif et inélégant, surmonté d'une croix en ciment de 135 mètres de haut qui commémore les 500 000 morts de la guerre civile.

A gauche, la crypte de la vallée des morts aux environs de Madrid ; à droite, kiosque à journaux le jour de l'annonce de la mort de Franco.

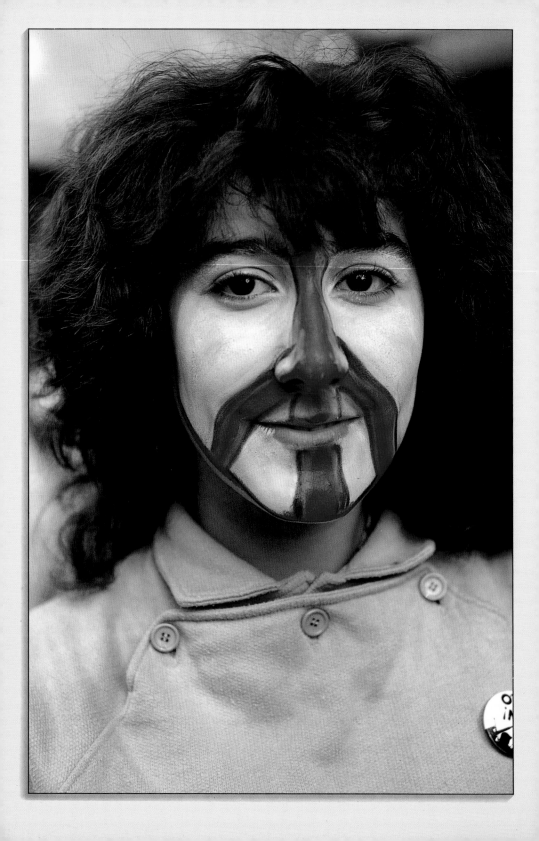

L'ESPAGNE CONTEMPORAINE

En l'espace de dix ans, l'Espagne a subi des transformations politiques et sociales que d'autres pays ont mis des décennies à réaliser. Dès la mort de Franco, les Espagnols ont pris leur avenir en main. Il y eut quatre élections législatives, en plus des élections régionales et municipales, des référendums à l'échelon national et d'autres concernant l'autonomie des régions. Passionnément épris de changement, les Espagnols ont franchi toutes ces étapes de transformation avec succès.

Deux jours après la mort de Franco, le prince Juan Carlos fut couronné roi d'Espagne. Baptisé à tort « Juan Carlos le Bref » par Santiago Carrillo, ex-secrétaire général du parti communiste, le jeune roi avait été personnellement formé par Franco, et rares étaient ceux qui croyaient que l'héritier choisi par le *Caudillo* serait capable et désireux de faire passer le pays du système qui l'avait nourri à une démocratie qui promettait d'être turbulente. Au cours des dernières années du régime franquiste étaient nés toutes sortes de partis d'opposition ; tout en demeurant dans l'illégalité, leurs chefs pressentaient que la fin de Franco était proche et que de nouvelles possibilités allaient bientôt s'offrir à eux. Parmi ces partis figuraient le parti communiste (PCE) — le plus important de tous —, les chrétiens-démocrates, les sociaux-démocrates, les libéraux, les maoïstes, les marxistes-léninistes et le parti socialiste (PSOE), lequel était resté dans l'ombre pendant plusieurs années mais avait resurgi au début des années soixante-dix avec le futur premier ministre, Felipe González, et ses jeunes camarades de Séville. Il y avait aussi des partis de droite fidèles aux idées de Franco, ainsi que des partis conservateurs, telle l'Alliance populaire (AP) dirigée par Manuel Fraga, ancien membre du cabinet de Franco, qui avaient compris qu'il leur faudrait désormais s'adapter au nouveau système.

La première tâche du roi fut d'assurer une certaine stabilité politique dans un pays qui connaissait une inflation de près de 30 %, un pays dont les forces armées venaient d'être pri-

A gauche, manifestation contre l'adhésion de l'Espagne à l'OTAN ; à droite, procession pascale ; l'Église tient toujours une place active dans la vie espagnole.

vées de leur chef, dont les prisons renfermaient encore des détenus politiques et où il n'existait pour ainsi dire pas d'institutions aptes à servir de véhicule aux transformations nécessaires.

Trois semaines après être monté sur le trône, Juan Carlos demanda à Carlos Arias Navarro, dernier premier ministre de Franco, de former un nouveau gouvernement. Arias resta en fonctions jusqu'en juillet 1976. Ensuite, à la surprise générale, le roi nomma comme Premier ministre Aldolfo Suárez, l'ancien chef de la Phalange. On peut dire que Juan Carlos, Aldolfo Suárez et Santiago Carrillo ont accompli à eux trois la transition politique de l'Espagne avec succès.

Le retour de la démocratie

En décembre 1976, les Espagnols participèrent au premier vote démocratique depuis la fin de la guerre civile, en 1939. Le référendum de la « Réforme politique », qui fut approuvé à une écrasante majorité, amorça les premières élections législatives du postfranquisme, en juin 1977.

Mais avant tout, il fallait légaliser les partis politiques. A l'initiative d'Aldolfo Suárez, l'un des premiers bénéficiaires de cette mesure fut le PCE. En signe de protestation, le ministre de la Marine donna sa démission, et de nouveaux bruits de sabres se firent entendre.

Suárez était premier ministre, mais il n'appartenait à aucun parti qui pût asseoir son pouvoir. Il créa donc l'Union du centre démocrate (UCD), un salmigondis de partis centristes qui remporta 27 % des sièges aux élections du 15 juin 1977.

Grâce au parlement élu démocratiquement, les représentants de tous les partis en présence allaient enfin pouvoir travailler à la nouvelle constitution espagnole. Le 2 décembre 1978, les électeurs espagnols l'approuvèrent après qu'elle eut été acceptée par le parlement. Il y eut tout de même 33 % d'abstentions et au Pays basque, les votes négatifs et les abstentions dépassèrent nettement les votes positifs.

civils fit irruption dans l'hémicycle pour tenter un coup d'État. Dans le même temps, un général déclara l'état d'urgence à Valence, et des chars d'assaut se mirent à quadriller les rues de la ville.

Tentative de coup d'État

L'évolution de l'armée au cours de ces années du postfranquisme rendait cette tentative de coup de force prévisible. Depuis 1977, en effet, plusieurs complots avaient été ourdis, et la « conspiration Galaxie » — d'après le nom du restaurant où ses instigateurs avaient coutume

Par ce rejet, le Nord de l'Espagne réaffirmait son désir d'autonomie.

Une fois la constitution entérinée, le parlement fut dissout et de nouvelles élections législatives eurent lieu ; les résultats furent similaires à ceux de 1977, mais cette fois l'UCD donnait des signes de fatigue.

Finalement, en janvier 1981, Aldolfo Suárez abandonna simultanément ses fonctions de chef de parti et de premier ministre. Mais avant que Leopoldo Calvo Sotelo ne puisse le remplacer à la tête du gouvernement, un événement grave allait secouer le pays.

Le 23 février 1981, alors que le vote d'investiture du nouveau premier ministre était soumis au parlement, un groupe de plus de 300 gardes

de se retrouver — avait été organisée par l'un des officiers responsables de la tempête qui allait secouer le parlement.

Environ six heures après le début de l'opération, Juan Carlos prit la parole à la télévision et ordonna aux insurgés de se rendre. C'est effectivement ce qu'ils firent douze heures plus tard, mettant ainsi fin à une longue nuit de crainte et de doute pour le peuple espagnol.

L'investiture de Calvo Sotelo eut lieu le 25 février ; deux jours après, un million d'Espagnols manifestaient dans les rues de Madrid pour témoigner leur soutien à la démocratie. Pour la première fois — et peut-être la dernière — les chefs de tous les partis politiques marchaient la main dans la main.

L'UCD, instable en soi, revint au pouvoir, mais ses jours étaient comptés. En octobre 1982, le PSOE l'emporta à la majorité absolue. C'était la première fois depuis 1936 que les socialistes étaient au gouvernement et la première fois de tout temps qu'un gouvernement entièrement socialiste était à la tête de l'Espagne. Au cours de ces mêmes élections, l'UCD fut pratiquement réduite à néant, passant de 106 à 12 sièges au parlement. A l'inverse, la Coalition populaire des conservateurs passait de 9 à 106 sièges. Un système bipartite était en train de prendre forme.

Quatre ans plus tard, le même schéma se reproduisit : le 22 juin 1986, le PSOE conser-

vait le pouvoir pour quatre ans encore, tandis que les conservateurs gardaient le même nombre de sièges.

Au début, Juan Carlos fut rejeté par bon nombre d'Espagnols antifranquistes, lesquels ne voyaient en lui que le successeur du Caudillo. Ils voulaient revenir au système républicain qui avait été aboli si violemment par la guerre civile et exigeaient que l'on fît une purge de grande envergure dans la police, les forces armées et le système judiciaire.

A gauche, le premier ministre Calvo Sotelo au parlement peu de temps avant la tentative de coup d'État de 1981 ; à droite, le roi Juan Carlos.

Rien de tel n'arriva, et tous ceux qui réclamaient la rupture à cor et à cri finirent par accepter une réforme plus lente et plus douce quand ils constatèrent que le roi était sincère en affirmant qu'il ferait tout pour être le roi de « tous les Espagnols ». La gauche et la droite adoptèrent dès lors une position plus modérée, garantissant par là même la stabilité de la nouvelle démocratie.

L'Espagne rejoint l'Europe

A partir de 1975, l'une des tâches les plus importantes du gouvernement espagnol fut d'intégrer l'Espagne à la communauté internationale. Après la guerre civile, en effet, presque tous les pays du monde avaient interrompu leurs relations diplomatiques avec l'Espagne. La visite du président Eisenhower, en 1953, avait eu pour effet d'accorder au régime de Franco une aide militaire et financière.

Immédiatement après la mort de Franco, les relations diplomatiques reprirent avec la plupart des pays. Les ambassades des pays du bloc de l'Est s'installèrent en Espagne en 1977, et Israël fut enfin reconnue en janvier 1986 ; ce retard était dû à la politique traditionnellement proarabe de l'Espagne.

La volonté de l'Espagne de s'intégrer à l'Europe s'exprima principalement dans la campagne intensive qu'elle entreprit pour faire partie de la CEE et de l'OTAN. Pendant plus de vingt ans, l'Espagne avait tout tenté pour se faire admettre dans la Communauté économique européenne, mais ses violations flagrantes des principes démocratiques l'en avaient toujours empêchée.

Lorsque les gouvernements constitutionnels arrivèrent au pouvoir dès 1975, les négociations se multiplièrent et l'Espagne put enfin devenir membre à part entière de la CEE le 1er janvier 1986.

L'histoire de l'entrée de l'Espagne à l'OTAN est plus compliquée. Malgré l'opposition des socialistes, le pays fut accepté au sein de l'Alliance atlantique en 1981, sous le gouvernement de Calvo Sotelo. Quand le parti socialiste vint au pouvoir l'année suivante, il promit de faire un référendum au sujet du maintien de l'Espagne au sein de l'OTAN. Néanmoins, le Premier ministre Felipe González et son gouvernement se rallièrent peu à peu aux vertus de l'alliance. Après quatre ans d'atermoiements, le référendum eut lieu en mars 1986. Malgré une importante campagne anti-OTAN menée par les mouvements pacifistes du pays, le maintien de l'Espagne dans l'OTAN fut finalement accepté par 52 % des électeurs.

La crise économique

Tout en essayant de retrouver son équilibre politique, l'Espagne dut également affronter la crise économique. Quand la récession se fit sentir au début des années soixante-dix, les autres pays européens se trouvaient en bien meilleure posture pour y résister.

L'Espagne, pour sa part, était handicapée par les nationalisations pratiquées sous Franco

le chômage. A la mi-86, il y avait trois millions de chômeurs, c'est-à-dire 22 % de la population active. Pour la plupart des pays, ce chiffre alarmant aurait entraîné un véritable chaos social, mais la structure familiale remarquablement solide et le fait qu'on estime que l'économie parallèle représente l'équivalent de 20 % du PNB en ont amorti les conséquences.

Autonomie régionale

L'un des traits les plus frappants de la démocratie espagnole est la structure autonome des régions. Contrairement à la centralisation tou-

et le protectionnisme. La structure économique espagnole manquait avant tout de souplesse, et le plan d'action entrepris après la mort de Franco pour lui faire rattraper son retard ne fit qu'exacerber ses problèmes internes à court terme. Les mesures protectionnistes furent supprimées, mais les affaires en pâtirent. Au début des années quatre-vingts, la restructuration des industries entraîna la suppression de plus de 65 000 emplois. Curieusement, au cours du XXe siècle, l'Espagne s'est lancée à deux reprises dans l'expérience démocratique — en 1931 et 1976 —, et chaque fois en pleine crise économique mondiale.

Aujourd'hui encore, le problème le plus grave que la société espagnole ait à résoudre est

te-puissante que Franco avait instaurée, le nouveau régime a défini un système fédéral comprenant 17 « régions autonomes » avec leurs propres corps gouvernemental et législatif, leur propre juridiction dans le domaine des services sociaux du logement, de la santé, de l'agriculture, de la culture, de l'urbanisme, et même de la police dans le cas du Pays basque.

Alors que Franco et l'armée étaient de fervents partisans de la centralisation, les antifranquistes croyaient aux vertus du fédéralisme. Cependant l'implantation du fédéralisme ne se fit pas sans heurts, en raison de la réticence des fonctionnaires et des différences inhérentes à chaque région. Si certaines provinces ne sont pas clairement définies en termes de particularités régionales ou politiques, d'autres, comme le Pays basque, la Catalogne et la Galice sont considérées comme des « nationalités historiques » et ont de tout temps bénéficié d'un certain degré d'autonomie voire d'indépendance depuis l'unification de l'Espagne au XVIᵉ siècle. Dans ces provinces, les langues locales sont encore parlées en plus — ou même à la place — du castillan officiel. L'un des aspects majeurs du mouvement autonomiste des années soixante-dix portait précisément sur le statut des langues.

Le Pays basque est de loin le plus connu pour sa tendance séparatiste. Ce sentiment se manifeste ouvertement à travers l'ETA et diverses

à chaque élection, enfin l'incapacité du gouvernement à trouver une solution politique satisfaisante contre le terrorisme sont autant de facteurs qui ont contribué à faire du séparatisme basque le problème le plus épineux de l'Espagne, après le chômage.

La gravité de la situation tient aux relations très particulières que l'État entretient avec les militaires. L'unité de la patrie avant toute chose était le fil conducteur de l'armée de Franco, et il continua d'en être de même bien longtemps après que le *generalísimo* fut dans la tombe.

Malgré son échec, le coup d'État du 23 février 1981 était le signe indiscutable que

organisations armées qui se sont créées au début des années soixante.

En raison de la répression particulièrement sévère du régime de Franco à l'encontre des provinces basques, la lutte antifranquiste a toujours été étroitement liée au nationalisme basque. La pratique des interrogatoires musclés dans les commissariats basques, le soutien apparemment solide de l'électorat en faveur de Herri Batasuna, l'aile politique légale de l'ETA, et qui recueille environ 20 % des votes

De gauche à droite : manifestation pour la liberté d'expression en 1981 ; garde civil à Madrid ; l'ETA, l'organisation séparatiste basque, rappelle sa présence.

les militaires n'étaient pas prêts à lâcher les rênes. Peu de temps après, ils furent chargés de surveiller la frontière franco-espagnole au Pays basque. Comme les instigateurs du *pronunciamiento* s'étaient vu infliger des peines relativement légères, une autre conspiration eut lieu en juillet de la même année, et une troisième encore avant les élections de 1982.

Une évolution rapide

Quiconque a connu l'Espagne à l'époque de Franco a bien du mal à la reconnaître aujourd'hui ; à l'inverse, le visiteur qui découvre le pays aura de la peine à imaginer qu'il y a seulement quelques années la scène culturelle et intellectuelle était encore contrôlée par une certaine censure ; la liberté individuelle ou la licence sexuelle étaient envisagées avec la plus grande méfiance.

Le bouleversement rapide des affaires politiques s'est reflété, de manière plus sensible encore, dans les aspects les plus divers de la vie quotidienne des Espagnols. Et tandis que certains secteurs se transformaient à l'issue d'un long combat politique, d'autres semblaient évoluer d'eux-mêmes de façon plus aisée.

A l'époque de Franco, l'influence de l'Église catholique et la nature conservatrice du régime laissaient forcément peu de place à la souplesse au sein de la famille et des relations personnelles. Le divorce, la contraception chimique, l'avortement, l'homosexualité et l'adultère étaient illégaux.

Au fur et à mesure que les gouvernements centristes et socialistes abolissaient certaines lois, le comportement social commença à s'aligner sur celui des autres pays européens. Le mouvement des femmes démarra en décembre 1975 et ses premières campagnes portèrent sur la contraception, une loi sur le divorce et une sur l'avortement. En 1985 l'avortement fut légalisé mais la loi est encore considérée comme inadéquate par ceux qui nient les droits de l'enfant à naître.

Ayant moins d'enfants, les femmes commencèrent tout naturellement à entrer sur le marché du travail, quoique à un degré moindre que dans les autres pays de l'OCDE. Cela étant dû, en partie, au taux de chômage très élevé, mais aussi aux habitudes qui ont cours en Espagne. Il n'existe pas, en effet, de loi garantissant à la femme espagnole un salaire égal pour un travail égal. Toutefois, le fameux machisme espagnol est en perte de vitesse : comme un peu partout désormais, quelques « nouveaux pères » s'occupent activement de leurs enfants, les jeunes couples se partagent les tâches ménagères, et plus personne ne fronce les sourcils quand une femme entreprend de devenir médecin, journaliste ou avocat.

Le recul de l'Église

Malgré les nouvelles lois de réforme, le système éducatif espagnol se révéla incapable de répondre aux besoins de la nouvelle société espagnole ; dans une certaine mesure, il accuse toujours du retard. Du temps de Franco, l'enseignement des langues étrangères avait été négligé, mais étant donné l'isolement politique du pays à cette époque, les Espagnols n'avaient pas vraiment besoin de parler une autre langue que le castillan (d'autant que les autres langues du pays étaient interdites). Avec l'entrée de l'Espagne dans le Marché commun, la hausse du niveau de vie qui a favorisé les voyages à l'étranger, et l'afflux considérable des sociétés étrangères sur le territoire espagnol, nombreux furent ceux qui se lancèrent dans l'étude des langues et en particulier de l'anglais ; face à cette ruée, les écoles et les universités ont vite été débordées et sont encore mal équipées pour répondre à une demande massive.

Par crainte de perdre son emprise sur l'un des secteurs clefs de la société espagnole, l'Église s'est longtemps opposée à certaines innovations du système éducatif. En raison du soutien qu'elle avait apporté au régime de Franco, l'Église fut bien évidemment considérée comme le bastion du conservatisme, exception faite de Madrid, où il existait une tradition de « prêtres ouvriers », et du Pays basque, où les séparatistes avaient trouvé un appui efficace auprès du clergé.

Après avoir perdu de nombreuses batailles dans le domaine de l'éducation, de la contraception, de l'avortement et du divorce, l'Église s'est vue privée d'une partie des privilèges accordés du temps de Franco, telles les subventions de l'État et l'exemption d'impôts. Par ailleurs, le nombre de vocations a chuté de façon vertigineuse et le nombre de pratiquants également. L'affaiblissement du rôle de l'Église est apparu clairement lors de l'élaboration de la constitution de 1978 ; les archevêques du pays durent se battre farouchement pour que l'Église y fût mentionnée, et elle le fut finalement, mais en des termes pour le moins équivoques : « *Les autorités devront tenir compte des croyances religieuses du peuple espagnol et maintenir des relations de coopération avec l'Église catholique et les autres cultes.* »

L'art et les médias

S'il fallait préparer la jeunesse espagnole à affronter les défis de la société moderne par le biais de l'école, les adultes avaient grandement besoin, eux aussi, de s'adapter à l'évolution des mentalités. Ce sont les médias qui le leur permirent.

En Espagne, les tendances politiques des principaux quotidiens nationaux vont de l'extrême droite au centre gauche, l'un d'eux sortant très nettement du rang : *El País*. Publié pour la première fois le 4 mai 1976, *El País* est devenu depuis lors le support de référence du débat politique, à tel point qu'on l'accuse parfois d'être le porte-parole de l'organe socialiste, tout comme *le Monde* en France.

Dans le domaine de l'information, ce sont la radio et la télévision nationales qui ont le plus d'audience auprès des Espagnols. Jusqu'en 1981, la bande radio était limitée à quelques stations ; elle est maintenant beaucoup plus ouverte, quoique insuffisamment à en juger par toutes les radios pirates qui encombrent les extrémités de la bande FM. La privatisation de la télévision, quant à elle, faisait partie du pro-

gramme du PSOE en 1982, mais elle reste encore à l'état de projet.

Après avoir été étouffée pendant longtemps, la presse écrite et parlée a donc refleuri au cours des dernières années. On ne peut pas en dire autant de toutes les autres formes d'expression : la littérature et le théâtre ont conservé le goût de la tradition.

Le cinéma espagnol s'en est mieux sorti, peut-être parce qu'il s'agit d'un art plus récent.

Le premier ministre socialiste Felipe González lors de la campagne électorale qui précéda la seconde victoire des socialistes en 1986.

En réalité, les films espagnols n'ont commencé à intéresser la critique internationale qu'à la fin des années soixante-dix. Le ministère de la Culture, créé en 1977, subventionne les œuvres cinématographiques qui font preuve d'une valeur artistique et s'efforce d'encourager les jeunes metteurs en scène tout en essayant de rappeler les anciens qui n'avaient pas pu travailler librement sous le régime de Franco.

Madrid s'est découvert une vocation de capitale culturelle au début des années quatre-vingts. Dans le passé, on pouvait s'estimer heureux d'assister à un événement culturel par an ; aujourd'hui, les manifestations artistiques sont si nombreuses qu'on a l'embarras du choix. Véritable phénomène de mode il y a quelques années, la culture fait désormais partie intégrante de la vie espagnole, et les musées ne désemplissent pas ; depuis 1983, l'entrée en est gratuite pour les Espagnols.

L'Espagne est différente

Il est impossible de nier les conséquences d'un régime qui a tout sacrifié à la conservation des traditions culturelles et intellectuelles d'un peuple pendant près de quarante ans. Et pourtant, l'Espagne a donné naissance à de remarquables peintres, musiciens, écrivains et cinéastes. Cette victoire culturelle est le symbole d'une vitalité qui a survécu, envers et contre tout, et la rapidité avec laquelle l'Espagne a su prendre sa place au sein de l'Europe en est la preuve éclatante.

Dans les années soixante, quand l'Espagne a manifesté son désir de devenir l'un des hauts lieux du tourisme, le slogan de sa campagne de publicité était : « *L'Espagne est différente* » ; on mettait l'accent sur les corridas, les joueurs de castagnettes et le flamenco. Cette devise alléchante, accompagnée des inévitables clichés, est très à la mode aujourd'hui mais ne rend pas justice à la formidable richesse de la culture espagnole.

Mais il est vrai que l'Espagne est différente. Peu de pays auraient été capables de faire les progrès qu'elle a accomplis en l'espace de dix ans. L'Espagne a su mettre en œuvre des réformes essentielles à son développement, et elle semble de plus les avoir parfaitement assimilées.

La première chance de la démocratie espagnole avait été anéantie par la guerre civile ; la seconde, préparée par Franco et accomplie grâce à Juan Carlos, s'est révélée un succès exemplaire.

PORTRAITS CONTEMPORAINS

Nous nous représentons généralement les Espagnols comme des individus au regard farouche, au teint mat et aux cheveux de jais, dont la petite taille semble mal s'accorder à l'arrogance qui les caractérise. Dans notre esprit, les femmes, quant à elles, sont belles et éternellement parées de longues robes à fanfreluches, les castagnettes à la main. Même s'il leur arrive de travailler, les Espagnols nous paraissent plutôt faits pour danser, chanter, jouer de la guitare ou mettre des taureaux à mort et, le cas échéant, disposés à s'entretuer pour une affaire d'honneur.

Comme dans tous les clichés, il y a une certaine part de vérité dans cette conception stéréotypée de la personnalité espagnole que la littérature, les opéras et les films ont largement contribué à entretenir. Mais, bien entendu, ce n'est pas tout.

Si le teint basané hérité des Maures est très répandu dans le Sud, les Espagnols ne sont cependant pas tous de type purement méditerranéen. Les invasions successives ont chacune laissé leur empreinte sur le visage espagnol ; on rencontre des Celtes aux yeux clairs dans le Nord-Ouest, tandis que les descendants blonds ou bruns des Wisigoths et des Romains sont répartis dans tout le pays. Quant à la taille, il convient également de souligner que la population espagnole grandit. Selon les statistiques de l'armée, les jeunes conscrits mesurent en moyenne deux centimètres et demi de plus qu'il y a dix ans ; cette croissance ne peut que se confirmer, du fait des progrès constants de la médecine et de l'alimentation.

Au premier regard, le voyageur qui découvre l'Espagne pourra se demander où sont passés les joueurs de guitares de l'imagerie traditionnelle. Dans les grandes villes, comme Madrid ou Barcelone, les rues fourmillent de gens pressés qui attrapent les autobus au vol, jaillissent des entrées d'immeubles modernes tout en discutant de questions de la plus haute importance, à en juger par leur expression. Des hommes d'affaires élégants côtoient des voyous à la chevelure hérissée ainsi que toutes sortes d'individus, purs produits de la société européenne

A gauche, jeunes femmes en costume traditionnel aragonais.

contemporaine. Pourtant, après quelques jours d'acclimatation, vous serez à même de déceler l'essence de la nature espagnole ; un tempérament unique qui, de Dumas à Hemingway, de Mozart à Bizet, a inspiré de nombreux artistes par sa force et la richesse de ses couleurs. Si un pays a changé du jour au lendemain, c'est bien l'Espagne ; mais, en dépit des bouleversements intervenus dans les domaines économique, politique, culturel et social, le peuple espagnol a su conserver son identité profonde.

Histoire du tempérament espagnol

A l'image de leurs ancêtres, les Espagnols d'aujourd'hui semblent souvent aspirer à travailler le moins possible — quitte à dépenser une grande énergie dans ce but — et se considèrent généralement comme supérieurs à leur voisin de palier. Ils sont têtus, impétueux et se partagent bien d'autres défauts nationaux, lesquels sont compensés par un don enviable : l'amour de la vie. Afin de mieux comprendre le peuple espagnol, il convient de se rappeler que quatre facteurs essentiels en ont façonné le tempérament : la tradition de la noblesse, l'influence des invasions, l'importance du régionalisme et l'omniprésence du soleil.

Lorsque les chrétiens ont commencé à reconquérir les territoires occupés par les Maures, au début du Moyen Age, les rangs de l'aristocratie se sont mis à grossir en de telles proportions qu'aujourd'hui encore on estime que 50 % de la population pourrait revendiquer une ascendance noble. L'on entend souvent dire que même les mendiants sont de haute extraction ! La prolifération des nobles peut s'expliquer par l'attribution massive du titre de *hidalgo*, abréviation de trois mots espagnols signifiant littéralement « fils de quelque chose » (*hijo de algo*). Ce terme est souvent lié au concept des *fueros*, privilèges royaux accordés autrefois aux paysans qui avaient reconquis leurs terres par la force des armes et avaient accédé à un certain degré d'indépendance vis-à-vis de la couronne. En réalité, ce titre de petite noblesse fut souvent accordé comme récompense pour des exploits aussi variés que le fait d'avoir engendré sept fils d'affilée ou contribué au développement de l'industrie au XVIIIe siècle.

A l'origine, les *hidalgos* devaient s'abstenir de tout travail pouvant interférer avec leurs fonctions guerrières. Mais une fois achevées les étapes de la Reconquête et de la colonisation de l'Amérique, les habitudes sociales s'étaient si fortement enracinées que la plupart ont continué à considérer le travail comme une tâche avilissante.

Selon leurs strictes convictions, les *hidalgos* ne s'estimaient dignes de travailler que dans des secteurs bien précis : armée, clergé et administration ; et, comme il n'y avait pas suffisamment de postes pour tous, des centaines de milliers d'individus furent réduits à la plus extrême pauvreté en vertu d'un code social qu'ils n'osaient renier. Pas question, en effet, pour un gentilhomme de s'abaisser à travailler pour le simple appât du gain. Dans ses mémoires, Casanova décrit sa visite à un cordonnier lors d'un voyage en Espagne : l'homme s'excusa de ne pas pouvoir lui fabriquer de souliers, car, lui expliqua-t-il, bien qu'il n'eût plus les moyens d'avoir un apprenti, son titre d'*hidalgo* lui interdisait de se baisser pour prendre les mesures d'un pied.

Ce mépris caractéristique pour le travail — que l'on pourrait prendre à tort pour de la paresse — explique l'utilisation fréquente du mot *mañana* (demain). Pourquoi, en effet, faire le jour même ce que l'on pourrait faire le lendemain, voire ne pas faire du tout ? L'inefficacité patente de la bureaucratie espagnole semble découler de cet état d'esprit, qui transforme en épreuve de force le simple fait d'obtenir un passeport. A ce propos, quand il en a les moyens, l'Espagnol fait souvent appel à un *gestor* pour toutes les démarches officielles : en échange d'une rémunération convenue, l'homme en question fera la queue à sa place, affrontera les fonctionnaires et se débattra à travers un dédale de procédures compliquées pour lui remettre le document nécessaire.

Le tempérament espagnol a aussi été fortement marqué par les nombreuses invasions que le pays a subies. Il fut un temps où les chrétiens vivaient en bonne intelligence avec les colons étrangers ; cette cohabitation harmonieuse a permis un échange d'idées qui leur a laissé un formidable héritage culturel. Mais les rivalités qui survinrent ultérieurement modifièrent rapidement les relations entre les divers groupes socioculturels, transformant les habitants en farouches défenseurs de leurs propres mœurs et croyances.

Au fil de l'histoire, l'Espagnol est devenu plus circonspect. Retranché au sein du seul milieu auquel il pouvait se fier — sa famille, son village ou sa région —, il a appris, au gré d'événements souvent tragiques, à n'agrandir le cercle de ses alliés qu'en fonction de la taille de l'ennemi à combattre.

Individualisme

Cet isolationnisme a donné naissance à un caractère arrogant, fortement individualiste. Contrairement au sens péjoratif qu'ils revêtent dans les autres pays, l'égocentrisme et l'arrogance sont plutôt des qualités aux yeux des Espagnols. Ceux-là ont d'ailleurs souvent tendance à tirer fierté de leurs défauts. Cette fatuité transparaît dans leur façon d'être à biens des égards : l'Espagnol ne marche pas, il se pavane ; il ne parle pas, il crie. Alors que les citoyens de certains pays ont une propension à former des associations et à agir de concert en diverses occasions, selon le vieil adage : « L'union fait la force », en Espagne le manque de concertation et de volonté commune empêche souvent les choses de se réaliser, ou bien les font durer si longtemps qu'en définitive elles lassent les plus patients. A la mort de Franco, pas moins de 164 partis différents émergèrent sur la scène politique, chacun s'estimant capable d'assumer, mieux que l'autre, la direction du pays. En revanche, une fois passée l'euphorie des premiers instants de liberté, chacun s'en remit aux autres pour s'occuper des affaires de l'État, afin de retourner à ses occupations favorites.

En Espagne, s'amuser va souvent de pair avec le fait de se trouver dans une foule bruyante. Il y a plusieurs raisons à cela, la première étant la chaleur du climat, qui permet aux habitants de rester dehors une grande partie de l'année et de profiter ensemble de la fraîcheur de la nuit après une journée torride. Cet instinct grégaire qui pousse les gens hors de chez eux ne va pas à l'encontre de leur individualisme dans la mesure où, plus il y a de monde autour de soi, plus l'on est à même de se montrer, voire de s'exhiber. Et bien que les signes de richesse soient souvent obstentatoires, l'arrogance espagnole tient surtout à une assurance personnelle qui ne requiert aucun artifice. Elle s'exprime principalement à travers la grandiloquence, la vivacité d'esprit, la courtoisie, la générosité et la fierté. Paradoxalement, il en résulte que la personne la plus arrogante d'un groupe sera aussi la plus charmante.

La vie en ville

Les bars sont les lieux de prédilection des Espagnols. La qualité de l'*ambiente* qui y règne, souvent assimilée au niveau sonore, est de la première importance. S'il n'y a pas de bruit, il n'y a pas de vie ; en général, l'Espagnol fuit la tranquillité. Il est difficile de savoir qui fait le plus de bruit dans les cafés : les clients qui discutent à très haute voix, ou bien les serveurs qui s'interpellent en virevoltant avec leurs plateaux. Le vacarme est tel qu'on entend à peine l'omniprésente télévision perchée sur une étagère dans un coin de la salle, et dont le volume est pourtant mis au maximum.

Tout est prétexte à une conversation animée. L'Espagnol est prolixe de nature et manie les mots recherchés, voire rares, avec une aisance déconcertante. On sent qu'il aime la sonorité de

ment avec éloquence et sans la moindre timidité, puisqu'ils sont habitués à donner leur avis à tout propos.

Tout en restant relativement sobres, les Espagnols ont coutume d'aller de café en café, parfois trois ou quatre fois dans une même soirée. Ils s'y retrouvent entre amis, par hasard, même dans les grandes villes. Les *tapas* ou *aperitivos* — olives, croquettes de viande, petits crustacés, dés de jambon ou d'omelette — servis en même temps que les consommations empêchent les têtes de tourner trop facilement. L'Espagnol met d'ailleurs un point d'honneur à ne pas succomber aux effets de l'alcool ; il boit pour rehausser l'éclat de sa conversation et

sa langue et qu'il prend un réel plaisir à en faire rouler, chanter ou claquer les mots. Une conversation banale peut facilement tourner à la performance littéraire, ponctuée de références et de citations.

Selon une enquête nationale réalisée auprès des bibliothèques des prisons en 1985, les livres les plus empruntés sont des recueils de poésie. *L'Odyssée* d'Homère fait toujours partie des dix livres les mieux vendus en Espagne. Lorsqu'ils sont interrogés dans la rue par la radio ou la télévision, les simples passants s'expri-

Ci-dessus à gauche, famille paysanne d'Estremadure ; à droite, trois générations de Madrilènes réunies pour le traditionnel déjeuner.

sait s'arrêter dès les premières difficultés d'élocution.

Un peuple généreux

Les Espagnols consacrent un tiers de leurs revenus à l'alimentation, y compris boissons et tabac. Si les cigarettes américaines et les alcools étrangers bénéficient d'un grand prestige, les fast-foods et les pizzérias n'attirent qu'une faible partie de la population, les jeunes surtout.

La cuisine traditionnelle, riche et copieuse, reste fermement ancrée dans le mode de vie espagnol. Il n'est pas rare de voir une famille de dix personnes aller au restaurant et choisir les meilleurs plats sans regarder à la dépense. A la fin du repas, le chef de famille réglera la note d'un air satisfait, même s'il doit y laisser une bonne partie de son salaire.

La générosité est l'un des traits les plus frappants du tempérament espagnol. Si un touriste engage la conversation avec un autochtone, cela se terminera invariablement par une invitation, ne serait-ce qu'à l'apéritif. Dans le Sud, les patrons de café offrent si souvent la tournée qu'on en vient à se demander s'ils font des bénéfices. Dans la rue, l'Espagnol répond de bon cœur à toutes les sollicitations ; il n'hésitera pas à offrir une cigarette à un jeune ou à faire l'aumône à un mendiant ; si un étranger

Le régionalisme

Les habitants de la péninsule ont de nombreux points communs, mais il existe toutefois des différences notables entre les gens du Nord, du Sud, de l'Est et du Centre. L'on dit souvent que l'Espagne, en tant que nation, est un mythe issu des rêves et des ambitions des politiciens et des idéologues. Au fil du temps, tous les dirigeants qui se sont succédé à la tête de l'État se sont efforcés, par la force ou par le biais des alliances, d'en faire l'unification spirituelle et politique. A la fin de la guerre civile, Franco proclama l'Espagne « *libre, grande et une* » ; il

demande son chemin, il l'accompagnera volontiers jusqu'à destination.

Les Espagnols consacrent également une bonne partie de leurs revenus à l'habillement. Les vêtements traditionnels de couleur sombre ou de blanc immaculé ont fait place à une mode plus actuelle. Dans les campagnes, seules les anciennes générations gardent le deuil plusieurs années après la mort d'un parent et sont vouées, par conséquent, à le garder toute leur vie étant donné la taille des familles. Dans les villes, cette coutume est en train de disparaître, mais l'excentricité n'est pas la norme courante. En accord avec leur caractère, les Espagnols aiment à se vêtir avec soin et de manière élégante, particulièrement le soir.

s'appliqua à étouffer toutes les manifestations d'identité régionale, allant même jusqu'à interdire l'usage des langues et des dialectes locaux, ainsi que l'attribution de prénoms typiquement régionaux aux nouveau-nés.

De nos jours, le regain du régionalisme est tel qu'un Espagnol parlant le castillan devra se munir d'un dictionnaire et d'une bonne dose de patience s'il se rend, par exemple, en Catalogne, où l'abandon de l'ancienne langue officielle a été fortement encouragé par le gouvernement régional.

L'Andalousie, éternellement chaude et ensoleillée, offre à l'étranger un panorama pittoresque au-delà de toutes ses espérances. Dans cette vaste région où l'influence arabe a été extrêmement forte, la joie de vivre la plus exaltée se marie souvent à l'expression d'un fatalisme tragique. Les visages parcheminés des paysans andalous semblent refléter l'aridité brûlante du sol. Une corrida menée de main de maître est le symbole de la conception de l'existence selon les Andalous : à la fois belle et cruelle. Les Andalous sont de loin le peuple d'Espagne le plus exubérant, insouciant et plein d'humour.

Les Galiciens sont tout le contraire. Retranché au fond des vallées verdoyantes et brumeuses du Nord-Ouest, ce peuple de pêcheurs, de fermiers et de bergers — dont certains se livrent parfois à la contrebande du tabac, facilitée par

les nombreuses petites criques qu'abrite le littoral atlantique — se montre réservé, conservateur, et parle une langue proche du portugais. Réputés austères, les Galiciens sont souvent comparés aux Écossais ; comme eux, ils descendent des Celtes, jouent de la cornemuse et se sont expatriés en masse après de cruelles périodes de famine.

En remontant plus au nord-est, on trouve le Pays basque (*Euskadi*) dont les habitants, travailleurs et bons vivants, revendiquent leur

Les Espagnols perdent rarement leur aplomb. De gauche à droite : enfants andalous ; garde du palais royal à Madrid ; homme du León prenant le soleil.

indépendance depuis la nuit des temps. Parmi eux, beaucoup descendent des Ibères, tout premiers habitants de la péninsule. Leur langue, le basque ou *euskera*, n'offre aucune similitude avec les langues indo-européennes et ses origines restent mystérieuses. A cause des sports frustes qu'ils pratiquent — les concours de scieurs de bois ou le lancer du palet —, les Basques sont tenus pour des êtres rustres et balourds par leurs concitoyens. On leur oppose le raffinement des Catalans, lesquels ont été nourris de culture française pendant plusieurs siècles. Les Catalans partagent cependant avec les Basques le désir ardent de rompre les liens qui les rattachent au reste du pays. Tandis que Basques et Catalans tendent à considérer tout ce qui se trouve au-delà des frontières de leur territoire comme un prolongement annexe et inutile, les Castillans, pour leur part, estiment que le pays leur appartient de droit divin. Après tout, ce peuple strict et fier, issu des plaines arides du Centre, n'est-il pas à l'origine de l'unité de l'Espagne ? Ils ont réussi à en imposer le concept, et la tâche n'était pas mince.

Le régionalisme pur et dur s'est trouvé quelque peu tempéré par les vagues de migration successives, allant du Centre et du Sud vers les régions prospères du Nord et du littoral, et des zones rurales vers les grandes agglomérations. Aujourd'hui, l'un des endroits les moins peuplés d'Europe n'est qu'à une heure de route de Madrid.

Malgré les différences idéologiques et la prétendue hostilité que se vouent les habitants d'une province à l'autre, les Espagnols qui quittent leur région natale pour aller s'installer ailleurs sont généralement accueillis à bras ouverts par leurs compatriotes. En effet, la réserve d'un Espagnol à l'égard d'un concitoyen fond comme neige au soleil dès que la théorie cède la place à la pratique.

La famille

La famille espagnole est un vaste et chaleureux clan dans lequel la tolérance mutuelle et le soutien à toute épreuve sont de rigueur. Il suffit de se promener dans un jardin public l'après-midi pour constater qu'un Espagnol, quel que soit son âge ou sa condition, ne sera jamais un paria dans son propre cercle familial. Un jeune chevelu prêtera aimablement son bras à son grand-père tout en tenant un petit cousin par la main, et rien — ni les difficultés, ni le chômage, ni l'inflation — n'empêchera jamais les enfants de jouer au soleil sous le regard attendri de trois générations réunies pour déguster une glace et passer un bon moment ensemble.

Chacun défend farouchement l'honneur, les droits et la condition de sa famille et même de sa belle-famille, du père ou de la fille aux parents les plus éloignés. Les enfants espagnols sont certainement parmi les plus gâtés et les plus choyés du monde, mais ils n'en demeurent pas moins ouverts et aimables. Ils suivent leurs parents partout et veillent tard le soir. Dès leur plus jeune âge, ils prennent conscience de leur importance ; ce statut d'enfant-roi peut en partie expliquer l'égocentrisme des adultes plus tard.

On tient souvent l'Espagnol pour un individu lascif, dominateur et machiste. De fait, il l'est souvent. Il était encore admis, il n'y a pas si longtemps, qu'un homme marié puisse avoir une maîtresse. L'épouse, chargée d'assurer la bonne marche du ménage et l'éducation des enfants, était considérée par son mari comme une sorte de sainte au foyer. Pour le reste, ce dernier préférait s'en remettre à des personnes moins respectables.

Tant que les apparences étaient sauves, la femme tolérait généralement ces escapades comme faisant partie intégrante de la virilité ; mais, si ces incartades venaient à mettre en péril l'honneur de la famille, elle se transformait alors en implacable tyran. Les jeunes filles de jadis, une fois mariées et enfermées dans un contexte familial peu épanouissant, s'empâtaient rapidement, tandis que leurs maris, toujours minces et fringants, se permettaient des aventures amoureuses.

De nos jours, si le temps des maîtresses entretenues clandestinement est dépassé, les hommes demeurent toutefois relativement infidèles. Mais un nouveau phénomène de société est en train de se développer, car les femmes ont, de leur côté, de plus en plus d'aventures extraconjugales. En ce qui concerne la sexualité, le changement le plus frappant s'est produit dans le cadre des relations avant le mariage. On ne parle plus que très rarement de fiançailles, ou *noviazgo*, désormais. Avant, deux jeunes gens de classe moyenne souhaitant se marier restaient fiancés pendant une longue période (jusqu'à dix ans), durant laquelle chacun travaillait de son côté pour réunir l'argent nécessaire à l'achat d'une maison ou à l'établissement du couple. Aujourd'hui, hommes et femmes changent de partenaires avec la même facilité avant de se décider à convoler ; la diminution du nombre

des mariages, qui est passé de 271 347 en 1975 à 180 000 en 1984, en est un indice.

Cette évolution est due en grande partie à l'émancipation des femmes. Pour de nombreuses raisons, le conservatisme, l'influence de l'Église et la pauvreté, le mouvement de destruction de la famille est intervenu bien plus tard en Espagne que dans les autres pays développés. Il y a seulement quinze ans, les femmes mariées devaient avoir une autorisation écrite de leur mari pour pouvoir voyager, même à l'intérieur du pays, ou pour ouvrir un compte en banque. Les Espagnoles sont désormais dégagées de ces contraintes. On estime à 400 000 le nombre de mères célibataires dans le

pays, et 60 % des Espagnoles, mariées ou non, prennent des contraceptifs.

Mis à part une minorité attachée aux valeurs morales, il est surprenant de voir à quel point ce bouleversement des mœurs a été bien accepté. Mais dans ce domaine également, la majorité de la société a toujours considéré la moralité comme une sorte de routine que l'on peut transgresser de temps à autre afin de mettre un peu de piment dans l'existence.

Les mouvements féministes datant du postfranquisme ont pratiquement tous disparu aujourd'hui. Pourtant si les universités sont fréquentées en proportion égale par les étudiants des deux sexes, les femmes occupent encore rarement de hautes fonctions dans la vie professionnelle. Maintenant que le nombre d'enfants par famille est passé à 1,3 seulement, il est probable que la situation va changer et que les Espagnoles vont rattraper leur retard. Toutefois, en dépit de ces progrès, l'essence même de la féminité et de la virilité demeurera toujours une valeur fondamentale de la société espagnole.

La religion

Paradoxalement, les plaisirs temporels et la passion spirituelle ne sont pas forcément incompatibles pour les Espagnols. Lors de

liers de voix s'écrient sur son passage : « Guapa ! Guapa ! » (« Belle ! Belle ! »), la fanfare entonne un air joyeux, et la Vierge, malgré les larmes de diamant qui scintillent dans ses yeux, esquisse une petite danse guillerette. En l'occurrence, il ne s'agit nullement d'un manque de respect, mais d'une familiarité de bon aloi.

Dans son livre *l'Espagnol et les sept péchés capitaux*, Fernando Díaz Plaja prétend que les Espagnols ont en quelque sorte une ligne de téléphone privée qui les relie à Dieu, un Dieu à l'image de l'homme et non le contraire ; un Dieu que l'on peut, à l'occasion, soudoyer dans l'intimité de la prière pour obtenir un traite-

manifestations religieuses, le vin coule à flots, les chants et les danses vont bon train, accompagnés de tous les excès qui forcent la gaieté. A chaque printemps, le grand pèlerinage de Huelva s'apparente presque à une cérémonie païenne au cours de laquelle les couples se font et se défont dans la liesse. A Séville, le jour du vendredi saint, quand l'immense char de la Vierge de Macarena transporté à dos d'homme commence à cheminer à travers les rues de la ville, dès les premières lueurs du jour, des mil-

De gauche à droite : à la campagne, les femmes s'habillent traditionnellement en noir durant toute leur vie adulte ; moissons en Cantabre ; le marathon de Barcelone.

ment de faveur : « *Fais que mon fils soit reçu à son examen et je donnerai mille pesetas aux pauvres* ». La Vierge et les saints servent souvent d'intermédiaires entre les Espagnols et l'Éternel, et, dans les églises, il y a toujours un tronc près des statues et des images des saints.

Pour le croyant, Dieu est patient, il comprend la faiblesse humaine et accorde facilement son pardon. Les Espagnols comptent tellement sur sa magnanimité et sa tolérance qu'il s'établit une espèce de complicité entre eux.

A la messe, les pratiquants n'agissent pas différemment que s'ils se trouvaient chez des amis. Ils arrivent en retard, se saluent à voix haute et se rendent même à l'église en tenue légère dans les stations balnéaires. L'office ne dure que vingt minutes, mais la foule attend à peine que le prêtre ait donné sa bénédiction pour se ruer allégrement vers la sortie.

Malgré la simplicité des relations qu'ils entretiennent directement avec Dieu, les Espagnols ont un comportement nettement plus réservé avec l'institution religieuse. Pour beaucoup d'entre eux, l'Église est associée à un mode de vie austère et contraignant. A l'issue de la guerre civile, Franco avait fait siéger les évêques au parlement et au conseil d'État, et placé des membres du clergé à la tête de l'éducation primaire et secondaire. Ceux qui ont plus de vingt-cinq ans aujourd'hui se rappellent

encore les processions interminables vers des sanctuaires religieux à la tombée de la nuit ; dans certaines écoles, les prêtres incitaient leurs élèves à s'imposer des pénitences parfois au-dessus de leur âge. Le plus dur pour la génération de l'époque fut sans doute de subir l'interférence de l'Église dans le domaine de la vie intime.

Il n'est pas étonnant, dans ces conditions, que les cinémas et les kiosques à journaux aient été envahis par la pornographie dès la mort de Franco. Une fois les curiosités satisfaites, ce phénomène s'est rapidement apaisé.

En raison de leur ressentiment à l'égard du clergé, et des divers courants étrangers, le nombre des catholiques pratiquants a sensiblement

baissé ; en 1985, il ne s'élevait qu'à 50 % de la population, et, selon une enquête, seulement 18 % d'entre eux ont déclaré assister régulièrement à la messe.

La nouvelle génération

A l'heure actuelle, on a tendance à classer les Espagnols, soit en fonction de leur passé soit selon le concept d'une Europe moderne et homogène. Situés au croisement de deux systèmes politiques et économiques, de deux cultures et de deux continents — l'Europe et l'Afrique —, les Espagnols sont en train de sortir de la léthargie imposée par quarante ans d'isolement et prennent conscience du choix qui leur est offert. L'homme de la rue, qui se sentait jadis inférieur aux autres Européens du fait qu'il appartenait à un pays politiquement immature et économiquement faible, est désormais fier de faire partie intégrante de la CEE. Il savoure le plaisir et la satisfaction que lui procure cette récente intégration en levant son verre de *cava* (champagne espagnol) à la nouvelle démocratie.

Mais comment se comportera-t-il une fois que le système amorcé sera réellement opérationnel ? Est-il prêt à abandonner l'*ambiente* au profit de la société de concurrence avec tous les inconvénients qu'elle comporte ?

« *L'employé espagnol se réveille tôt le matin, l'œil encore voilé par le manque de sommeil ; avale rapidement une tasse de café et se rend au travail la tête lourde. Il fait une pause à 11 heures pour s'offrir un autre café, quitte le bureau à 14 heures pour un repas riche en calories, ponctué d'un verre de cognac, puis il s'accorde une bonne sieste et boit un nouveau café avant de retourner somnoler sur son lieu de travail. Il en sort à 20 heures, retrouve ses collègues ou ses amis dans un bar, dîne tard dans la soirée et va au lit avant de recommencer le lendemain. Comment voulez-vous qu'il soit compétitif avec les salariés des autres pays ?* » s'interroge un homme d'affaires madrilène. De toute évidence, il lui faudra sacrifier certains rites avant d'y parvenir. Beaucoup devront apprendre à modifier leur mode de vie.

A gauche, une Espagnole du Nord, blonde au teint clair, témoigne des ascendances celtiques ; à droite, jeune femme de Saragosse lors du festival d'El Pilar.

VOYAGEURS D'ESPAGNE

La rue

« Quand il se promenait, dans une cohue tumultueuse, sur la Rambla aux mille cris, il sentait merveilleusement dans ses nerfs, dans ses veines, la grande ville chaude et aussi la présence de la mer qui, au bout de l'avenue, offrait aux vagabonds son espace liquide semé de bateaux et de taches de soleil.

Catalogne, de l'autre côté de la rue. Là, visibles malgré le courant pressé des tramways, des autobus rouges et des voitures, les jets d'eau tordaient leur molle et brillante chevelure et des vols de pigeons tournoyaient. Aussitôt, une félicité légère s'emparait d'Alejandro. Il n'existait plus que par le jeu cadencé des gouttes, des plumes duveteuses, et au-dessus d'elles par l'éclat profond et dur du ciel de midi.

Bref, tout, dans Barcelone, était forte et riche nourriture pour la faim de son cœur.

Quant à l'autre, celle du ventre et que la plupart des hommes tenaient pour seule et véritable, Alejandro ne comprenait point qu'elle fît l'objet de tant d'efforts, de luttes, de bassesses.

A la terrasse de l'hôtel Colon où il s'établissait lorsque midi approchait, il ne proposait pas ses humbles services, il ne guettait point avec inquiétude et avidité, comme le faisaient les autres cireurs, l'appel du client. Assis un peu à l'écart, sur le marchepied de sa boîte, il contemplait les visages, devinait les étrangers, imaginait leur pays. Ou bien il riait aux museaux naïfs, aux yeux à peine ouverts des petits chiens que les marchands montraient de table en table.

Ou encore, si le spectacle le fatiguait, si les cris des vendeurs de journaux et de pistaches se faisaient obsédants, et que s'émoussait la flèche bienheureuse dont son corps entier lui semblait percé, il tournait ses regards vers la place de

Était-il si difficile de la rassasier ? Un peu de pain, quelques piments crus, un plat de pois chiches — chacun les pouvait gagner, sans inutiles sueurs et sans servilité. »

Joseph Kessel,
Une balle perdue,
© Gallimard

La tauromachie

« Le spectateur qui va à une course de taureaux pour la première fois ne peut s'attendre à voir la combinaison du taureau idéal et du torero idéal pour ce taureau ; cela n'arrive pas plus de vingt fois dans toute l'Espagne en une saison, et il n'aurait aucun profit à voir cela pour commencer. Son œil serait confondu par tout ce qu'il y a à voir, son regard n'arriverait pas à tout embrasser, et un spectacle qu'il ne reverrait peut-être jamais de sa vie ne signifierait pas plus pour lui qu'un spectacle ordinaire. S'il y a quelque chance pour qu'il soit apte à goûter les courses de taureaux, le mieux pour lui est de voir d'abord une corrida moyenne, deux taureaux braves sur six, les quatre autres quelconques pour donner du relief aux exploits des deux excellents ; trois toreros, qui ne soient pas trop richement payés, en sorte que tout ce qu'ils pourront faire d'extraordinaire paraisse difficile plutôt qu'aisé ; qu'il ne soit pas assis trop près de la piste, de sorte qu'il puisse voir

tout le spectacle, sans avoir à rompre continuellement son attention entre le taureau et le cheval, l'homme et le taureau, le taureau et l'homme, ce qui arriverait s'il était trop près ; et qu'enfin ce soit une journée chaude et ensoleillée. Le soleil est très important. Théorie, pratique et mise en scène de la course de taureaux ont été construites sur la supposition de la présence du soleil, et lorsqu'il ne brille pas, un tiers de la corrida manque. L'Espagnol dit : *"El sol es el mejor torero."* Le soleil est le meil-

A gauche, une famille andalouse ; à droite, jeunes gens en randonnée dans les Pyrénées.

leur torero, et, sans soleil, le meilleur torero est incomplet. Il est comme un homme sans ombre. »

Ernest Hemingway,
Mort dans l'après-midi,
traduction de René Daumal,
© Gallimard

Les processions

« Laïques, mais non profanes, les confréries qui organisent les parades saintes se préparent l'année entière pour cette nuit-là. Tout pour Jésus, pour la Vierge, pour la renommée de la ville, pour le quartier ou la rue, rien pour soi que l'humilité de la bure et l'anonymat de ce capuchon rabattu sur la figure, la cagoule.

Les processions sortent de leurs églises, couvents ou chapelles, parcourent tout Séville, saluent son municipe, traversent la cathédrale ouverte de bout en bout, et rentrent dans leurs sacristies pour ne plus ressortir que l'année suivante. La tradition dure depuis des siècles ; l'ordonnance, le jour, l'heure des défilés sont immuables. Ces processions, transmises par une génération à l'autre ainsi qu'un bien dévolu, fendent les âges comme elles fendent la foule. »

Paul Morand,
Le Flagellant de Séville,
© Fayard

La guerre civile

« Les pierres devinrent plus nombreuses. Enfin, âpre comme sa terre de rochers, toits sans arbres, vieilles tuiles grises de soleil, squelette berbère sur des terres africaines : Badajoz, son Alcázar, ses arènes vides. Les pilotes regardaient leurs cartes, les bombardiers leurs viseurs, les mitrailleurs les petits moulinets des points de mire qui tournaient à toute vitesse hors de la carlingue. Au-dessous, une vieille ville d'Espagne rongée, avec ses femmes noires derrière les fenêtres, ses olives et ses anis au frais dans des seaux d'eau de puits, ses pianos dont les enfants jouaient avec un doigt, et ses chats maigres aux aguets des notes qui se perdaient l'une après l'autre dans la chaleur... Et une telle impression de sécheresse qu'il semblait que tuiles et pierres, maisons et rues dussent se craqueler et se pulvériser à la première bombe, dans un grand bruit d'os et de pierrailles. »

André Malraux,
L'Espoir,
© Gallimard

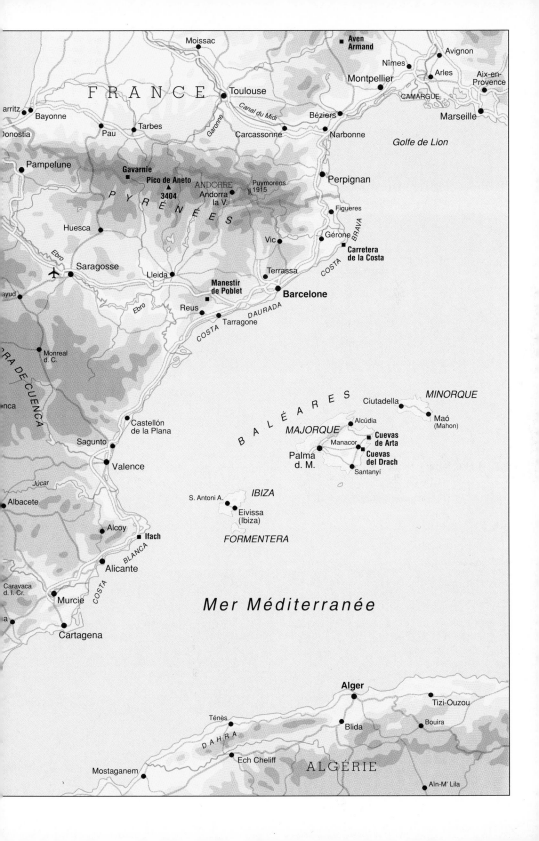

«Las Señoritas de Avignon».

ITINÉRAIRES

Les 50 provinces qui composent l'Espagne couvrent un vaste territoire montagneux. Au fur et à mesure que vous viendrez à en découvrir la richesse et la diversité, les paysages espagnols vous laisseront d'inoubliables souvenirs ponctués parfois de troublantes illusions. Dans la pureté de l'air de la Manche, les moulins à vent qui se découpent sur l'horizon vous sembleront à portée de main, et presque toutes vos excursions se révéleront plus longues qu'il n'y paraît sur une carte.

Nous avons divisé l'Espagne selon les quatre grandes régions climatiques qui la caractérisent, à commencer par le plateau central du pays, la Meseta. Madrid en occupe le cœur. Imposante et majestueuse, cette capitale en constante effervescence qui abrite le musée du Prado et le somptueux Palais royal a également engendré la *movida*, la nouvelle vague. Tolède et l'Escurial, tous deux proches de Madrid, offrent un contraste saisissant entre le faste hérité de l'occupation mauresque et l'austérité catholique de l'empire. Au nord de Madrid, sur les hauts plateaux de la Vieille-Castille, se dressent les cités et les châteaux de la Reconquête. Aride et vallonnée, nichée entre le Portugal et la Castille, l'Estrémadure est la terre natale des conquistadores et des *toros bravos* destinés au combat. Là, les cités médiévales balayées par le vent ont gardé toute leur authenticité.

La deuxième région est l'Andalousie, située à l'extrême sud-est de la Péninsule. Là se déploie dans toute sa splendeur l'Espagne légendaire, pays du flamenco et des corridas, gorgée de soleil et riche d'une architecture mauresque époustouflante. Outre les joyaux que sont Cordoue, Grenade et Séville, l'Andalousie recèle dans son arrière-pays de merveilleux villages aux maisons blanchies à la chaux ; si certains sont devenus excessivement touristiques, d'autres, moins connus, se contentent de se dorer au soleil de la Sierra Nevada.

Dans le Levant, frange côtière de la Méditerranée, le climat est chaud et humide ; le sol, enrichi par les alluvions des torrents de montagne, est le plus fertile d'Espagne. Pendant plus de mille ans, Valence a tiré sa richesse de l'agriculture grâce aux travaux d'irrigation réalisés par les Maures. Au large des côtes, la douceur de l'air marin des Baléares a conquis le cœur de Chopin et de la famille royale d'Espagne. Au nord de Valence s'étend le superbe littoral de la Costa Dorada et de la Costa Brava, au milieu desquelles se dresse Barcelone, capitale de la Catalogne. Outre ses stations balnéaires, la région catalane vous offrira une large gamme de plaisirs, allant de la pêche à la truite aux randonnées pédestres, en passant par le ski dans les Pyrénées.

Le Nord du pays est la partie la plus variée de la péninsule, aussi bien d'un point de vue géographique que culturel. Au cœur des superbes panoramas montagneux de la Navarre et de l'Aragon, les églises romanes vous séduiront par la sobriété de leur style, et les fêtes d'El Pilar et de San Fermin par l'éclat de leur folklore. Le Pays basque, avec ses collines luxuriantes et sa côte riante, est le paradis gastronomique de l'Espagne. Les grandes plages de la Cantabrie sont le lieu de villégiature favori des Madrilènes, tandis que le littoral très découpé de la Galice, à l'extrême ouest du pays, tapi derrière les monts couverts de brume et riche d'un important patrimoine celtique, a conservé tout le charme des pays mystérieux.

Nous espérons que vos découvertes personnelles commenceront là où les nôtres se sont arrêtées. Mais prenez garde : le charme de l'Espagne est tel que vous rejoindrez vite la foule des poètes, des aventuriers et des romantiques pour lesquels un voyage en Espagne n'est jamais le dernier.

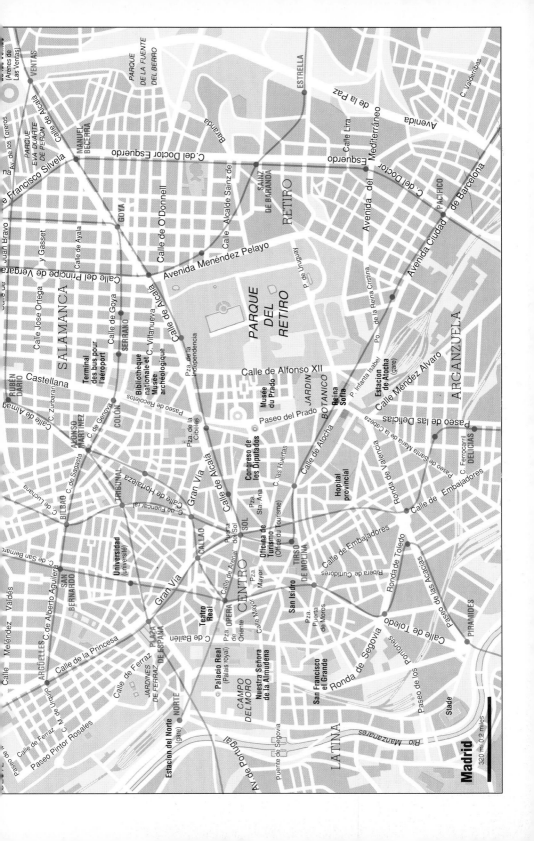

Madrid

320 mi / 0.2 miles

MADRID

Dans les années vingt, Paris était la capitale européenne à la mode ; dans les années soixante, c'était Londres ; en cette fin du XXᵉ siècle, il semble bien que **Madrid** soit toute désignée pour remporter le titre. *« Estamos de moda »* (« Nous sommes à la mode »), se plaisent à dire les Madrilènes dès qu'un nouvel article sur la *movida* paraît dans la presse. Cette petite phrase que l'on entend fréquemment prononcer est toutefois teintée, à parts égales, de fierté, d'incrédulité et d'ironie, car Madrid fut longtemps considérée comme une simple ville de province avant que Philippe II ne l'eut choisie, en 1561, pour y transférer sa brillante cour de Tolède, plus cosmopolite.

Autrefois, Madrid n'était qu'une petite communauté rurale nichée au pied de la **Sierra de Guadarrama**. Entouré de vastes forêts, ce haut plateau a tout d'abord séduit les Maures, qui y construisirent une forteresse, le **Magerit**, sur les rives du Manzanares. Les chrétiens l'envahirent en 1083, mais les deux religions parvinrent à y cohabiter dans une certaine harmonie, à l'écart des conflits politiques et des troubles qui secouaient alors les autres cités castillanes.

Lorsque Philippe II proclama Madrid capitale de son royaume, des courtisans quelque peu réticents insinuèrent que leur souverain agissait ainsi dans le simple but de se rapprocher de son palais de l'Escurial. Cependant, les nobles et le clergé y établirent rapidement leur résidence afin d'appartenir à la nouvelle sphère d'influence. Au fur et à mesure que la ville s'agrandissait, le déboisement intensif requis pour les nouvelles constructions entraîna une rapide érosion, accompagnée de sécheresse et d'une sensible hausse de la température ; le climat de Madrid était changé à tout jamais.

Lorsqu'ils succédèrent à la dynastie des Habsbourg au XVIIIᵉ siècle, les Bourbons, à leur arrivée, furent horrifiés de l'état lamentable de Madrid. Les rues étaient sales et peu sûres, les habitations vétustes et sordides. Bien souvent, l'aspect négligé des églises de brique noircie ne laissaient pas présager les trésors artistiques qu'elles renfermaient. Les souverains français contribuèrent dans une large part à donner à la capitale une allure plus digne. Philippe V y fit construire l'actuel Palais royal, appelé indifféremment Palacio de Oriente ou Palacio Real ; Charles III, pour sa part, fut à l'origine de la Puerta de Alcalá et du musée du Prado ; Ferdinand VI, de l'académie royale des Beaux-Arts.

Les transformations et améliorations apportées à la capitale ne furent pas toujours du goût des Madrilènes. Charles III estimait que les nombreuses intrigues qui se tramaient à Madrid était favorisées par les longues capes et les chapeaux à large bord qu'affectionnaient les citadins ; aussi imposa-t-il le port de capes courtes et de tricornes à l'européenne. Ce décret déclencha une véritable rébellion qui s'acheva dans un bain de sang. Quand Joseph Iᵉʳ lança un vaste projet d'aménagement de jardins et de plantation d'arbres dans les grandes avenues de la ville, le mépris que portaient les Madrilènes à tous les membres de la famille Bonaparte rejaillit sur ses réalisations, qui lui valurent le sobriquet de *« Rey-Plazuelas »*, le roi des Placettes.

Au début du siècle, l'édification de grands immeubles de banque le long de la Gran Vía a marqué l'accroissement de la puissance financière de Madrid. Ses larges avenues et ses fontaines monumentales lui ont donné une allure vraiment majestueuse, bien qu'elle ne se soit jamais définitivement débarrassée de sa réputation de provinciale. Le romancier basque Pío Baroja décrit Madrid comme un *« village de la Manche qui a grandi trop vite »* et l'écrivain contemporain Cela comme une *« grosse bourgade peuplée d'employés de bureau »*.

Officiellement, cette ville d'environ 3,2 millions d'habitants est encore appelée **la Villa y Corte** (le Bourg et la Cour), selon le titre conféré par les Habsbourg. Mais nombreux sont ceux qui prétendent que bien qu'elle soit siège de l'avant-garde culturelle et d'une vie nocturne raffinée, Madrid reste un amalgame de villageois. Quoi qu'il en soit, les Madrilènes sont réputés pour être simples et ouverts, et c'est peut-être grâce à cet heureux tempérament que la mutation politique et culturelle s'est opérée si facilement. Si les étrangers peuvent être attirés, de prime abord, par le modernisme de Madrid, ils ne

Pages précédentes : la Castille ; la cathédrale d'Ubeda ; fête dans la Manche ; hommage à Picasso sur les murs de Caltojar ; vue depuis la terrasse de l'hôtel Plaza. A gauche, les statues de don Quichotte et de Sancho Pança Plaza de España.

manqueront jamais de s'éprendre par la suite des valeurs traditionnelles qui ont toujours survécu aux aléas de la politique : l'ambiance sereine des ruelles égayées de géraniums, le rythme de vie des citadins, toujours disponibles pour aller boire un café et discuter entre amis, la lumière des fins de journée qui baigne les visages d'une couleur allant de l'or pur au rouge de la sangria.

Situation

Avec ses 600 mètres d'altitude, Madrid est la plus haute capitale d'Europe. L'affluence des voitures et le chauffage au charbon ont rendu l'atmosphère lourde, bien loin de l'air « pétillant comme le champagne » qui ravissait les princesses étrangères, qui venaient souvent à Madrid pour y accoucher, au XIXe siècle. Pourtant, par une belle journée de printemps, la Sierra de Guadarrama est si nette qu'elle paraît à portée de la main ; en été, l'éclat du soleil madrilène se révèle souvent dangereux pour les peaux sensibles et traître pour le photographe amateur.

Quel que soit le temps, les rues de Madrid se vident presque entièrement à partir de 14 ou 15 h ; à l'instar des autochtones, vous pourrez en profiter pour déjeuner tranquillement et faire la sieste, ce qui est le mieux à faire, puisque presque tous les musées et magasins ferment à cette heure-là. Vers 17 h 30, les rues retrouvent leur animation et la *tarde*, délicieux moment de détente qui se poursuit jusqu'à 21 h ou 22 h, est le moment idéal pour flâner et s'attarder à la terrasse des cafés, autrement dit : voir et être vu. Au cœur de la ville, la densité de la population paraît encore plus forte du fait que les Espagnols adorent se joindre à la foule ; pour eux la vie est dans la rue.

Le noyau central de la ville est la **Puerta del Sol**, une place ovale bordée d'immeubles du XVIIIe siècle. Elle constitue le kilomètre 0 de toutes les routes d'Espagne, et c'est vers elle que convergent les grandes avenues de Madrid et la plupart des lignes de métro et d'autobus. La statue dressée au centre, un grand ours en bronze, est un haut lieu de rendez-vous, à en juger par les nombreuses personnes qui attendent à ses

La Puerta de Alcalà, érigée au XVIIIe siècle.

pieds, les bras croisés. Le soir du nouvel an, les Madrilènes se rassemblent Puerta del Sol pour croquer les traditionnels douze grains de raisin pendant que retentissent les douze coups de minuit.

Dans le passé, des événements moins rejouissants s'y sont déroulés : c'est là que le peuple résista aux troupes napoléoniennes en 1808 ; là encore qu'éclata en 1830 une révolte contre les nonnes des couvents de Madrid, lesquelles étaient accusées d'avoir empoisonné l'eau de la ville. La IIᵉ République fut proclamée à la Puerta del Sol en 1931, et dans les années quatre-vingts, elle a été le siège des manifestations en faveur de la liberté d'expression et contre l'OTAN.

Du nord de la Puerta del Sol part la **Calle Preciados**, où se situent les deux grands magasins de Madrid : le Corte Inglés et les Galerias Preciados. Tous deux sont ouverts sans interruption dans la journée ; vous y trouverez toutes sortes de souvenirs et des produits artisanaux de qualité (poteries, articles en cuir).

En remontant la **Calle de Alcalá** vers le nord-est, vous arriverez à l'**académie des Beaux-Arts de San Fernando**. On y trouve des œuvres des principaux artistes de l'école espagnole, et en particulier le tableau de Goya intitulé l'*Enterrement de la sardine*, une parodie tragi-comique d'une tradition madrilène qui veut que l'on enterre un poisson le mercredi des Cendres.

A l'intersection d'Alcalá et du **Paseo del Prado** se trouve la **Plaza de la Cibeles**, ornée d'une fontaine dédiée à la déesse Cybèle. Le grand bâtiment blanc qui lui fait face est los Correos (la poste centrale) ; cet édifice rassemble les styles les plus représentatifs de la tradition architecturale madrilène, intégrant aussi la tendance Art nouveau. Alcalá se termine par la **Puerta de Alcalá**, arc de triomphe construit sous le règne de Charles III pour embellir l'entrée est de la cité.

Le musée du Prado

De tous les musées regroupés dans le même secteur, le Prado est le plus prestigieux et justifie à lui seul un séjour à

La statue de Vélasquez devant le musée du Prado.

Madrid. Il renferme non seulement la plus grande collection au monde de maîtres espagnols, mais aussi un large éventail de peintures de provenances diverses, lesquelles reflètent les goûts, les croyances et les ambitions politiques de la couronne d'Espagne depuis le règne de Ferdinand et Isabelle.

L'ouverture des musées au grand public date du siècle des Lumières. Ironie de l'histoire, c'est Joseph Bonaparte qui a émis le premier l'idée de faire connaître aux Espagnols les œuvres d'art de leur pays. Il fut chassé avant d'avoir pu mettre ce plan en pratique, mais Ferdinand VII reprit son projet. En 1819, les collections royales furent exposées dans un bâtiment destiné au départ à être un muséum. C'est cet édifice qui constitue l'actuel musée du Prado.

Avec l'évolution des mœurs et des mentalités, on en vint par la suite à exposer des tableaux jusqu'alors inédits, tels la *Vénus* de Titien et *les Trois Grâces* de Rubens ; au cours des deux siècles derniers, le Prado a acheté de nombreuses toiles pour enrichir son patrimoine initial. Aujourd'hui, il en possède plus de quelque 3 000, qui sont exposées à tour de rôle.

La meilleure façon d'aborder le Prado en une seule journée est de commencer par les œuvres allant du Moyen Age au XVIIᵉ siècle, réunies dans le bâtiment principal, puis d'aller admirer les maîtres du XVIIIᵉ et les Goya dans le **Palacio de Villahermosa**, pour terminer enfin par le **Casón del Buen Retiro**, qui regroupe la peinture des XIXᵉ et XXᵉ siècles. Parmi les chefs-d'œuvre de la peinture espagnole, la *Dernière Cène* de Juan de Juanes, les *Ménines* et la *Reddition de Breda* de *Vélasquez*, le *Chevalier à la main sur la poitrine* et l'*Adoration des Mages* du Greco, le *Rêve de Jacob* de Ribera, la *Sainte Famille à l'oiseau* de Murillo, les *Majas* et le *Dos de Mayo* de Goya donnent une idée précise de l'ampleur et de la qualité de l'art pictural de l'Espagne.

L'école néerlandaise est essentiellement représentée par les compositions tourmentées de Bosch et l'école flamande par les œuvres pulpeuses de Rubens, deux artistes fort appréciés de Philippe II. Ce dernier, tout comme son père Charles Quint, était également grand amateur de la peinture italienne du XVIᵉ siècle — Giorgione,

Titien, le Tintoret et Véronèse. Des représentations de la cour sont dues aux peintres français Ranc et Van Loo, appelés en Espagne par les Bourbons. En raison de la discorde politique et spirituelle qui a régné entre Espagnols et Britanniques à partir de la Réforme, la peinture anglaise n'est représentée que par quelques toiles de Gainsborough et Reynolds, dont le musée a fait récemment l'acquisition.

Le billet d'entrée au Prado vous donnera également accès au **Cason del Buen Retiro**, à quelques minutes de marche. Situé sur une petite colline, ce pavillon abrite, entre autres, le célèbre *Guernica* de Picasso. Pendant la guerre civile, le gouvernement espagnol avait passé commande d'une fresque destinée à l'exposition universelle de 1937 à Paris. Par un terrible concours de circonstances, le bombardement du village basque de Guernica par l'aviation allemande a fourni à Picasso le thème d'un tableau saisissant dans lequel il laisse exploser toute sa rage créatrice. *Guernica* n'est finalement revenu en Espagne qu'en 1981 ; cet événement fut salué avec beaucoup d'émotion par le peuple espagnol, pour qui la guerre est restée un sujet tabou pendant près de quarante ans, avant de faire l'objet de nombreux films, livres et expositions, même de la part d'artistes et de témoins qui étaient bien trop jeunes, alors, pour en avoir un souvenir précis.

Le Cason del Buen Retiro et le **musée de l'Armée** qui le jouxte sont tous deux les vestiges d'un palais que Philippe II avait habité pendant la construction de l'Alcazar, ce qui explique que le second possède des plafonds décorés par des élèves de Vélasquez. Parmi les reliques du passé militaire de l'Espagne, vous pourrez admirer les armes de Boabdil, dernier roi maure de Grenade, une collection de 16 000 soldats de plomb, des mémoires de guerre des trois continents et le véhicule où fut assassiné Carrero Blanco, premier ministre de Franco, en 1973.

A proximité, dans la **Calle Montalban**, le **musée de la Marine** est consacré à la fameuse **Armada** et offre une superbe collection de maquettes de galions, ainsi que la première carte du Nouveau Monde, datant de 1500.

Pour vous remettre de ces épisodes guerriers, vous pourrez visiter le **musée des**

Arts décoratifs, de l'autre côté de la rue. Sur cinq étages se déploient des tapis persans, des tapisseries, des papiers peints rehaussés de dorures, des lits baroques richement drapés de velours, des tables en marqueterie, de merveilleux éventails de soie et de plumes, ainsi que de ravissantes maisons de poupée construites pour les enfants de la famille royale. Au dernier étage se trouve une ancienne cuisine décorée de faïence de Valence. Remarquez également les murs de la chapelle, entièrement tendus de cuir de Cordoue.

Aménagé dès le XVᵉ siècle au temps du roi Henri IV de Castille, le **parc du Buen Retiro** fut restauré au XVIIᵉ siècle pour permettre à la noblesse espagnole d'échapper à la misère des rues de Madrid. Derrière les grandes portes de fer forgé, les réceptions mondaines et les distractions de la cour tournaient fréquemment à la débauche sous le règne de Philippe IV, lequel était, selon les termes de l'historien Mesoneros, un roi « *adonné à la luxure, amateur passionné d'art et de beauté, un enfant aux mains duquel la machine fragile et complexe du gouvernement n'était qu'un simple jouet* ». Les barques des musiciens ancrées sur le lac et les serviteurs vêtus à la mode grecque, qui officiaient avec diligence sous le couvert des arbres, se sont évanouis à la mort de Philippe, et le parc fut dès lors pratiquement laissé à l'abandon avant d'être sérieusement endommagé durant l'occupation française. C'est Ferdinand VII qui ordonna sa restauration et en rouvrit enfin les portes au public.

Les bassins, les fontaines, les statues et le délicat **palais de Cristal** ont fait du Retiro un jardin véritablement royal. Les amateurs de course à pied et de patin à roulettes font partie du paysage, mais pour la plupart des Madrilènes qui vont passer la journée au parc, il s'agit d'une sortie élégante et raffinée, où de vieux messieurs en costume noir se promènent nonchalamment au milieu des ébats de leurs petits-enfants en habits du dimanche.

Non loin du Retiro se trouve le **Jardin botanique royal**, conçu sous Charles II afin de promouvoir la recherche pharmaceutique. Ouvert depuis peu au public après rénovation, cet asile de fraîcheur et de senteurs diverses vous offrira un agréable

Canotage dans le parc du Retiro.

moment de détente, même si vous ne savez pas distinguer un érable japonais d'un saule pleureur.

Une foire aux livres se tient le long de l'enceinte sud du jardin. Elle est ouverte toute l'année, mais les meilleures affaires se font le dimanche matin ; c'est l'occasion de se procurer des éditions rares ou des ouvrages récents à bon prix. En partant du Paseo del Prado, les amateurs de littérature pourront remonter la **Calle Cervantes** jusqu'à la **maison de Lope de Vega**, grand poète et dramaturge du XVIIᵉ siècle. On ne peut la visiter que les mardi et jeudi matin.

En retournant vers la Puerta del Sol par la **Carrera San Jerónimo**, vous longerez la chambre des députés espagnole, le **Palacio de las Cortes**. Les lions en bronze qui en gardent l'entrée ont été fondus à partir des canons des guerres africaines. C'est là que le 23 février 1981, un garde civil du nom d'Antonio Tejero a tenu, plusieurs heures durant, tous les élus de la chambre des députés espagnole en respect au bout de son arme, pour protester contre l'inefficacité de la démocratie.

Un peu plus loin dans la même rue, vous trouverez **Lhardy**, célèbre restaurant lambrissé de panneaux de la Belle Époque. Les prix y sont élevés mais vous pourrez toujours déguster, pour une somme modique, une des spécialités de la maison, un consommé que le patron vous servira en personne, dans un rutilant samovar.

Voisin de Lhardy, le **Museo del Jamón** est une fameuse charcuterie où sont artistement exposées toutes sortes de jambons et saucissons. Ne manquez pas de goûter au *serrano*, un jambon tendre et savoureux qui n'a rien à envier au meilleur *prosciutto* italien.

Le vieux Madrid

Au sud de la **Puerta del Sol** s'étend l'un des plus vieux quartiers de Madrid. Dans un dédale de ruelles pavées, les maisons ornées de balcons en fer forgé offrent au regard du passant leurs vestibules sombres et frais, où flottent d'âcres relents d'humidité. Les *señoras* avec leurs filets à provision y déambulent coude à coude avec les

A gauche, écoliers devant le Palais royal ; ci-dessous, la Plaza Mayor.

artistes d'avant-garde, les escrocs et les touristes, puisque le quartier est tout à la fois le siège des bars à la mode, des établissements mal famés et des *pensiones* bon marché.

La **Plaza Mayor** est une merveille du XVIIe siècle qui abritait autrefois un important marché. Sur les façades nord et sud, les Casas de la Panaderia (boulangerie) et de la Carniceria (boucherie) rappellent la fonction première de la place. Celle-ci fut toujours le centre des principaux événements de la vie de Madrid : autodafés, supplices et exécutions publiques, cérémonies de couronnement, de canonisation, tournois et même corridas. Elle est aujourd'hui utilisée pour des représentations théâtrales, des ballets et des défilés de mode. La grande place pavée est fermée à la circulation ; c'est un endroit fort agréable pour prendre un café tout en étudiant les cartes et les plans que vous pourrez vous procurer sur les lieux mêmes au principal office du tourisme. A l'ouest de la Plaza Mayor, vous découvrirez la **marché couvert de San Miguel**. La structure finement ouvragée du bâtiment date

Le marché aux puces du Rastro.

du début du siècle. Outre le parfum lourd du *chorizo* et les montagnes de fruits, les somptueux étalages des poissonneries vous feront comprendre pourquoi l'on appelle parfois Madrid le plus grand port d'Espagne. Les arrivages directs sont quotidiens, ce qui permet de savourer d'excellents poissons et crustacés à n'importe quel coin de rue, même dans les établissements les plus modestes.

En remontant la **Calle Mayor**, vous trouverez la **Plaza de la Villa**, une charmante place piétonne offrant un panorama de l'architecture de Madrid allant du XVe au XVIIe siècle. La perle en est la **Casa de la Villa**, l'hôtel de ville. Comme souvent dans les villes de province, la mairie abritait jadis la prison, ce qui explique la double entrée sur la façade. La **Torre de los Lujanes** est l'un des rares exemples de l'architecture madrilène du XVe siècle et la **Casa de Cisneros** un palais construit dans le style plateresque du XVIe. A l'intérieur, le salon des tapisseries conserve des œuvres d'art flamandes des XVe et XVIe siècles. En face de l'hôtel de ville se dresse la **Hemeroteca Municipal**, de style mudéjar.

Elle abrite maintenant une bibliothèque de périodiques ainsi que la tombe de Beatriz Galindo, professeur de latin de la reine Isabelle et l'une des premières femmes universitaires.

A proximité, dans la **cathédrale de San Isidro** sont conservées les reliques du saint patron de Madrid. Si vous vous trouvez dans les parages un dimanche matin, ne manquez pas d'aller au **Rastro**, qui s'étend derrière la cathédrale. C'est un énorme marché aux puces et bazar de plein air où vêtements, meubles, animaux ou produits de l'électronique font l'objet de marchandages opiniâtres ; on y trouve aussi des curiosités intéressantes (anciens alambics, insignes militaires et souvenirs de l'époque franquiste, vieilles clefs, etc). Le Rastro est l'endroit idéal pour dénicher ce dont vous pouvez avoir besoin, du bouton de cuisinière à la jarre en terre de 150 litres. La coutume veut qu'après la promenade au Rastro, l'on aille prendre l'apéritif ; n'hésitez pas à vous y plier et faites une halte à **La Bobia**, café à la pointe de la mode où vous lirez le journal du dimanche au rythme de percussions africaines.

Le Rastro est situé dans une des parties de Madrid dites *castizas* (authentiques). C'est là que l'accent guttural propre à la ville est le plus marqué. C'est l'endroit le plus animé lors de la **fête de la Vierge de la Paloma**, qui se déroule au mois d'août. Escortées de leurs cavaliers, les belles Madrilènes dansent dans les rues en faisant virevolter leurs robes à volants et leurs châles éclatants de couleurs.

Églises et couvents

L'architecture religieuse n'est pas ce qu'il y a de plus intéressant à Madrid. Les plus belles églises se trouvent à proximité de la Plaza Mayor, la plus imposante étant la basilique néoclassique de **San Francisco el Grande**, bâtie sur le site d'un monastère du XIIIe siècle peut-être fondé par saint François lors d'un pèlerinage en Espagne. La rotonde fut dessinée par un moine du nom de Francisco Cabezas, mais les plans de l'édifice ont été ultérieurement revus et corrigés par l'architecte italien Sabatini, en 1784. La décoration intérieure, très

A gauche, bal dans les rues du vieux Madrid lors du festival de la Paloma ; ci-dessous, la statue érigée en hommage à Goya et à son plus célèbre modèle.

chargée, date du XIXe siècle. On y trouve des œuvres fort intéressantes de Calleja, Vélasquez, Zurbarán et Goya.

La **Capilla del Obispo**, située quelques rues plus loin, est une chapelle du XVIe siècle dont le portail en bronze illustre l'expulsion d'Adam et Ève du paradis. Sa voisine, la **Capilla de San Isidro**, est considérée comme le plus bel exemple d'architecture baroque de Madrid. La sainte patronne de la ville est la Vierge de la Almudena, qui doit son nom à l'ancienne muraille mauresque où sa statue fut trouvée. La cathédrale de la cité, **Nuestra Señora de la Almudena**, fut commencée au XVIIe siècle mais la jalousie de l'évêque de Tolède en a saboté les plans ; elle n'a jamais été achevée et n'a toujours pas de toit à l'heure actuelle !

Commencé au début du XVIIe siècle, le **Convento de la Encarnación** était jadis relié au Palais royal par un passage souterrain. On avait pris cette précaution pour que le couvent pût servir d'asile aux dames de la famille royale, « *en cas de quelque événement imprévu* », comme le sous-entendait dans une lettre sa fondatrice, la reine Mar-

guerite d'Autriche. Restauré au XVIIIe siècle par Ventura Rodriguez, cet édifice abrite une superbe collection de portraits de cour. Un flacon du sang d'un saint y est conservé ; on prétend qu'il se liquéfie tous les ans, le 27 juillet.

Le **Convento de las Descalzas Reales** (les Déchaussées royales) fut fondé par une sœur de Philippe II ; il renferme des trésors artistiques laissés en donation par les nombreuses dames de sang royal qui s'y retirèrent. La majorité des œuvres d'art sacré se rapporte aux enfants, qui symbolisaient le triomphe de la vie sur la mort pour les peintres du Siècle d'or. Le portrait d'un petit prince espagnol posant avec un crâne illustre bien ce concept. Les tapisseries à thème eucharistique, exécutées d'après des dessins de Rubens, sont la perle des collections de ce couvent-musée.

Le Palais royal

En raison de sa situation exceptionnelle et de la richesse de sa décoration intérieure, le **Palacio Real** est, avec le Prado, le haut lieu touristique de Madrid. Le 31 décem-

La Gran Via de Madrid.

bre 1734, l'incendie qui ravagea l'Alcázar des Habsbourg permit à Philippe V de faire construire un palais mieux adapté aux exigences d'un Bourbon. A la vue du somptueux bâtiment dessiné par les maîtres italiens **Sachetti** et **Sabatini**, Napoléon, dit-on, se serait plaint que son frère fût mieux logé que lui, aux Tuileries.

Des guides parlant le français vous commenteront en détail les splendides plafonds de Giambattista Tiepolo, les tapis, le mobilier, les chandeliers, les pendules, l'argenterie et les tableaux qu'abritent les vastes salles du palais. Alphonse XIII fut le dernier occupant des lieux. De nos jours, la famille royale a établi sa résidence hors de la ville, réservant les fastes du Palacio de Oriente aux seules fonctions officielles. Les majestueux jardins du **Campo del Moro** ont été ouverts au public par Juan Carlos en 1977.

Les annexes du palais comprennent l'**Armurerie royale** — où sont exposées les épées du Cid, de Cortés et de Ferdinand le Catholique — ainsi que le **musée des Carrosses** et la **Pharmacie royale**, riche d'une impressionnante collection de bocaux ren-

fermant les médications d'autrefois. Les guides vous recommanderont probablement d'aller visiter la manufacture royale de la **Fabrica de Tapices**, où des restaurateurs travaillent à la réfection de tapisseries anciennes ou réalisent patiemment des ouvrages modernes d'après des cartons de Goya.

Musique et cinéma

Le bâtiment néoclassique qui fait face au Palais royal est l'**opéra** qui sert de salle de concert aux orchestres de passage, car il n'existe pas de compagnie à demeure. Le genre musical espagnol typique, la *zarzuela,* est généralement joué au **Teatro de la Zarzuela**, dans la **Calle Jovellanos**. Nostalgique et pittoresque, la *zarzuela* se distingue des autres formes d'art espagnol par sa vision sentimentale, voire légère, plutôt que tragique du passé.

La **Plaza de España** occupe le centre du quartier est de Madrid. On peut y admirer la statue de don Quichotte et Sancho Pança, tournée vers le soleil couchant. Bien qu'elle soit un nœud de circulation, la Plaza de España est aussi un lieu de rencontre agrémenté, au centre, d'un plaisant jardin.

Partant de la place, **Martín de los Heros** est une large avenue bordée de cinémas modernes. Le long de la Gran Vía, de somptueux théâtres Arts déco offrent un large éventail de films.

Depuis quelques années, les metteurs en scène bénéficient d'une audience de plus en plus large et le succès des films espagnols va grandissant, aussi bien à l'étranger que sur le territoire national.

Le palais de Liria

Au nord de la Plaza de España se dresse le **Palacio de Liria**, résidence des ducs d'Albe. Cette magnifique construction, réplique fidèle du bâtiment original de 1773 détruit pendant la guerre civile, que l'on devait à Ventura Rodríguez et à Sabatini, l'architecte du Palais royal, renferme une étonnante collection de meubles et de tableaux allant de Fra Angelico à Chagall. Le musée ne se visite que le samedi matin, sur rendez-vous.

Sous l'ombrage du Paseo de la Castellana.

Les ducs d'Albe sont une grande famille de mécènes, dont le plus illustre membre féminin fut la treizième duchesse, Cayetana, amie de Goya, qui en fit deux célèbres portraits en pied, dont l'un est conservé au palais. La légende veut que ce soit elle qui ait posé pour la *Maja nue*.

Une remarquable fresque de Goya justifie à elle seule le détour le long du **Paseo de la Florida**, afin de visiter l'**ermitage de San Antonio de la Florida**. Goya exécuta la décoration de la coupole à la demande de Charles IV. La dépouille mortelle du peintre fut déposée dans la petite chapelle, et la popularité de ce sanctuaire est telle — saint Antoine est le patron des amoureux déçus et de ceux qui ont perdu un objet — qu'il a fallu en construire une réplique exacte, juste à côté. Non loin de l'ermitage, la **Casa Mingo** est un restaurant renommé pour ses spécialités des Asturies.

Dans le même secteur, vous pourrez également vous rendre au **temple de Debod**, qui fut offert à l'Espagne par l'Égypte en remerciement des secours apportés lors de l'inondation de la vallée de la Nubie en 1970. Cet édifice s'offre en toile de fond au festival de théâtre classique qui s'y tient chaque été.

De là, prenez le téléphérique qui vous emmènera, par-delà le **Parque del Oeste**, à la **Casa de Campo**, gigantesque jardin contenant un parc d'attractions et un zoo. Du haut du téléphérique, vous pourrez voir les vestiges des tranchées de la guerre civile.

La cité universitaire

Jusqu'en 1927, les centres d'études supérieures étaient disséminés dans toute la ville. La **cité universitaire** est née de la décision prise par une commission présidée par Alphonse XIII de doter Madrid d'une zone exclusivement consacrée aux installations universitaires. Presque entièrement détruite pendant la guerre civile, elle fut rebâtie sous le règne de Franco par Albert Speer.

Le **musée d'Art contemporain**, niché au milieu du campus, réunit les plus belles collections d'art moderne d'Espagne. La sculpture et la photographie y sont également bien représentées.

Artisanat typiquement espagnol.

La Malasaña

Le secteur qui s'étend au nord de la Gran Vía de Madrid est une mosaïque de quartiers qui possèdent tous une ambiance et une couleur particulière. L'un des plus intéressants est la **Malasaña**, juste au sud de l'ancien **café Comercial**.

Outre son charme désuet, la Malasaña est réputée depuis fort longtemps pour sa tradition radicale. Le cœur du quartier, la **Plaza Dos de Mayo**, fut en effet le théâtre d'un affrontement sanglant avec les troupes de Napoléon Ier, le 2 mai 1808. Il y a quelques années, il fut question de raser les vieilles bâtisses du quartier ; les habitants du *barrio* se sont immédiatement mobilisés pour empêcher la réalisation du projet. La Malasaña fut sauvée et fut pour un temps le fief de la mode gitane. La *terraza* est un endroit plaisant pour déguster un *café granizado* au soleil. Ne manquez pas d'admirer, au coin de la **Calle San Andrés** et de **Vincente Ferrer**, la fameuse **Farmacia Juanse** avec ses anciennes faïences vantant des remèdes miracles.

De là, dans la **Calle Fuencarral**, rendez-vous au **musée municipal** installé dans l'ancien hospice de San Fernando. Les moulages exubérants et les statues ont été restaurés, et l'ensemble fait partie des monuments historiques. Les dessins des XVIIIe et XIXe siècles ainsi que les anciens plans de la ville sont intéressants, de même que les caricatures des Bonaparte et les affiches de propagande de guerre.

Les beaux quartiers

Le **musée Romantique, Calle San Mateo**, est l'ancienne demeure du marquis de Vega Inclán. La plupart du mobilier et des tableaux datent des règnes de Ferdinand VII et d'Isabelle II, mais le musée abrite une étonnante collection de curiosités du siècle dernier.

L'un des bâtiments les plus remarquables des alentours est la **maison aux Sept Cheminées**, située Plaza del Rey.

A proximité du musée Romantique se dresse le **Palais de justice**, sur la **Plaza de las Salesas**. Siège de la cour suprême, ce

Un plaisir estival, les terrasses des cafés.

bâtiment construit en 1750 était autrefois un couvent fondé par la reine Barbara de Bragance. Le **palais** et l'**église de las Salesas** qui le jouxtent sont un brillant exemple du style baroque Bourbon. L'intérieur de l'église est en marbre blanc et vert.

Un quartier résidentiel s'est développé autour de ce fastueux couvent et, aujourd'hui encore, le *barrio* est le lieu de prédilection de la *gente guapa*, la jeunesse dorée de Madrid. Les créateurs de mode ont envahi la **Calle Almirante** et la **Calle Conde de Xiquena**, et les galeries d'art abondent dans la **Calle Barbara de Braganza**.

La Plaza de Colón

Connue également sous le nom de **place de la Découverte**, elle est ornée d'une grande statue de Christophe Colomb. A l'est, une grande fontaine marque l'entrée du **centre culturel Colón**.

Sur la place se trouvent aussi la **Bibliothèque nationale** et le **musée Archéologique national**, occupant tous deux un grand bâtiment néoclassique. La bibliothèque, inaugurée en 1892 pour commémorer le 400e anniversaire du voyage de Christophe Colomb, renferme de précieux manuscrits datant du Xe siècle. Dans le jardin du musée, on a fidèlement reproduit, dans une grotte artificielle, les peintures rupestres des grottes d'Altamira.

Le Barrio de Salamanca

Il fut construit à la fin du XIXe siècle pour l'aristocratie espagnole désireuse de fuir le bruit et l'encombrement du centre de la ville. Les détails raffinés des constructions donnent à l'ensemble un air majestueux : balcons ouvragés, larges porches où s'engouffraient les carrosses. Beaucoup de ces hôtels particuliers sont maintenant occupés par des ambassades.

La principale rue commerçante est la **Calle Serrano**, où les couturiers français et italiens cèdent progressivement la place aux créateurs espagnols, tels Loewe et Adolfo Dominguez, dont la renommée va grandissant.

Plus au nord, vous découvrirez le **musée Lázaro Galdiano**, l'un des plus beaux de Madrid. Ce palais à l'italienne datant du début du siècle était autrefois la résidence privée d'un riche banquier. Au premier étage, vous pourrez admirer de superbes émaux de l'époque médiévale, des calices d'or et d'argent, des reliquaires, des coffrets, une vierge en ivoire du XIIe siècle, ainsi qu'un petit tableau attribué à Léonard de Vinci. Dans les étages supérieurs sont exposés de nombreux objets de collection (pendules, tables, armures, cristaux et céramiques) ainsi qu'une riche collection de tableaux, allant des primitifs espagnols et flamands à Reynolds et Constable.

Les délices de la princesse

Le **Paseo de la Castellana** divise Madrid en deux parties, de la Plaza de Colón, au sud, à la gare de Chamartín au nord. Cette large avenue bordée d'arbres a été percée sous le règne d'Isabelle II et portait à l'origine le nom de **Delicias de la Princesa**. La plupart des palais cossus du XIXe siècle sont devenus le siège de banques, les autres ayant été démolis pour permettre la construction de grands immeubles.

En dépit de la circulation intense, le Paseo de la Castellana est un lieu de promenade fort agréable, orné de nombreuses fontaines aux intersections et dont les platanes offrent un ombrage reposant. Derrière des haies de troènes et des palmiers en pot, les nombreux cafés déploient leurs terrasses accueillantes, à l'écart du trafic. Pendant les douces soirées d'été, ces *terrazas* deviennent des endroits très animés et fort prisés des Madrilènes, qui viennent y écouter des formations musicales de styles divers.

Au nord des nouveaux ministères s'étend le magnifique **stade Santiago Bernabeu**, d'un blanc resplendissant. Ce quartier d'immeubles modernes et proprets, entourés de jeunes arbres, a été surnommé la « Corée » pendant les années cinquante, à cause des nombreux soldats américains qui y résidaient, mais de nos jours il est devenu tout aussi *castizo* que les autres quartiers.

Autour des **Calles Orense** et **Raimundo Fernandez Villaverde** se concentrent commerces, restaurants, bars et discothèques qui en font l'un des quartiers les plus animés de la ville.

LES DIVERTISSEMENTS DE LA CAPITALE

Les *madrileños* aiment à se vanter, auprès des étrangers, du nombre astronomique de bars et de cafés que possède leur ville. « *Saviez-vous qu'il y en a plus dans cette rue que dans toute la Norvège ?* » vous demandent-ils tout en sirotant un verre de vin ou une bière glacée.

Au fil des heures

A Madrid comme dans toutes les villes et les moindres villages, les rues s'animent dès l'heure du petit déjeuner. Vers 8 h, le Madrilène s'arrête dans une *cafetería* pour boire un café avant d'aller travailler. Ensuite, il fait une pause vers 10 h 30 pour prendre un *bocadillo* — un sandwich arrosé d'un café ou d'une bière — afin de patienter jusqu'au déjeuner, qui se prend de 14 à 16 h. La journée de travail se termine rarement avant 18 h. A la sortie des bureaux, la foule envahit les bars, les cafés et les *mesones* pour prendre l'apéritif, généralement accompagné de *tapas* (amuse-gueules variés). Enfin vient l'heure du dîner (entre 21 h 30 et minuit), souvent prolongé d'une sortie nocturne. Vers 2 h du matin, quel que soit le jour de la semaine, les boîtes sont bondées.

Voilà l'emploi du temps de bon nombre de citadins. Toutefois, cela n'explique pas le monde qui encombre les rues et les terrasses des cafés à toute heure du jour. Les rendez-vous d'affaires se tiennent souvent dans les cafés, certes, mais l'ensemble du phénomène reste une énigme ; il semble que chacun ait toujours le temps d'aller boire un verre quand il lui en prend l'envie, et pourtant, en dépit de cette insouciance quasi générale et de cette extraordinaire disponibilité, la ville continue à progresser à pas de géant, aussi bien dans le domaine économique que culturel.

La réponse tient peut-être à la personnalité du saint patron de Madrid. Selon la légende, San Isidro s'accorda un jour une bonne sieste au lieu de travailler aux champs pour le compte de son maître. En le voyant assoupi, deux anges prirent pitié de lui et labourèrent la terre à sa place. Apparemment, Madrid a hérité d'une parcelle de cette faveur divine, car il semble que le travail s'effectue par on ne sait quel miracle cependant que la ville se détend et bavarde aimablement.

La « madrugada »

Sitôt après le dîner, l'on commence sérieusement à se divertir. Les distractions nocturnes qu'offrent les clubs et les cafés-concerts ne débutent guère avant 23 h 30 et se poursuivent jusqu'au petit matin.

Sur la **Castellana**, la plus grande avenue de Madrid, la circulation est aussi intense le jour que la nuit. Comme le rapporte *El País*, les Madrilènes dorment en moyenne nettement moins que leurs voisins européens, ce qui n'est pas surprenant étant donné le rythme de vie qu'ils mènent.

Avant l'ouverture de l'économie, la sieste de l'après-déjeuner était encore une véritable institution, même à Madrid. Aujourd'hui, la tradition se perd ; les Espagnols ont accepté de sacrifier leur repos quotidien au profit du développement économique ; c'est la rançon du progrès. Mais il n'est pas encore question qu'ils lui sacrifient leurs nuits, surtout dans une ville où les distractions nocturnes sont aussi sacrées que la gastronomie pour les Français, l'heure du thé pour les Britanniques et le *business* pour les Américains.

A gauche, les carreaux de faïence ancienne et la musique actuelle du Viva Madrid ; à droite, El Espejo, dont le décor Art nouveau attire une clientèle élégante.

Dans toutes les grandes villes du monde, la nuit appartient essentiellement aux jeunes, aux riches, aux solitaires ou aux désœuvrés. A Madrid, elle appartient à tout le monde. Les bars et les *tascas* (tavernes) sont en quelque sorte des salles de séjour communes où des familles entières se réunissent parfois, y compris les bambins en bas âge qui veilleront aussi tard que les adultes. Les Espagnols ont d'ailleurs un mot bien précis pour désigner la période qui s'étend de minuit au petit jour : ils l'appellent la *madrugada*.

Lorsque la *madrugada* s'étire insidieusement jusqu'aux premières lueurs du jour, à quoi bon aller se coucher ? Mieux vaut se rendre à la autour de la Plaza Mayor. Au sud-ouest de la place, et à l'extérieur du mur ouest, se trouvent les célèbres *cuevas* qui abritent de pittoresques arrière-salles sous leurs voûtes de pierre ou de brique, le **Mesón de los Champiñones**, le **Mesón de la Tortilla** et le **Mesón del Boquerón** sont renommés pour les spécialités de *tapas* dont elles portent le nom. Avec un peu de chance, tard dans la nuit, vous pourrez écouter les compositions impromptues des chanteurs et des guitaristes typiquement *madrileños* au **Mesón de los Infantes** ou au **Mesón de la Guitarra**.

Dans le quartier de Lavapiés, les vieux cafés et pubs abondent. Certains sont spécialisés dans la musique moderne tandis que d'autres

Chocolatería de San Ginés, une vieille institution madrilène située Pasaje de San Ginès, non loin de la Calle Mayor ; dès 5 h du matin, on vous y servira un chocolat chaud onctueux, accompagné de *churros* (savoureux beignets, longs et striés).

De l'aube au crépuscule

Si l'on prend la Gran Vía comme ligne de partage, on peut dire qu'à droite, en regardant vers la Plaza de España, s'étend le quartier de prédilection de la jeunesse. A gauche, en revanche, les distractions s'adressent à une clientèle plus éclectique. Les touristes se régalent de *tapas* sont le théâtre de discussions passionnées sur la poésie.

Entre la Calle de Princesa et Moncloa, le quartier d'Argüelles attire surtout la clientèle estudiantine.

Le centre de la contre-culture madrilène se situe dans la Malasaña, entre la Calle San Bernardo et Fuencarral, au sud de la Calle Carranza. Le décor moderne de certains établissements coexiste avec celui des cabarets de jazz et des traditionnelles boîtes de flamenco.

Dans les nouveaux quartiers du nord de la ville, centre des affaires et des multinationales récemment implantées, se trouvent de nombreux hôtels et cafés modernes, semblables à leurs homologues de tous les pays du monde.

Cafés, « charlas » et « tertulias »

Un café n'est pas seulement un lieu où l'on consomme, c'est l'endroit rêvé pour passer le temps, un asile sécurisant où l'on se retrouve entre amis — ou du moins entre connaissances — et qui se transformera, le cas échéant, en cercle académique.

Le **café Gijón**, qui vient de célébrer ses cent ans, est sans doute le fleuron des cafés espagnols traditionnels. Bien qu'il soit fréquenté par la grande bourgeoisie madrilène, l'ambiance est loin d'y être guindée et les conversations animées vont bon train. Le Gijón fut l'un

des bars favoris de Hemingway (mais presque tous les cafés de Madrid revendiquent d'avoir compté l'écrivain parmi leurs clients).

Les chromes et les surfaces lisses des établissements de la nouvelle génération évoquent une ambiance bien différente de celle des lambris cirés et des miroirs dorés du Gijón, du **Lion** ou d'**El Espejo**, mais l'enthousiasme impétueux qu'ils suscitent est aussi vieux que la capitale elle-même et les Madrilènes n'ont pas rompu avec la tradition.

Aujourd'hui, la *tertulia* de 17 h reste un véritable rituel national de la conversation de café. Cette coutume est née des rendez-vous réguliers que se donnaient les intellectuels afin de débattre de l'avenir du nouveau roman, des avantages et inconvénients du socialisme ou de l'influence du cubisme sur l'art contemporain. De nos jours, ces réunions ont encore lieu, bien que les sujets de discussion aient changé ; on y parle d'écologie, de l'Europe, de parapsychologie et du postmodernisme.

Certains cafés ont amélioré la qualité de la *tertulia* en prêtant leur salle à des expositions de peinture ou à des projections de films.

On n'est pas client de tel ou tel café parce qu'il se trouve à proximité de chez soi ou de son bureau ; le choix d'un café relève de la conviction personnelle et de la position sociale du client qui le fréquente. Il y a des cafés de gauche, des cafés de droite, des cafés pour lettrés, d'autres pour cinéphiles, des établissements fréquentés par des anarchistes désenchantés, d'autres par des jeunes gens pleins d'avenir.

Au n° 7 de la Glorieta de Bilbao, le **café Comercial** est un vieil établissement réputé pour sa clientèle *progre* (progressiste, branchée). Alors que le Gijón, le Lion et El Espejo, situés près de la Plaza de Cibeles, dans l'élégant quartier de Salamanca, attiraient jadis l'aristocratie madrilène, le Comercial, pour sa part, s'adressait plus particulièrement aux gens du peuple. A l'époque de Franco, c'était le fief de la gauche prolétaire et il a conservé jusqu'à nos jours un esprit libéral.

L'**hôtel Wellington** et la **Cervecería Alemana** continuent d'attirer une bonne partie du monde de la corrida ; on prétend qu'Ava Gardner engloutit un jour au Wellington 25 whiskys à la suite en attendant que paraisse le *torero* de son cœur.

Avec ses cuivres rutilants, ses tentures de velours et ses banquettes de moleskine, le **café de Oriente**, près du Palais royal, a conquis une clientèle disparate de politiciens et de musiciens de l'orchestre symphonique national. Les amateurs y dégusteront un excellent *Irish coffee*.

Il n'est donc pas étonnant que les *madrileños* passent tellement de temps dans les cafés. Leur diversité est telle que chacun trouve son lieu d'élection en fonction de ses goûts, de son appartenance sociale ou politique. Les cafés de Madrid offrent à tous la possibilité de discuter, de boire, de lire le journal, de réviser un examen tout en écoutant du jazz, des sonates, du flamenco ou du rock, d'admirer des peintures ou de regarder un film, d'écouter un auteur donner lecture de sa dernière œuvre, ou... de ne rien faire du tout. Et à cet éventail de possibilités s'ajoute l'espoir, rarement déçu, de rencontrer un ou plusieurs amis, familiers de l'établissement.

« Tapas » et cure-dents

Si la manie de grignoter à toute heure du jour commence à se répandre dans les grandes capitales du monde, les Espagnols pratiquent cette coutume depuis fort longtemps déjà. « *Picar algo* », « *ir de tapas* », ou « *tapear* » sont autant d'expressions pour désigner ces après-midi ponctués de haltes dans différents bars à *tapas*, où les *aperitivos* vous ouvriront l'appétit — ou même constitueront votre repas s'ils sont copieux.

Généralement, c'est entre midi et 13 h, et de 20 à 21 h que l'on grignote les *tapas*, même si

Cependant, le domaine des tapas ne s'arrête pas là. Partant de la Calle Principe, qui donne sur la Plaza Santa Ana, vous trouverez dans une rue piétonne, Manuel Fernandez y Gonzalez, deux excellents établissements, **La Trucha** et **La Chuleta**, qui font aussi restaurant. En continuant vers la Calle Echegaray et la Calle Ventura de la Vega, vous découvrirez une multitude de cafés où l'on vous offrira le traditionnel *chorizo*, des champignons à l'huile, des pommes de terre à l'aïoli ou à la sauce *brava* (plus relevée), du jambon cru *serrano* servi avec de petits dés de pain, ou du fromage *manchego* ; d'autres ont des spécialités nettement plus typiques : poulpes en salade, huîtres frites servies

l'on peut s'en procurer à d'autres moments de la journée. Vous pourrez demander un *pincho* (une grande portion) ou une *ración* (demi-portion) des *tapas* que vous préférez.

Le plus ancien circuit s'étend de la Puerta del Sol au musée du Prado, bordé par la Carrera de San Jerónimo et Atocha. Quatre rues en forment le noyau : Calle de Espoz y Mina, Calle de la Cruz, Calle Victoria et Calle Nuñez de Arcé.

A gauche, boire au « porrón » demande une certaine adresse ; à droite la Cerveceria Alemana, chère à Hemigway et au monde de la tauromachie.

avec du beurre d'escargot, moules marinières ou *cigalas* (langoustines) grillées. Dans certains établissements, les tapas sont disposées sur le comptoir et piquées de cure-dents en bois qu'il convient de garder pour que le garçon puisse établir la note.

Une étiquette amicale et délicate veut qu'on ne presse jamais les consommateurs de payer l'addition. L'on prend un premier verre, puis un deuxième suivi d'un troisième, et lorsque l'on est prêt à partir, il est parfois difficile d'attirer l'attention du garçon. Et quand ce dernier arrive enfin, il vous demande généralement de lui rappeler ce que vous avez commandé.

Quand les Espagnols sortent en groupe, chacun paiera successivement la tournée, dans un bar ou un autre, plutôt que de partager l'addition entre les convives. Les pourboires sont appréciés, mais non obligatoires ; 50 pesetas sont un pourboire honnête, même si vous êtes plusieurs à passer la soirée dans un bar.

Il convient également de se rappeler que les plats et les boissons sont généralement plus chers à une table qu'au comptoir. Dans les endroits les plus en vogue, les consommations sont uniquement servies au bar.

Bars et « mesones »

La tradition des *paseos* et des tapas vient probablement du fait que les Espagnols aiment se promener tout autant qu'ils aiment bavarder et s'attabler à la terrasse des cafés. Néanmoins ils ne le font pas dans le but de s'enivrer. En vérité, l'ivresse est assez mal vue, à tel point qu'on voit rarement un Espagnol en état d'ébriété ; car dans la mentalité espagnole, celle-ci implique la perte d'une valeur fondamentale : la dignité. Dire à un Espagnol qu'il a perdu la tête à cause de l'alcool le vexerait à coup sûr.

A moins de bien connaître la langue du pays, les noms divers et variés qui qualifient les non moins divers débits de boissons sont assez déroutants. Le café est différent de la *cafetería*, qui elle-même se distingue du *mesón* et de la *cervecería*, bien que tous servent des boissons alcoolisées et que leurs particularités se soient atténuées au fil du temps. En règle générale, cependant, les bars sont spécialisés dans une certaine marque de bière ; ils servent aussi du vin et des cocktails ; une *cervecería* vous offrira un large choix de bières à la pression, tandis qu'une *mesón* vous proposera du vin et des tapas (il y a souvent une salle de restaurant à l'étage ou sur cour).

Depuis peu, les gens de la capitale sont devenus respectueux de leur santé, et le mot d'ordre que l'on voit partout affiché est « *sans alcool* », ou « *light* ». Les débits de jus de fruits frais se multiplient — bien que presque tous servent des versions « fortes » de leurs sains breuvages. Pour connaître la liste complète des établissements selon leurs spécialités et types d'attraction, consultez la rubrique « *Tarde y noche* » de l'hebdomadaire *Guía del Ocio*.

« Tomar una copa »

La carte des boissons est parfois déroutante également. Certes, le *café con leche* (café au lait) nous est bien connu ; mais que dire du *café cortado* ou du *café sólo* ? Le premier est un expresso serré accompagné d'une larme de lait et le second un café noir, que les Espagnols dégustent fréquemment avec un cognac, après le repas. Le café au lait est la boisson du matin par excellence, même si les Espagnols endurcis de la vieille garde lui préfèrent parfois une anisette ou un cognac.

Une variation sur le thème du café est le succulent *blanco y negro*, que l'on sert l'été. C'est un café noir nappé de glace à la vanille, agrémenté d'un peu de cannelle.

En été, l'une des boissons les plus populaires avec le *blanco y negro* est la *horchata*. On en trouve dans la plupart des cafés, mais surtout dans des *horchaterías* spécialisées, où elle est préparée sur place. De couleur laiteuse et de texture légèrement crayeuse, ce breuvage est le fruit d'une longue alchimie ; il est fait à partir de *chufa* — une racine tubéreuse qui pousse dans les environs de Valence. Après avoir soigneusement lavé les *chufas*, on les fait tremper dans l'eau pendant douze heures, puis on les rince ; ensuite on les égoutte et on les écrase au pilon dans un mortier avant de les passer au mixer et de les faire à nouveau macérer pendant trois heures. On en extrait enfin le jus à travers une fine mousseline et on ajoute du sucre glace pour l'adoucir. Quand le sucre a fondu, on filtre de nouveau la préparation et on la met à rafraîchir avant de la servir à la louche dans un grand verre givré. Cette boisson, quand elle est faite dans les règles de l'art, ne se conserve pas longtemps ; c'est pourquoi les *horchaterías* en font de la fraîche quotidiennement. La *horchata* semi-industrielle vendue en bouteille n'est en aucun cas comparable à la version originale, merveilleusement rafraîchissante et parfumée.

Outre leurs boissons parfois étranges, les Espagnols ont également de bien curieux récipients : l'outre à vin — souvenir typique que les touristes rapportent dans leurs bagages — et le *porrón*, qui avec son long col en verre s'apparente quelque peu à une cornue de laboratoire. Pour boire au *porrón*, il convient de renverser la tête en arrière et de lever la cruche de façon que le jet de vin arrive directement en bouche, sans toucher le verre avec les lèvres et, bien entendu, sans en renverser une seule goutte. Cette technique requiert une certaine pratique dont vous pourrez voir de belles démonstrations au **bar Los Porrones**, Calle de Martín de Los Heros, à deux rues au sud de la Calle de Princesa.

La « movida »

La *movida madrileña* désigne la renaissance de la ville. Pendant quarante ans, Madrid est restée sage et timide comme une grande ville de province où il se passe peu de choses ; le comportement de ses habitants et leur façon de s'habiller étaient régis par un code strict et désuet qui aurait fait pâlir de jalousie les conservateurs les plus endurcis. Mais à la mort de Franco, quand le pays passa à la démocratie, la capitale, pour sa part, rattrapa le XXᵉ siècle au vol, fermement décidée à faire partie du formidable essor de l'Europe.

deur innée d'un peuple, mêlé à l'engouement suscité par le positivisme des années quatre-vingts.

De mai à septembre, la *movida* se concentre sur les *terrazas* du **Paseo de Recoletos** — qui devient la Castellana plus au nord. Selon la coutume, chaque café attire une clientèle particulière.

Des groupes de musiciens ou des artistes ambulants divertissent les oisifs. A 3 h du matin, le dimanche, il n'est pas rare de les voir encore passer leur sébile parmi la foule des étudiants, des hommes d'affaires, et des familles entières qui, tous ensemble, ont veillé tard pour les applaudir.

Il y a vingt ans, une femme seule ou un groupe de femmes sortant ensemble le soir frisait le scandale. Désormais, plus personne ne s'en offusque, comme pour bien d'autres choses qui ont radicalement changé. De prude qu'elle était, Madrid est devenue sophistiquée, cosmopolite, et a accompli sa transformation avec un tel succès qu'elle est plus vivante et vibrante que jamais.

En réalité, la *movida* n'est pas un phénomène récent. Elle n'est que le prolongement de l'ar-

En été, la vie nocturne le long de la Castellana s'achève au petit matin.

Le printemps et l'été permettent à d'autres événements de se dérouler en plein air : concerts et représentations théâtrales donnés sur la Plaza Mayor, projections de films au Retiro et pièces du répertoire classique au temple égyptien de Debod.

Même le vénérable **hôtel Ritz** s'est fait prendre dans le tourbillon de la *movida*. Restauré et rajeuni à l'intérieur comme à l'extérieur, il ouvre désormais sa terrasse-jardin de 8 h à minuit et ne ferme ses portes qu'à 2 h du matin, pour ceux qui aiment à faire traîner le dernier verre. Le dimanche matin, le Ritz est le seul endroit de Madrid qui serve un copieux brunch, lequel est le bienvenu après une longue et trépidante nuit madrilène.

TOLÈDE
ET L'ESCURIAL

Tolède a toujours joué un rôle prédominant dans l'histoire espagnole ; elle fut autrefois la capitale du pays et la ville d'élection des Romains, des Wisigoths, des Maures, des juifs et des chrétiens. De nos jours, elle apparaît comme une ville de province avec ses 44 000 habitants, mais elle a été proclamée monument national en vertu de son glorieux passé.

Tolède se trouve à 70 km au sud de Madrid. La gare de style néo-mudéjar est un excellent point de départ pour visiter la ville. De la gare, vous bénéficierez d'une magnifique vue d'ensemble de la cité, perchée sur les rives du **Tage**. Traversez le fleuve par le vieux **pont d'Alcántara**, qui fut construit par les Romains puis restauré à plusieurs reprises par les Maures et les chrétiens. Vous apercevez au nord le **château de San Servando**, bâti au XIe siècle par les templiers pour assurer la défense du pont.

L'entrée principale est la **Puerta Bisagra**, la plus imposante des neuf portes qui percent le vieux mur d'enceinte de la ville. Jadis, il fallait acquitter un droit d'entrée pour pénétrer dans Tolède ; à la **Puerta Cambrón**, à l'ouest, une plaque de l'époque médiévale avise que les résidents étaient seuls dispensés de ce droit.

La position stratégique de Tolède a de tout temps attiré les habitants de la péninsule Ibérique. Les Romains l'occupèrent dès 192, mais il ne reste plus grand-chose de leur présence : un **cirque** près de l'**Avenida de la Reconquista**, quelques mosaïques et quelques ruines éparses.

Au VIe siècle, les Wisigoths firent de Tolède la capitale de leur royaume. Ils tenaient leurs conseils à l'emplacement actuel de l'**église de Cristo de la Vega**, à l'ouest des remparts. C'est dans ce petit ermitage qu'eut lieu un miracle fort populaire dans la littérature espagnole. Un jeune homme aurait juré un amour éternel à une jeune fille en se tournant vers le crucifix de l'église. Il rompit néanmoins peu après avec sa fiancée, et cette dernière porta l'affaire devant les tribunaux. Lorsqu'on lui demanda de produire un témoin, elle conduisit le juge à l'église et demanda

Pages précédentes : le jour se lève près de Trujillo ; taureaux en Estrémadure. À gauche, ruelle à Tolède ; à droite, détail du pont d'Alcántara.

au Christ de certifier ses dires. Le Christ aurait effectivement remué sur sa croix, ce qui explique pourquoi l'un de ses bras n'est pas attaché.

Pour mieux apprécier la présence des Wisigoths à Tolède, rendez-vous à l'**église San Román** qui abrite désormais le **musée de la Culture et des Conseils wisigothiques.** San Román était à l'origine une église gothique, mais elle fut par la suite modifiée par des apports de style mudéjar, puis roman, puis Renaissance, comme l'atteste son dôme. Le musée renferme des copies des couronnes des rois wisigoths ainsi que des vestiges archéologiques.

Tolède, creuset de cultures

En 711, Tolède fut conquise par les Maures. Jusqu'en 1085, date à laquelle Alphonse VI la reconquit, il y régna une étonnante harmonie entre Maures et chrétiens. Comme la cité ne s'était pas opposée à l'invasion mauresque, elle avait pu conserver un certain degré d'indépendance, bien qu'elle payât tribut à l'émirat de Cordoue. Jusqu'au XIVe siècle, cette

tolérance s'étendit également à la population juive, alors nombreuse.

Tolède apparaît encore de nos jours comme le creuset de plusieurs civilisations. L'art mozarabe des chrétiens vivant sous la domination maure se distingue du style mudéjar des Maures qui, inversement, subirent l'influence des chrétiens lorsque ces derniers reprirent possession de leurs territoires. L'héritage judaïque est plus discret. Bien que Tolède ait été la capitale des juifs d'Espagne du XIᵉ au XIIIᵉ siècle, sur les dix synagogues qui existaient autrefois, seules deux ont survécu aux pogroms du XIVᵉ siècle.

Après l'expulsion des juifs en 1492 et la décision de Philippe II de transférer la capitale à Madrid, en 1561, Tolède subit un certain déclin. Au milieu du XVIIᵉ siècle, sa population n'était plus que la moitié de ce qu'elle était cent ans auparavant.

La **cathédrale** de Tolède, que l'on aperçoit depuis le plateau de la Meseta, est le témoignage du tumultueux passé religieux de la ville. Fondée au VIᵉ siècle par le roi wisigoth Reccared Iᵉʳ, elle fut convertie en mosquée durant la domination musulmane. En 1227, Ferdinand III ordonna la construction de la nouvelle cathédrale, qui ne fut achevée qu'en 1493. Dans l'intervalle, des éléments de style mudéjar, baroque et néoclassique furent ajoutés au bâtiment gothique d'origine. Le grand retable polychrome sculpté retraçant la vie du Christ, la sacristie avec sa collection de tableaux du Greco, de Titien, de Goya et de Van Dyck, ainsi que les somptueuses stalles du chœur et le plafond mudéjar de la salle capitulaire sont dignes qu'on s'y attarde longuement.

L'autre grand édifice catholique de Tolède est l'**église San Juan de los Reyes**, située dans l'ancienne *Judería*, le vieux quartier juif de la ville. Cette église gothique fut construite sous le règne des Rois Catholiques, Ferdinand et Isabelle, qui désiraient à l'origine y être enterrés.

L'**église du Santo Cristo de la Luz** est probablement l'une des plus anciennes constructions de Tolède. C'est là qu'Alphonse VI fit dire une messe après qu'il eut conquis Tolède en 1085. Derrière l'église s'étend un ravissant jardin qui mène à la **Puerta del Sol**, la vieille porte

Vue sur Tolède.

mauresque. L'église est également connue sous le nom de mosquée Bab al-Mardom, puisqu'elle fut utilisée comme telle pendant quatre siècles.

La plus ancienne **synagogue** de Tolède est **Santa Maria la Blanca**, dans la **Calle de los Reyes Catolicos**. Elle fut édifiée vers 1180 et reconstruite au XIIIᵉ siècle. Elle est particulièrement remarquable par ses chapiteaux d'influence byzantine. L'iris, symbole d'honnêteté, ainsi que l'étoile de David, sont les éléments de décoration prédominants. A l'exception des trois chapelles du fond, qui furent construites au XVIᵉ siècle, la synagogue apparaît telle qu'elle était autrefois, avant d'être convertie en église dans la seconde moitié du XVᵉ siècle. **El Tránsito**, l'autre synagogue de Tolède, date du XIVᵉ siècle.

Le Greco

Tolède fut le siège de la cour de nombreux rois et reines d'Espagne, et de nombreux philosophes et artistes ont contribué à sa splendeur et sa réputation. Mais le plus célèbre d'entre eux reste Domenikos Theotokopoulos, plus connu sous le nom d'El Greco. L'artiste s'installa à Tolède en 1579, après que Philippe II l'eut chassé de l'Escurial, et y vécut jusqu'à sa mort, en 1614.

Les peintures du Greco sont disséminées dans plusieurs musées, mais l'un de ses chefs-d'œuvre, l'*Enterrement du comte d'Orgaz*, se trouve dans l'**église Santo Tomé**, dans la rue du même nom. La complexité du tableau, la subtile synthèse du temporel et du spirituel, la présence de multiples portraits — y compris un autoportrait — marquent l'apogée de l'œuvre du peintre et en font l'un des sommets de l'histoire de la peinture. Le **Museo de Santa Cruz**, à proximité de la **Plaza Zocodover**, conserve 20 toiles du Greco ainsi qu'une riche collection d'objets liturgiques, des manuscrits, des tapisseries et les drapeaux que don Juan d'Autriche brandit lors de la bataille de Lépante, en 1571. Le bâtiment lui-même est remarquable, en particulier par son portail et son escalier de la première période de l'art plateresque, ainsi que ses superbes plafonds en bois de style mudéjar. Il constitue l'un des plus

Le chœur de la cathédrale.

beaux musées provinciaux d'Espagne, où prédominent les œuvres du XVIᵉ siècle, c'est-à-dire du Siècle d'or, auquel est associé Charles Quint. A l'extérieur de la ville, l'**hôpital San Juan Bautista** — ou de **Tavera** — construit au XVIᵉ siècle, abrite plusieurs tableaux du Greco, dont la *Sainte famille* et le *Baptême du Christ,* sa dernière œuvre. L'on peut également y admirer des œuvres de Titien, du Tintoret, de Luca Giordano, de Ribera et de Zurbarán. Le musée appartient à la famille du duc de Lerma : on y a reconstitué une résidence du XVIIIᵉ siècle.

Le Greco vivait dans le quartier juif de Tolède, juste derrière la synagogue d'El Tránsito. La maison qu'il habitait n'existe plus, mais on a restauré à proximité un hôtel particulier du XVIᵉ siècle connu sous le nom de **maison du Greco**. La visite de cette maison seigneuriale de deux étages vous donnera une idée de la vie tolédane au temps de Philippe II. Outre des livres et des objets ayant appartenu au peintre, vous pourrez y admirer plusieurs de ses tableaux. Le **musée du Greco** est situé juste à côté.

L'Alcázar, forteresse symbolique

En arabe, *Al-gasr* signifie château. Cette forteresse bâtie sur le point le plus élevé de la ville fut fondée par Alphonse VI, peu après la Reconquête, sur l'emplacement d'un camp romain du IIIᵉ siècle. Le Cid en fut le premier gouverneur. Ses architectes et ses occupants ont été divers, et ses fonctions multiples. Depuis le patio, vous pourrez apercevoir le **château de San Servando** et en apprécier la position stratégique. A l'origine, l'Alcázar fut le fruit de la collaboration des meilleurs architectes du XVIᵉ siècle. Incendié et pillé par les Anglais et les Français en 1810, il fut dévasté lors d'un épisode déterminant de la guerre civile. L'Alcázar apparaît comme le symbole du triomphe de Franco sur les communistes. Le principal journal de droite porte d'ailleurs son nom.

Les rues très commerçantes de **Comercio, Trinidad** et **Santo Tomé** vous permettront de rapporter les produits de l'artisanat local, dont les célèbres couteaux ouvragés et les ravissantes poteries de la **Talavera de la Reina.**

Artisanat de Tolède.

L'Escurial

Tenu par les uns pour la huitième merveille du monde, et par les autres pour une monotone symphonie de pierre, l'**Escurial** fut laissé en héritage à l'Espagne par Philippe II. A la fois monastère, palais et mausolée, il se dresse au pied de la **Sierra de Guadarrama**, à 45 km de Madrid. Vous pourrez vous y rendre rapidement en prenant le train à la gare d'Atocha, ou bien par l'autoroute A6 en tournant à gauche pour emprunter la nationale C-600. Il faut compter une journée entière pour visiter le monument et ses nombreuses annexes.

L'origine de cette gigantesque construction remonte probablement au 10 août 1557, jour où l'armée de Philippe II vainquit les Français à Saint-Quentin. Le roi décida de faire bâtir l'Escurial pour commémorer sa victoire et honorer saint Laurent dont la fête était célébrée ce même jour.

Les travaux commencèrent à partir de 1563 et aboutirent à l'édification de San Lorenzo del Escorial en 1584.

Outre sa vénération pour saint Laurent et sa profonde religiosité, Philippe II était un roi introverti, mélancolique et de santé fragile qui souhaitait posséder un lieu de retraite propice à la méditation afin de se reposer des devoirs que lui imposaient le gouvernement du plus grand empire de l'époque. Il aspirait à être entouré de moines et non de courtisans ; c'est ainsi qu'en dépit des appartements royaux — au demeurant fort sobres — qui y furent aménagés, l'Escurial fut avant tout un monastère.

Les victoires et les échecs militaires, la gloire et le déclin de l'Empire, la succession de décès et de tragédies qu'il éprouva, son insatiable quête du savoir, sa passion pour l'art, l'ordre et la religion se reflètent dans la configuration même des lieux. L'emplacement de l'église monumentale, en plein cœur de l'édifice, était la manifestation de sa profonde croyance et du sentiment que toute action politique devait être gouvernée par les considérations religieuses et que l'esprit devait en toute circonstance l'emporter sur la chair. La géométrie de l'ensemble illustre parfaitement son souci constant de l'ordre, et la symétrie de l'architecture traduit la

es
partements
s Bourbons,
e élégance
la française
ns l'austère
scurial.

rigueur de ses pensées. Théophile Gautier écrivit à ce propos qu'il n'existait pas de courbes dans le tracé de l'Escurial, mais uniquement des lignes droites.

L'édification de l'Escurial exigea vingt et un ans de travaux ininterrompus. A l'origine, l'architecte en chef fut Juan Bautista, disciple de Michel-Ange. A sa mort, en 1569, Juan de Herrera lui succéda ; c'est à lui que l'on doit le plan définitif de la construction.

L'Escurial est constitué de granit gris et mesure 208 m de long sur 162 de large. Il comprend 15 cloîtres, 16 patios, 13 oratoires, 300 cellules, 86 escaliers, 9 tours, 9 jeux d'orgues, 2 673 fenêtres, 1 200 portes et une collection de plus de 1 600 tableaux de maîtres. Certains prétendent que la forme du bâtiment ressemble à un immense gril, en hommage au martyre de saint Laurent.

Les ailes nord et ouest du monastère abritent une enfilade de grandes cours ou patios, appelée *la Lonja*. A l'est et au sud s'étendent des jardins d'où l'on a une belle vue sur les champs et les vergers du monastère et, au-delà, sur la campagne

madrilène. Il y a d'ailleurs une statue de Philippe II à cet endroit, qui contemple le paysage par-delà le **Jardín de Los Frailes**, comme le monarque se plaisait à le faire.

Le faste des Bourbons

Ayant commencé à régner en Espagne en 1700, avec Philippe V, la nouvelle dynastie s'efforça de transformer les appartements froids et austères de son prédécesseur en un palais à la française. La visite guidée des **appartements des Bourbons** débute au pied d'un escalier du XVIIIᵉ siècle orné de tableaux de Luca Giordano.

L'attrait majeur de cette partie du palais réside dans les magnifiques tapisseries qui agrémentaient les salles que Charles III réservait aux fonctions officielles. Elles furent réalisées il y a plus de deux siècles à la manufacture royale de tapisserie de Santa Bárbara et n'ont jamais eu besoin d'être restaurées. Les lustres de cristal qui parent toutes les pièces ont été faits à la Granja, à Ségovie. Ces appartements contiennent également 36 pendules en bronze ornées de motifs

Le panthéon de l'Escurial abrite les dépouilles royales depui. le siècle de Charles Quint.

mythologiques ; réalisées à l'époque de Charles III, elles sont toutes en parfait état de marche.

La sévérité des Habsbourg

Le changement d'atmosphère est saisissant dès que l'on sort des appartements des Bourbons pour pénétrer dans ceux des Habsbourg. Les sols de marbre font place à un parquet de bois rustique ou à de simples dalles de pierre, comme dans la **salle des Batailles**.

Dans cette longue galerie de 55 m, de grandes fresques retracent les divers épisodes des victoires militaires de l'Espagne.

Les **appartements des Habsbourg** partent de cette salle ; on y accède par un escalier de pierre où se trouvent les arbres généalogiques de la dynastie des Habsbourg et plusieurs portraits de famille.

Les premières pièces étaient occupées par la fille favorite de Philippe II, Isabel Clara Eugenia, qui s'occupa de lui lorsqu'il était souffrant. L'austérité des lieux n'est égayée que par une belle collection

de peintures et par une frise en céramique de Talavera qui court sur tous les murs. En vérité, « palais » n'est pas le terme qui convient pour désigner ce bâtiment. Philippe II lui-même n'a-t-il pas précisé qu'il voulait bâtir un palais à la gloire de Dieu et une cabane pour le roi ?

La chambre de l'infante et celle de Philippe II jouxtent toutes deux, de part et d'autre, le maître-autel de l'église. De cette façon, le roi pouvait entendre la messe de son lit ou bien gagner directement l'église par un passage spécialement aménagé, lorsque sa goutte lui laissait quelque répit. Derrière l'autel, les appartements privés de Philippe II ouvrent sur un plaisant jardin. C'est là qu'il mourut à l'âge de soixante et onze ans, en 1598.

Dans le **salon des Ambassadeurs** sont exposés quelques-uns des plans originaux tracés par Juan de Herrera. La marqueterie des portes de la **salle du Trône** est composée de 17 essences de bois différentes ; elles furent offertes à Philippe II par Maximilien d'Autriche, en 1567. Dans ces deux salles, un curieux cadran solaire est inclus dans le sol. Les murs sont ornés de cartes

Ci-dessous, portrait de Philippe II par Antonio Moro ; à droite, sa fille préférée Isabelle Claire Eugénie par Sanchez Coello.

représentant l'Empire espagnol sous le règne de Philippe, cet empire qui couvrait alors les trois quarts du monde connu.

La **salle des Portraits** renferme des portraits des Habsbourg, ainsi que le tabouret sur lequel Philippe II reposait sa jambe malade.

Le panthéon

En faisant construire l'Escurial, Philippe avait également pour projet d'y faire transférer les restes de son père, Charles Quint. Cependant, ce n'est qu'en 1617, sous le règne de Philippe III, que fut entamée la construction d'un splendide panthéon de bronze, de marbre et de jaspe, situé exactement sous le maître-autel de l'église.

La plupart des souverains d'Espagne — de Charles Ier à Alphonse XIII — y sont enterrés, à l'exception de Philippe V, dont le corps repose à Ségovie, et de Ferdinand VI, dont la sépulture se trouve à Madrid. Les reines ayant donné naissance à des fils y reposent également, tandis que le **panthéon des Infants** abrite les dépouilles des princes, des princesses et des reines sans postérité mâle.

Le tombeau de don Juan d'Autriche offre un intérêt particulier de par l'histoire qui s'y rattache. Demi-frère naturel de Philippe II, don Juan d'Autriche fut le héros de la bataille de Lépante (au cours de laquelle Cervantès perdit l'usage de la main gauche) et, par la suite, gouverneur des Pays-Bas. L'on prétend qu'il comptait délivrer Marie Stuart afin de gouverner l'Angleterre à ses côtés ; alors que le Vatican approuvait ses projets, Philippe II s'y opposa. Son tombeau, surmonté d'une gracieuse statue de marbre, a été érigé à l'écart des autres.

L'église et la bibliothèque

De célèbres visiteurs ont vanté la majesté de l'église — entre autres Alexandre Dumas, qui a qualifié la cour des Rois d'« *entrée de l'éternité* ». D'autres, en revanche, en ont décrié les dimensions. Citons encore Théophile Gautier : « *Dans l'église de l'Escurial, on se sent tellement submergé, écrasé, tellement enclin à la tristesse et soumis à un pouvoir inflexible que la prière devient vaine.* »

Les fresques qui ornent les voûtes et les 44 autels sont l'œuvre de maîtres espagnols et italiens. Le retable principal est l'une des pièces maîtresses de Juan de Herrera ; entre les colonnes de marbre et de jaspe se trouvent des tableaux peignant la vie du Christ, de la Vierge et des saints. De chaque côté, les oratoires abritent deux groupes de statues en bronze doré représentant les membres de la famille royale en orants.

Parmi les trésors inestimables qu'elle recèle, la **bibliothèque de l'Escurial** possède des manuscrits de saint Augustin, d'Alphonse le Sage et de sainte Thérèse d'Avila ; la plus grande collection au monde de manuscrits arabes et hébreux, ainsi que des cantiques enluminés, des planches d'histoire naturelle et des cartes du Moyen Age. Le plafond, peint par Pellegrino Tibaldi, représente les sept arts libéraux : la grammaire, la rhétorique, la dialectique, l'arithmétique, la géométrie, l'astronomie et la musique. Les deux sciences majeures — la théologie et la philosophie — sont représentées à chaque extrémité. Le pape Grégoire XIII ordonna l'excommunication de quiconque oserait dérober un manuscrit de la bibliothèque.

Les dépendances

A l'époque des Bourbons, deux petits palais furent édifiés à côté du monastère : la **Casita del Principe** et la **Casita de Arriba**. Le premier pavillon fut construit au XVIIIe siècle par Charles III pour son fils. Très richement décoré, il renferme de nombreuses œuvres d'art, notamment des tableaux de Luca Giordano, de Goya et de Guido Reni. La Casita de Arriba, plus modeste, est entourée de ravissants jardins dessinés à l'intention de la troisième épouse de Ferdinand VII. Ce pavillon fut habité par le futur roi Juan Carlos en 1960, lorsqu'il faisait ses études.

A 5 km, sur la route d'Avila, puis en tournant à gauche au km 3, vous parviendrez à la **Silla del Rey**. Des sièges et des marches taillés à même la pierre permettaient à Philippe II et à sa suite de suivre l'évolution des travaux lorsque le monastère était encore en construction. Du haut de cette colline, vous découvrirez un superbe panorama de l'Escurial et de toute la vallée.

De ce lieu, Philippe II aimait surveiller la progression des travaux de l'Escurial.

CHATEAUX EN ESPAGNE

La Castille est le pays des châteaux. La plupart des 10 000 châteaux espagnols y sont situés. Pendant les sept siècles de la Reconquête, les nombreux petits royaumes de la Meseta ont bâti des forteresses afin de lutter contre les Maures.

Certains châteaux sont antérieurs au Moyen Age et ont été construits à des endroits stratégiques que déjà les Celtibères avaient élus pour édifier leurs *castros*. Les premiers *castros* étaient en bois ; ils furent ensuite consolidés et reconstruits en pierre, au fur et à mesure qu'ils se faisaient investir par de nouveaux conquérants.

Les châteaux de la Reconquête ont souvent été édifiés à partir des matériaux de base ayant servi aux édifices précédents, ce qui explique la rareté des ruines prémédiévales en Espagne. Au commencement du XIIIe siècle, les châteaux étaient édifiés de préférence près des routes ou sur les hauteurs, afin que leurs occupants pussent surveiller les environs ainsi que la circulation des hommes et des marchandises, et collecter les droits de passage.

Ces châteaux n'avaient qu'un but utilitaire et défensif, et ne revêtaient pas encore le caractère esthétique de lieux de villégiature de l'aristocratie.

Le pont-levis qui y donnait accès était souvent encadré de part et d'autre par une grosse tour afin d'assurer une meilleure défense de l'entrée. Derrière les remparts à créneaux se trouvaient les salles d'armes, les réserves, les étables et les écuries. Généralement, une seconde muraille de protection abritait la *torre de homenaje,* c'est-à-dire le donjon où vivaient le seigneur et sa famille. Le donjon était la partie la plus haute du château, et aussi la mieux protégée ; sa porte se trouvait généralement au premier étage, d'où partait un escalier en spirale. Le rez-de-chaussée et le premier niveau étaient reliés par une simple échelle que l'on retirait en cas d'attaque. Les châteaux forts renfermaient également des cachots et une ou plusieurs chapelles. Les seuls éléments décoratifs étaient les armoiries du seigneur, gravées

Le château de Coca, près de Ségovie, bel exemple de l'usage de la brique par les architectes maures.

au-dessus de l'entrée, et les lignes géométriques dessinées par les fortifications.

Les châteaux des Maures furent construits d'après des plans plus élaborés. Les pièces étaient plus allongées, les entrées ornées de ferronneries chantournées et les murs intérieurs agrémentés de délicats moulages en stuc. La **forteresse de Gormaz**, dans la province de Soria, est un exemple typique de l'architecture arabe du Xe siècle.

A partir du XIe siècle, le style mudéjar des musulmans travaillant sous la directive des chrétiens est caractérisé par l'utilisation de matériaux peu coûteux tels que la brique ou l'adobe (brique crue parfois mêlée à de la paille et séchée au soleil), alliés à une grande recherche esthétique. A l'époque de la Reconquête, les ouvriers et artisans musulmans étaient fort nombreux ; l'influence de leur savoir-faire fut si forte que beaucoup de termes d'architecture employés dans la langue espagnole contemporaine sont d'origine arabe.

Le **château de Coca**, près de Ségovie, et la **Medina del Campo**, près de Valladolid, sont deux remarquables exemples de l'architecture féodale mudéjare. L'art mudéjar a atteint son apogée au XIVe siècle.

A la fin de la Reconquête, en 1492, Ferdinand et Isabelle, conscients de la fragilité de l'unité espagnole, obligèrent les seigneurs du pays à quitter leurs forteresses pour venir s'installer à la cour. Les châteaux furent donc abandonnés et, à partir de cette époque, l'expression « bâtir des châteaux en Espagne » fut utilisée pour décrire toute entreprise vaine.

Certains châteaux, tel l'**Alcázar** à Ségovie, ont longtemps conservé une fonction militaire. D'autres ont été transformés en musée, en coopératives agricoles, en écoles de commerce ou encore en hôtels appartenant à la chaîne nationale des *Paradores* (se reporter aux renseignements pratiques à la fin du guide). Mais nombre d'entre eux sont déserts et restent inutilisés. On peut parfois les visiter si l'on a la chance de trouver la personne qui en détient les clefs dans le village. Le cas échéant, le gardien vous informera que l'entrée est libre, et donc qu'il s'attend à recevoir un pourboire de votre part (100 pesetas environ conviendront).

Toutefois, il existe beaucoup de châteaux à l'abandon, sans personne pour en assumer la garde. Ce ne sont bien souvent que des ruines où gambadent les chèvres, et les villageois regardent avec un sourire indulgent le touriste qui traversera un champ pour photographier ces vestiges d'un autre temps.

LA CASTILLE

Durant plusieurs siècles, la Castille a été le cœur de l'Espagne. La plupart des grands concepts de l'histoire espagnole y ont été engendrés : l'unification des anciens royaumes ibères, la *Reconquista*, l'exploration et la conquête du Nouveau Monde. Philippe II a choisi la Castille pour en faire le centre du gouvernement de son immense Empire. Cet Empire s'est ensuite désagrégé à cause de certaines erreurs stratégiques et politiques et, comme l'a souligné Ortega y Gasset en 1921 : « *La Castille a fait l'Espagne, puis elle l'a défaite.* » A son arrivée au pouvoir, Franco a renforcé la centralisation en décrétant le castillan seule langue officielle du pays. Il n'est pas étonnant, par conséquent, que les Espagnols des autres provinces considèrent la Castille un peu comme une sœur aînée respectable mais quelque peu envahissante.

Tout à la fois dignes et pince-sans-rire, les Castillans définissent leur terre avec des sentiments mitigés : « *Neuf mois d'hi-ver et trois mois d'enfer* » pour ce qui est du climat. « *Aride et désolée, spectaculaire par son manque même d'éléments spectaculaires* », comme le souligne le romancier castillan Miguel Delibes. Avec un mélange d'affection et de désespoir, le poète Antonio Machado, pour sa part, décrit les paysages rocailleux et dénudés de la Castille comme s'ils étaient « *parcourus par l'ombre de Caïn* ».

« Ancha es Castilla »

« *Grande est la Castille* », comme le dit sans détour un proverbe castillan. En 1983, la Castille devint la communauté autonome de Castille-Léon, un territoire couvrant presque un cinquième du pays et qui inclut six provinces en Vieille-Castille (Avila, Burgos, Palencia, Ségovie, Soria et Valladolid) et trois dans le León (León, Salamanque et Zamora) qui portent chacune le nom de leur capitale. Le sol a été progressivement enrichi pour devenir une terre à blé, et la région reste agricole.

Cependant, les villes, avec leurs imposantes cathédrales et leurs fortifications

Derrière ses remparts médiévaux intacts, la ville entière d'Avila est classée monument historique.

intactes, et les villages, avec leurs trésors d'art roman, demeurent indissolublement liés à la gloire et aux tragédies de leur passé.

Conçus à l'origine comme des avant-postes pour résister à l'invasion des Maures, ils sont remarquables par leur présence presque incongrue, perdus entre ciel et terre, au milieu d'immenses étendues semi-désertiques. Sévèrement frappés par l'exode rural durant les dernières décennies, certains d'entre eux sont pratiquement devenus des villages fantômes.

Ávila

A l'abri de ses remparts extraordinairement bien conservés, **Ávila** a été comparée par les poètes espagnols tantôt à un cercueil, tantôt à une couronne. Avec ses 1 131 mètres d'altitude, c'est la capitale provinciale la plus élevée d'Espagne. Les hirondelles en ont fait leur ville d'élection et, le long de la muraille d'enceinte, les nids de cigognes ornent les tourelles.

La légende dit qu'Ávila aurait été bâtie par Hercule, mais l'origine de la cité est antérieure à l'arrivée des Grecs en Espagne, comme en témoignent les cochons et les taureaux gravés dans la pierre, qui remontent probablement à l'époque celtibère. Ávila fut christianisée au Ier siècle par l'évêque San Segundo, puis passa alternativement aux mains des Maures et des chrétiens jusqu'à ce qu'Alphonse VI s'en emparât définitivement en 1090. Il y fit aussitôt venir ses meilleurs chevaliers, et ce sont eux qui entreprirent d'édifier les fortifications actuelles.

La **muraille**, haute de 12 m et large de 3 m en moyenne, possède 88 tourelles et 9 portes fortifiées. Son périmètre est de 2,572 km. En partant des jardins qui jouxtent le **Parador Nacional Raimundo** vous pourrez accéder au chemin de ronde, qui domine les plaines environnantes.

Nonnes et chevaliers

Alphonse VI lui ayant accordé l'autonomie, Ávila est restée murée dans son isolement pendant plusieurs siècles et a su résister à toutes les tentatives d'unification de Charles V. Son esprit d'indépendance

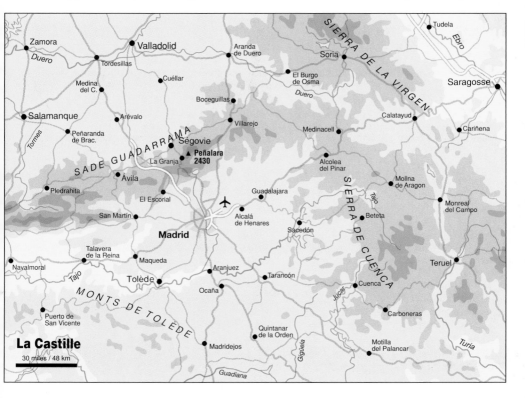

La Castille

30 miles / 48 km

s'est encore manifesté en 1970, lorsque les édiles de la cité refusèrent qu'on la proclamât « monument historique et artistique national ». Ils l'acceptèrent néanmoins cinq ans plus tard, en raison des nombreux avantages que confère cette qualité, mais c'est à contre-cœur que la ville se soumit au fait de devenir un centre touristique.

Depuis le XVIᵉ siècle, Ávila est également un haut lieu de pèlerinage puisqu'elle est la ville natale de sainte Thérèse. Teresa de Cepeda y Ahumada naquit en 1515. Issue d'une famille noble d'origine juive, elle fut confiée à un couvent tandis que ses frères étaient envoyés en Amérique, afin d'échapper aux griffes de l'Inquisition. Le jour où elle quitta le foyer paternel, Thérèse écrivit : « *Je ne pensais pas que le jour de ma mort serait pire.* »

A une époque où la Réforme faisait de grands progrès en Europe et où les ordres monastiques abandonnaient la rigueur de leur règle, Thérèse parvint à rétablir la stricte observance de l'ordre du Carmel. Femme d'action infatigable, elle se mit à parcourir les routes d'Espagne afin de fonder des couvents et de susciter des vocations. Ses célèbres extases firent grande impression sur ses contemporains, mais l'austérité de ses exigences la rendit impopulaire auprès de certaines de ses consœurs, et le manque d'orthodoxie de ses écrits attira sur elle la suspicion de l'Inquisition. Elle mourut en 1582 et fut canonisée quarante ans plus tard. De nombreux lieux de pèlerinage lui sont consacrés, et l'on voit souvent des processions de religieuses de divers ordres à travers les rues de la ville.

La cathédrale d'Ávila fait partie intégrante des remparts de la ville, dont elle a hérité l'aspect imposant et militaire. Son architecture romane d'origine a été dotée d'éléments gothiques et Renaissance par la suite. A l'intérieur, on retrouve le grès tacheté de rouge et de jaune, caractéristique de toutes les églises de la ville. Les stalles du chœur, sculptées au début du XVIᵉ siècle par Cornélis de Hollande, sont particulièrement intéressantes, de même que le retable retraçant des épisodes de la vie de Jésus.

Sortez ensuite de la ville par la **Calle Santo Tomás** pour gagner le **couvent de Santo Tomás,** qui fut fondé par Ferdinand et Isabelle en 1482. Vous remarquerez que le **cloître** est décoré de grenades qui symbolisent la détermination des Rois Catholiques à reconquérir la ville du même nom. Le retable de l'église, lequel illustre des scènes de la vie de saint Thomas d'Aquin, est considéré comme la pièce maîtresse de l'œuvre de Pedro Berruguete. Elle abrite également le **tombeau de l'infant don Juan,** fils unique de Ferdinand et d'Isabelle, qui mourut subitement à l'âge de vingt ans. Sa mort livra l'Espagne aux mains de Jeanne la Folle.

De saintes reliques

Pénétrez de nouveau dans l'enceinte de la ville par la **Plaza de Santa Teresa.** La grande statue blanche de la sainte fut érigée en l'honneur de la visite du pape en 1982, qui la proclama à cette occasion docteur de l'Église, en faisant ainsi la première femme à porter ce titre.

Parmi les monuments consacrés à sainte Thérèse se trouve le **couvent de Santa Teresa,** bâti à l'emplacement de sa maison natale. Le **musée** qui porte son nom conserve plusieurs reliques. Le **couvent de las Madres** est la première institution fondée par la sainte ; il abrite de fort beaux tombeaux, et le petit musée qui le jouxte conserve quelques souvenirs.

La visite guidée du **couvent de la Encarnación** — où Thérèse prit le voile et passa près de trente ans — vous fera découvrir sa cellule et le *locutorio* où elle tenait des conversations passionnées avec son confesseur et compagnon en mysticisme, saint Jean de la Croix.

La **Sierra de Gredos** abrite de charmants villages de pierre, tels **Guisando, El Arenal** ou **Arenas de San Pedro** avec son château du XVᵉ siècle et son pont gothique. Au nord d'Ávila, un petit détour par **Madrigal de las Altas Torres** vous permettra de découvrir les ruines du château où naquit Isabelle de Castille.

Salamanque

La ville universitaire de **Salamanque** est « *le plus grand triomphe dont peut s'enorgueillir l'Espagne* », ainsi que le proclamait un historien de la cour des Rois Catholiques. Aujourd'hui, même si son heure de gloire semble révolue, cette belle cité ne porte pas les vestiges de son passé comme un fardeau. L'ocre doré de la pierre confère une éclatante majesté à ses constructions, et l'ambiance estudiantine qui y règne a allégrement chassé le puritanisme castillan des anciens temps.

Deux mille ans avant la fondation de l'université — en 1218 —, Salamanque était déjà une importante cité ibère. Elle fut la conquête la plus occidentale d'Hannibal au IIIᵉ siècle av. J.-C., devint une cité florissante sous les Romains, avant d'être occupée par les Maures en 711, puis reconquise par les chrétiens en 1085. Les vainqueurs y firent édifier de nombreuses églises : **San Julián, San Martín, San Benito, San Juan, Santiago, San Cristóbal** et la **vieille cathédrale**, qui datent toutes de l'apogée de l'art roman.

Les historiens accusent Alphonse IX de León d'avoir voulu fonder l'université de Salamanque pour rivaliser avec celle de Plasencia, œuvre de son cousin et adversaire Alphonse VIII de Castille. Salamanque ne mit pas longtemps à surpasser l'école de Plasencia, et la valeur de l'enseignement qui y était dispensé lui assura

rapidement une renommée internationale. Au XIVᵉ siècle, elle est citée parmi les quatre meilleures universités d'Europe avec Paris, Oxford et Bologne. Elle atteint l'apogée de sa gloire au XVIᵉ siècle, avec 70 chaires et 12 000 étudiants. Le droit international y naquit et l'on y enseignait, à la même époque, le système cosmogonique de Copernic, réputé hérétique dans la plupart des pays. De grands maîtres du Siècle d'or y furent professeurs, tels Fray Luis de León, Francisco de Vitoria et saint Jean de la Croix. Cervantès y fit ses études, de même que le conquistador Hernán Cortés.

L'université

Salamanque possède actuellement trois universités, mais l'entrée de l'*Universidad* originale se situe sur le **Patio de las Escuelas**. La somptueuse façade plateresque est ornée de médaillons figurant les Rois Catholiques et d'une multitude de portraits, de symboles littéraires, profanes et religieux.

Sur le patio donnent plusieurs salles de classe, y compris celle où, après quatre ans

cathédrale

umanque
des rives
Tormes.

passés dans les prisons de l'Inquisition, le grand humaniste Fray Luis de León commença son premier cours magistral par cette phrase devenue célèbre : « *Comme je vous le disais hier...* » Au premier étage se trouve l'**ancienne bibliothèque**, riche de 160 000 livres anciens et manuscrits.

A l'autre bout du patio, un grand portail platteresque s'ouvre sur les **Escuelas Menores**. L'une des salles de classe possède un très beau plafond de Fernando Gallego représentant les constellations et les signes du zodiaque, témoin de l'ancien département d'astrologie de l'université.

La **Plaza de Anaya** est un gracieux quadrilatère entouré sur trois côtés par des bâtiments universitaires de diverses époques, le quatrième côté étant occupé par la **nouvelle cathédrale**. Cet imposant édifice fut commencé en 1513, à l'époque où la renommée de la ville était telle que la cathédrale primitive ne pouvait plus suffire. Elle fut achevée au XVIIIe siècle, ce qui explique le mélange des styles gothique, Renaissance et baroque. Le portail de la façade occidentale est richement décoré de médaillons, de statues et d'écussons

divers. A l'intérieur, la nef surprend par la richesse de ses voûtes, la finesse de ses corniches et l'élancement de ses piliers. Elle possède des stalles sculptées par Alberto de Churriguera au XVIIIe siècle, et deux orgues, l'un baroque côté nord, l'autre platteresque côté sud.

La **vieille cathédrale**, tapie contre la nouvelle, a été transformée en musée. Elle est coiffée d'un dôme byzantin et ses fresques romanes ont des couleurs qui ont gardé tout leur éclat.

Dans le cloître qui la jouxte se trouve la **chapelle Santa Bárbara**. Autrefois, c'est là que les étudiants venaient réviser leurs leçons, la veille d'un examen ; ils s'y enfermaient toute la nuit dans la solitude et posaient les pieds sur la tombe d'un évêque pour que cela leur porte chance. Les résultats des examens étaient annoncés en public et une grande partie de la population attendait au-dehors pour bombarder de détritus ceux qui avaient échoué. Les étudiants qui étaient reçus étaient portés en triomphe et avaient le droit d'écrire le mot « vainqueur » sur les murs de l'université avec du sang de taureau. Tout le monde s'accorde à dire que la **Plaza Mayor** est la plus merveilleuse place d'Espagne, tant par son architecture que par l'ambiance qui y règne. Dessinée par Churriguera en 1729, elle est bordée de chaque côté par des arcades qui abritent aujourd'hui de nombreux magasins de mode et des pâtisseries aux gâteaux alléchants.

Les habitants de la ville aiment s'y promener, et les étudiants ont fait du **Mesón Cervantés** leur café favori. A l'est de la Plaza Mayor, vous trouverez sur la **Plaza del Mercado** une quantité de petits restaurants d'étudiants.

Jours de fête

La vie estudiantine de Salamanque a toujours été empreinte de verve et d'entrain. A propos de la rentrée des classes d'octobre, un refrain médiéval dit que « *les prostituées se rendent à Salamanque la veille de la Saint-Luc* ». En effet, la semaine sainte était autrefois l'occasion d'un rituel original. On exilait les occupantes des maisons closes de l'autre côté du **Tormes**, afin qu'elles n'offrent aucune tentation aux habitants. Le lundi de la Résurrection —

La Plaza Mayor de Salamanque est réputée être la plus belle d'Espagne.

appelé encore le « lundi des Eaux » — les étudiants allaient chercher ces dames en barque et les ramenaient dans l'enceinte de la ville, sous les acclamations de la population masculine. La tradition a été remplacée par une innocente fête champêtre avec bal populaire et déjeuner sur l'herbe, mais le lundi des Eaux est encore commémoré de nos jours par des courses d'aviron sur le Tormes.

Le samedi et le dimanche soir, les étudiants qui appartiennent à des groupes musicaux appelés *tunas* parcourent les rues en grattant leur guitare, vêtus à la mode d'antan, avec pourpoint et hauts-de-chausses.

Non loin de la Plaza Mayor, ne manquez pas de vous rendre jusqu'à la **Casa de la Conchas**, étonnant hôtel particulier de la fin du XVᵉ siècle entièrement décoré de coquilles de pèlerins. En quittant la Plaza Mayor par la **Calle San Pedro**, vous passerez devant la **Casa de la Salina**, où le très impopulaire évêque Fonseca se vengea de ses ennemis en faisant sculpter des gargouilles à leur effigie le long de la façade. Un peu plus loin dans

la même rue, vous pourrez admirer deux magnifiques exemples de l'art plateresque du XVIᵉ siècle : le **couvent de las Dueñas** et le **monastère de San Estebán.**

Si vous désirez avoir une belle vue d'ensemble de la ville de Salamanque, continuez à descendre vers les berges du Tormes et traversez le **pont romain**, au bout du **Paseo de Santiago**.

Zamora

La « *très noble et très loyale cité de Zamora* », comme l'appelait Henri IV, se situe sur les bords du **Douro**, à 60 km au nord de Salamanque. Cette ville d'origine arabe, immortalisée par le *Poème du Cid*, mérite qu'on s'y arrête pour visiter sa **cathédrale** du XIIᵉ siècle. Cet édifice gothique a été doté d'un étonnant dôme byzantin à écailles qui, de l'intérieur, ressemble à une moitié d'orange. La cathédrale renferme un portrait du Christ par Fernando Gallego et des stalles du XVᵉ siècle, ornées de personnages bibliques et de scènes allégoriques et burlesques de la vie monastique de l'époque.

Corvée d'eau dans un village castillan.

A l'extérieur de la cathédrale se dressent les vestiges de l'ancienne muraille qui encerclait la ville. Zamora fut en effet le siège de combats acharnés entre musulmans et chrétiens. Le roi Sanche II y fut assassiné et la **porte du Traître**, située dans les ruines du **château**, fut construite pour commémorer ce drame. Par ailleurs, deux édifices se rapportent à l'histoire du Cid : la **Casa del Cid** et l'**église Santiago de Caballeros**, où le grand héros national de l'Espagne fut armé chevalier.

León

En raison de ses liens historiques avec la Castille et les vertes contrées des Asturies et de la Galice, **León** peut être considérée comme une ville frontière. Sa situation géographique en fait l'une des villes les moins visitées de la péninsule. Et pourtant, tous ceux qui s'y sont rendus — presque par hasard — se sont émerveillés de sa splendeur médiévale. León vécut son apogée au Xe siècle, lorsque Ordoño II y établit sa cour. Sous son règne, la ville devint le siège d'un gouvernement exemplaire, et

l'incendie qui la ravagea en 996 lors de l'attaque des Maures est encore considéré comme un événement irréparable. La cité fut reconquise au XIe siècle et fut pendant un temps la capitale de l'Espagne mozarabe et le siège de la Reconquête.

Il faudrait, pour bien faire, visiter la **cathédrale** à plusieurs reprises dans la journée afin de pouvoir mieux admirer les reflets changeants de la lumière sur ses magnifiques vitraux, lesquels couvrent une surface totale de 150 m².

La construction de la cathédrale débuta en 1205, à l'époque de l'art roman, mais les travaux ne s'achevèrent qu'au début du XIVe siècle, et en firent l'un des plus beaux spécimens de l'architecture gothique. C'est le matin et en fin d'après-midi que l'on appréciera le mieux l'éclat des rosaces. La nuit, la cathédrale se transforme grâce aux illuminations intérieures.

La **Colegiata de San Isodoro** est une basilique consacrée à saint Isidore de Séville, dont les reliques furent déposées là pour qu'elles ne fussent pas profanées par les Maures. Le **Panteón de los Reyes**, qui la jouxte, abrite les tombeaux des premiers

Les croisées d'ogives de la cathédrale de León.

rois de León et de Castille. Le panthéon est souvent considéré comme la chapelle Sixtine de l'art roman en raison des fresques qui l'ornent.

L'un des bâtiments les plus pittoresques de León est la **Casa de los Botines**, qui fut dessinée par Gaudí, architecte de Barcelone. A l'époque de sa construction, en 1894, cet hallucinant palais de conte de fées a déclenché une tempête de protestations. Elle est née de l'amitié entre la famille Botines et le comte de Güell, le plus fidèle client de l'architecte.

Autour de la **Plaza Mayor**, la vieille ville de León vous séduira par ses ruelles pavées et tortueuses, bordées de maisons agrémentées de balcons de fer forgé. Comme dans beaucoup de villes espagnoles, le vieux quartier est devenu le fief des jeunes et de l'avant-garde. L'on y trouve un bar ou un pub à chaque coin de rue, où l'on peut écouter du jazz dans un décor parfois excentrique.

Sur les berges de la **Bernesga**, le **monastère de San Marcos** mérite une visite, même si vous ne séjournez pas au **parador** cinq étoiles qu'il abrite en partie. Il fut fondé en 1168 par les chevaliers de l'ordre de Saint-Jacques pour servir de gîte-étape aux pèlerins en route pour Santiago. La façade platéresque, œuvre de Juan de Badajoz, fut ajoutée en 1513 ; elle constitue l'un des chefs-d'œuvre de la Renaissance espagnole. Par la suite, le monastère a été successivement transformé en prison politique (le poète Quevedo en fut l'hôte le plus illustre), puis en caserne. Le cloître et la sacristie abritent désormais le **musée Archéologique provincial** où l'on peut admirer, entre autres, le superbe *Christ en Croix* de Carrizo, statuette romane en ivoire d'une incomparable finesse.

Les *fiestas* de León se déroulent du 24 au 29 juin, dates de la fête de Saint-Jean et Saint-Pierre. En accord avec la sobriété de cette province, elles n'ont pas l'éclat et l'exubérance des fêtes de Séville ou de Pampelune. L'on danse dans les rues illuminées, et les festivités se terminent généralement par un concert de musique médiévale dans le cloître de la cathédrale.

Burgos

Située en plein centre du plateau de la **Vieille-Castille**, **Burgos** est depuis fort longtemps le carrefour de l'Espagne. Nombreux sont les automobilistes qui y font halte pour déjeuner, ce qui est fort avisé, surtout l'hiver, car la cuisine locale, variée, riche et copieuse, est idéale pour revigorer le plus transi des voyageurs. Quoi qu'il en soit, hiver ou été, la ville mérite qu'on s'y attarde plus que le temps d'un repas.

Forteresse édifiée en 884 pour résister à l'invasion musulmane, Burgos vénère encore le souvenir de son plus illustre enfant : Rodrigo Díaz de Vivar (1043-1099), alias le Cid Campéador (de l'arabe *sidi*, seigneur). Après avoir été exilé par Alphonse VI, le Cid entra au service du souverain maure de Saragosse pour lutter contre le roi maure de Valence, soutenu par les Catalans. Par la suite, réconcilié avec son ancien suzerain, il partit personnellement en campagne contre les Arabes et parvint finalement à conquérir Valence. Bien que les historiens estiment que le *Cantar del Mío Cid*, long poème épique retraçant sa biographie, relève pour une large part de la fiction, le personnage du Cid — incarnation même de l'esprit che-

Discussion devant la Casa de los Botines.

valeresque — reste le héros incontesté de la Reconquête.

La **cathédrale**, dont la construction débuta en 1221, est considérée comme le sanctuaire du Cid. Décrit comme l'« *œuvre des anges* » par Philippe II, ce magnifique édifice gothique domine toute la cité. Comme de nombreuses routes convergeaient vers elle, les bedeaux durent à une certaine époque fermer le portail principal afin que la nef ne fût pas utilisée comme voie publique, et la tradition persiste. Peu d'églises renferment autant de curiosités et de trésors artistiques. Les visiteurs s'y pressent tout autant pour se recueillir sur la tombe du Cid et de Chimène, au centre de la nef, que pour voir la fameuse **horloge Papamoscas** (« gobe-mouches ») avec son automate, ou l'étonnant Christ grandeur nature, fait de cuir de buffle et portant des cheveux et des sourcils humains, ou pour admirer l'escalier à double révolution de Diego de Siloé, la **chapelle Santa Tecla**, avec sa remarquable voûte churrigueresque, ou encore la **chapelle Santa Ana** où s'épanouit un Arbre de Jessé (généalogie du Christ).

Le **cloître** renferme un grand nombre de statues et une quinzaine de tombeaux. L'on peut également y voir des manuscrits rares — dont l'acte de mariage du Cid et de Chimène — ainsi que le coffre que le Cid emplit de sable afin de duper les usuriers juifs (la légende dit qu'il s'empressa ensuite de les rembourser avec intérêts). Dans la salle capitulaire sont exposés des tapisseries flamandes du XVᵉ siècle, de superbes vêtements sacerdotaux et des pièces d'argenterie.

Quittez ensuite la fraîcheur et la pénombre de l'église pour gagner les rives de l'**Arlazón** en traversant la **Plaza Santa María**. Célèbre ornement de Burgos, la **porte Santa María** faisait partie de l'enceinte qui enfermait la ville au XIᵉ siècle ; elle fut décorée au XVIᵉ siècle en l'honneur de la visite de Charles Quint.

Quatre étapes dans les alentours

A la sortie de Burgos, vous trouverez à trois kilomètres à l'est la **chartreuse de Miraflores**. Cette ancienne fondation royale du XVᵉ siècle fut choisie par Jean II comme panthéon pour lui-même et sa femme Isabelle de Portugal. Leur mausolée de marbre blanc, œuvre de Gil de Siloé, est exécuté avec une virtuosité sans pareille. La chapelle abrite également le tombeau de l'**infant Alphonse** dont la mort prématurée a permis à Isabelle la Catholique, sa sœur, de monter sur le trône de Castille.

A côté de Miraflores se dresse le **monastère de San Pedro de Cardeña**, l'une des plus anciennes maisons bénédictines d'Espagne. Il fut fondé au IXᵉ siècle et est surtout célèbre par ses attaches avec le Cid, qui y laissa sa femme et ses enfants lorsqu'il partit en exil. Il demanda à y être enterré avec sa famille et son cheval Babieca, mais leurs cendres ont été transférées dans la cathédrale de Burgos en 1921. En 1940, des fouilles commanditées par le duc d'Albe ont mis à jour des ossements de cheval, ce qui accrédite la légende de Babieca.

Le **monastère de las Huelgas** (XIIᵉ siècle), à deux kilomètres du centre de Burgos, était destiné à accueillir des religieuses de très haut lignage. Son abbesse était la deuxième dame d'Espagne après la reine, et l'on disait à l'époque que si le pape avait été autorisé à se marier, seule l'abbesse de las Huelgas aurait été digne de cet honneur. Outre un nombre impressionnant de tombeaux royaux et princiers, l'édifice abrite un musée des tissus, le **Museo de Ricas Telas**, qui rassemble des étoffes précieuses et des parures découvertes dans les rares tombes qui ont échappé aux profanations en 1809.

Au nord-ouest de las Huelgas se dresse l'**Hospital del Rey**, qui fut fondé au XIIᵉ siècle par Alphonse VIII à l'intention des pèlerins de Saint-Jacques-de-Compostelle. Les plus pauvres d'entre eux pouvaient s'y arrêter afin d'y trouver le gîte et le couvert. Il a été partiellement reconstruit sous le règne de Charles Quint, comme en atteste la porte de style plateresque.

La province de Burgos regorge de villages et de hameaux qui évoquent les glorieux temps de la chevalerie. A une cinquantaine de kilomètres au sud, en sortant de la N-1, vous parviendrez, au bout de 4 km, à **Quintanilla de las Viñas**. L'ancienneté de cet ermitage wisigothique du VIIᵉ siècle lui confère une valeur archéologique très intéressante. Il ne reste plus de l'église que l'abside et le transept, que l'on peut visiter en s'adressant au *turismo* du hameau. Se dressant seul au milieu d'une plaine désolée, l'édifice frappe par l'originalité du thème de ses reliefs. Des motifs stylisés ornent les murs extérieurs, mais les symboles gravés sur les impostes, ainsi que les emblèmes du soleil et de la lune témoignent des croyances païennes de l'époque.

Dépassez ensuite les ruines du **monastère de San Pedro de Arlanza** pour vous rendre à **Covarrubias**, ravissant village qui doit son nom aux grottes rougeâtres qui l'entourent. Il conserve une partie de ses remparts du Xᵉ siècle et la cour de Doña Urraca, princesse au destin tragique qui y fut emprisonnée. La **collégiale** abrite plusieurs tombeaux médiévaux, dont celui de **Fernán González**, l'un des grands personnages de l'histoire castillane, mort en 970.

Rejoignez de nouveau la N-1 en direction de **Lerma**, dont les hautes murailles surplombent les berges de l'Arlanza. Il ne reste plus de l'ancienne enceinte du XIIᵉ siècle qu'une porte romane, et malgré l'aspect médiéval de l'ensemble, la plupart des constructions datent du XVIIᵉ siècle, dont l'imposant palais du duc de Lerma (1605). Ce paradoxe illustre bien la nostalgie des

La cathédrale de Burgos abrite le mausolée du Cid.

Espagnols pour le Moyen Age, nostalgie dont Cervantès s'est ouvertement moqué dans son célèbre roman. L'on dit à ce propos que *Don Quichotte* a fait rire la société espagnole du XVIIᵉ siècle, sourire celle du XVIIIᵉ, et pleurer celle du XIXᵉ siècle.

Ségovie, cité des poètes

De toutes les villes de Castille, **Ségovie** est sans conteste l'une des plus séduisantes. Située à 92 km de Madrid, elle attire en fin de semaine un grand nombre de madrilènes qui viennent admirer son aqueduc romain et son merveilleux Alcázar, mais aussi déguster la cuisine locale, laquelle est à la hauteur de sa réputation. Ségovie jouit en outre d'un site exceptionnel ; le cœur de la ville est perché à 1 000 m d'altitude sur un promontoire rocheux. On l'a souvent comparée à un vaisseau flottant entre ciel et terre, au confluent des ríos **Eresma** et **Clamores**.

A l'époque romaine, Ségovie fut un poste militaire. Les Romains construisirent l'aqueduc. Les Maures y introduisirent le travail de la laine et en firent, au

Moyen Age, une cité prospère. La ville s'est ensuite attiré les faveurs de la royauté castillane, et Isabelle la Catholique y fut proclamée reine en 1474. En 1480, Ségovie devint le quartier général du redoutable inquisiteur Torquemada.

Au XVe siècle, Ségovie comptait 60 000 habitants. Mais les guerres, les difficultés économiques et surtout la peste de 1599 l'amenèrent presque au bord de la ruine. Elle renaquit de ses cendres sous le règne des Bourbons, qui firent édifier leur résidence d'été à **la Granja**, à 11 km du centre. Elle devint dès lors la ville d'élection des artistes et des poètes, dont le plus célèbre est Antonio Machado.

Les habitants de Ségovie sont réputés pour leur gaieté et leur humour, comme en témoigne le **festival de Santa Agueda** en février, durant lequel les femmes remplacent dans leurs fonctions les membres des gouvernements provinciaux.

Vestiges de l'époque romaine

Avec ses 165 arches qui se dressent à 28 m au-dessus de la **Plaza del Azoguejo** et ses 813 m de long, l'**aqueduc** de Ségovie est l'une des plus grandes constructions romaines d'Espagne. Les énormes blocs de granit qui le constituent sont posés à sec, sans mortier ni ciment ; selon une légende médiévale, c'est le diable qui l'aurait construit en l'espace d'une seule nuit.

De la Plaza de Azoguejo, en remontant la **Calle de Cervantés** jusqu'à la vieille ville, vous passerez devant la **Casa de los Picos**, une noble demeure du XVIe siècle dont la façade est ornée de pierres taillées en pointe de diamant. Vous parviendrez un peu plus loin à la **Plaza de San Martín**, bordée de belles maisons Renaissance au milieu desquelles se dresse l'**église San Martín**, la plus remarquable église romane de Ségovie. Au centre de la place se trouve la statue de Juan Bravo, héros de la ville qui mena la résistance contre Charles Quint. Tout autour se déploient en été les terrasses des restaurants.

L'église du **couvent de Corpus Christi**, consacré en 1410, était jadis la plus grande synagogue de Ségovie. La **Judería**, qui s'étend le long de la **Calle San Frutos**, possède encore quelques maisons d'époque ;

L'Alcázar de Ségovie.

les fenêtres étroites dont elles sont percées permettaient juste à leurs occupants de respirer, sans vue sur la rue.

Autour de la **Plaza Mayor**, l'**église San Miguel**, construite en 1558, s'ouvre par un portail du XIIe siècle. C'est là qu'Isabelle fut proclamée reine de Castille, le 13 décembre 1474. L'intérieur recèle un riche trésor et des retables baroques. Sur la même place, la **cathédrale**, construite par Juan Gil de Hontañón et son frère Rodrigo à partir de 1522, est un exemple de la survivance du style gothique au XVIe siècle. Le **cloître** isabélin est celui de l'ancienne cathédrale, qui fut détruite par les Comuneros lors de l'insurrection contre Charles Quint. La **chapelle de Santa Catalina** abrite le tombeau du jeune infant Pedro, que sa gouvernante laissa malencontreusement tomber d'un balcon.

L'Alcázar

L'Alcázar se dresse comme une figure de proue à l'ouest de Ségovie. Il date du milieu du XIVe siècle mais a été remanié au XVe siècle par Catherine de Lancastre, femme de Henri III de Castille, puis par Jean II.

Les deux salles les plus intéressantes sont la **Sala de los Reyes**, qui renferme des sculptures sur bois des premiers rois de Castille, de León et des Asturies, et la **Sala del Cordón**, ornée d'une frise sculptée à l'image de la corde franciscaine. Selon la légende, Alphonse le Sage aurait un jour avancé l'idée que la Terre tournait autour du Soleil ; un éclair ponctua son audacieuse remarque et, terrifié, Alphonse fit le vœu de porter la corde de saint François en pénitence, jusqu'à la fin de ses jours. Si vous avez le courage de monter jusqu'au haut de la **Torre de Juan II**, vous serez récompensé par un superbe panorama sur la campagne environnante et la **Sierra de Guadarrama**, qui se découpe dans le lointain.

Il y a 18 églises romanes à Ségovie, mais la plus belle est celle de **San Esteban**, derrière la Plaza Mayor. Elle est dotée d'une galerie à chapiteaux et d'une très belle tour du XIIIe siècle, dite la « *reine des tours espagnoles* », caractéristique de la période de transition entre les styles roman et gothique. A proximité, dans la **Calle de los Desamparados**, se trouve la maison où vécut Antonio Machado. On ne peut pas la visiter mais le **Bar Poetas**, au coin de la rue, est en quelque sorte le sanctuaire du grand poète.

Un petit Versailles

San Ildefonso ou **la Granja** (la Ferme) se situe à 18 km au sud de l'aqueduc de Ségovie. Ce palais à la française est né de la nostalgie de Philippe V, petit-fils de Louis XIV, pour le château de son enfance.

Le palais renferme d'intéressantes collections de peintures, meubles et objets d'art, y compris des tapisseries flamandes du XVIe siècle. Les murs des salles sont décorés de marbres et les plafonds à fresques et stucs dorés sont parés de superbes lustres ouvragés. La plus belle partie de San Ildefonso est constituée par les jardins dessinés sur le modèle français et dont les 26 fontaines monumentales sont comparables, sinon supérieures, à celles de Versailles. Elle sont alimentées par un lac artificiel surnommé **el Mar** (la Mer). Des jeux d'eau les animent le 30 mai, le 25 juillet et le 25 août.

L'aqueduc romain de Ségovie, toujours en usage.

L'ESTRÉMADURE

Bordée à l'ouest par le Portugal, limitée au nord et au sud par une chaîne de montagnes, l'Estrémadure — dont le nom traduit l'isolement — fait partie de la Meseta et offre de frappants contrastes. La vallée du Tage, qui forme le nord-ouest de l'Estrémadure, est une région rocheuse et aride dont les plateaux sont voués à la pâture des moutons. Plus à l'est, dans la vallée du Tiétar, la Vera est une région prospère où s'étage, sur 2 000 m de dénivelé, une végétation fort variée : chênes et châtaigniers, oliviers, figuiers, orangers et vigne. La vallée de Plasencia, à côté de la Vera, forme un couloir long et étroit parcouru par le Jerte ; c'est une vallée très fertile, réputée pour ses vergers. La vallée du Guadina forme la partie sud de l'Estrémadure. A l'extrême sud, à la limite de l'Andalousie, le paysage devient plus riant : les collines sont couvertes d'eucalyptus, de chênes-lièges et de chênes verts qui alimentent une importante industrie du bois. La population se concentre le long des cours d'eau, autour de l'Alagón au nord, et du Guadiana au sud.

L'Estrémadure fut habitée dès la préhistoire. Au Ier siècle av. J.-C., la douceur des hivers et la fertilité du sol ont attiré plusieurs colonies romaines, notamment à Mérida. Par la suite, les invasions successives des Wisigoths et des Maures troublèrent la *Pax romana*. Lors de la Reconquête, l'Estrémadure devint une sorte de zone tampon entre les armées chrétiennes et musulmanes. Au XIIIe siècle, les vainqueurs chrétiens se virent attribuer de grands domaines. Mais la vie rurale ne convenait guère à ces anciens soldats habitués à l'action. De plus, les terres incultes ne suffirent pas à nourrir leur monde. Quand parvinrent du Portugal, tout proche, les échos de pays légendaires aux fabuleuses richesses, l'attrait de l'aventure et du pactole poussa à s'embarquer vers les « Indes » toute une jeunesse noble et pauvre.

La Vierge de Guadalupe, qui selon la tradition aurait été sculptée par saint Luc.

L'or des conquistadores

Environ un tiers de tous les Espagnols qui partirent à la conquête des Amériques venaient d'Estrémadure. Beaucoup moururent prématurément, peu rentrèrent avec la fortune escomptée. Ceux qui revinrent dans leur pays natal y bâtirent de magnifiques palais. Mais la fortune et la gloire ne durèrent qu'un temps, et le pays se retrouva bientôt confronté à ses anciens problèmes : l'isolement, la sécheresse et le système féodal. L'Estrémadure n'aura gardé de cette aventure que les superbes demeures qui donnent tant de charme à ses vieilles cités. Certaines sont encore habitées par les descendants des illustres conquérants. L'horloge de la ville, construite avec l'or des conquistadores, continue de rythmer les heures, tandis que parviennent, par un magnifique porche platéresque, des effluves d'ail et de thym. Accueillants mais réservés, les *estremeños* semblent avoir hérité le tempérament opiniâtre et intrépide de leurs ancêtres, et ils s'étonneront presque de voir les étrangers admirer les trésors historiques qui font partie intégrante de leur vie quotidienne.

Perchée sur une crête de la **Sierra de Palomera**, **Guadalupe** est une étape idéale pour prendre contact avec l'Estrémadure. Au XIIIe siècle, un berger y découvrit une statue de la Vierge Marie qu'on dit sculptée par saint Luc, et la ville devint dès lors un lieu de pèlerinage.

En 1340, Alphonse XI y fit construire un splendide monastère à la suite de la victoire du Salado qu'il remporta sur les Maures. Il dédia cet édifice à la Vierge et le confia aux moines hiéronymites. Au cours de son second voyage, Christophe Colomb rendit également hommage à la « *patronne de toutes les Espagnes* » en donnant son nom à l'une de ses découvertes : la Guadeloupe. A son retour, en 1496, il fit baptiser à la fontaine de Guadalupe les premiers Indiens qu'il ramena de ses expéditions. De siècle en siècle, rois, nobles et autres pèlerins fortunés firent des dons substantiels à l'ordre des hiéronymites afin d'enrichir et d'agrandir l'édifice d'origine, lequel devint tout à la fois église, forteresse et résidence royale.

Sanctuaire et station thermale

Au XVe siècle, Guadalupe était considérée comme le Vatican espagnol. Elle possédait plusieurs hôpitaux, une école des beaux-arts, 30 000 têtes de bétail et sans doute l'une des plus belles bibliothèques du monde. Son école de médecine, fortement influencée par la tradition médicale arabe, était l'une des plus avancées d'Europe. Certains moines étaient également des chirurgiens accomplis, du fait que le pape Nicolas V leur avait spécialement donné l'autorisation de pratiquer la dissection des cadavres. Le vieil **hôpital de San Juan Bautista**, avec son gracieux patio, abrite désormais le **Parador Zurbarán**, en face du monastère.

L'extrême richesse et la célébrité du monastère donnèrent naissance à une chanson populaire : « *Plutôt que comte ou duc, mieux vaut être moine à Guadalupe.* » L'endroit fut mis à sac en 1809, et les hiéronymites en partirent définitivement en 1835, lorsque le gouvernement ordonna la vente des biens du clergé.

A présent, le **monastère** est dirigé par les franciscains, qui accueillent eux-mêmes les visiteurs pour leur faire découvrir les trésors de Guadalupe.

La partie la plus intéressante de la visite est la **sacristie**, qui renferme huit peintures exécutées entre 1638 et 1647 par Zurba-rán. Elles retracent des scènes de la vie de saint Jérôme et des principaux prieurs du monastère.

Pour terminer, un escalier de marbre rouge vous conduira au **camarín**, fastueuse antichambre de la Vierge de Guadalupe. Sur son trône émaillé, la petite statue de cèdre figurant la Madone semble perdue au milieu de la magnificence de sa robe. Comme elle est demeurée sept cents ans sous terre, son visage et ses mains sont noircis, mais c'est aussi parce que les Maures auraient tenté de la brûler. Sa couronne incrustée de joyaux, réservée à la procession solennelle du 12 octobre, est gardée dans la **salle des Reliques**.

La ville s'est développée autour du monastère et vit encore des ressources que lui procurent le commerce d'objets de piété et le tourisme. Les rues pavées serpentent parmi les maisons typiques de la région, avec leur toit d'ardoises et leurs balcons de bois. Outre les souvenirs religieux, vous pourrez rapporter de Guadalupe une bouteille de *gloria*, boisson faite à base d'*aguardiente*, de jus de raisin et d'herbes aromatiques.

Les vendanges, mosaïque romaine.

En traversant la **Sierra de Guadalupe** au sud, vous parviendrez aux villages de montagne de **Logrosán** — près duquel se trouvent des ruines préromaines — et de **Zorita**. Rejoignez ensuite la N-5 à **Miajadas**. De là, vous pourrez faire un détour de 13 km jusqu'à **Medellín**, village natal de **Hernán Cortés**. Du haut du château en ruine, vous aurez une vue ravissante sur le **río Guadiana**, dont les eaux scintillent au fond de la vallée. Medellín est un paisible village que rien ne distingue des autres, si ce n'est la statue en bronze de Cortés qui se dresse sur la place — l'une des rares, sinon l'unique, représentations sculptées du célèbre conquistador.

Mérida

L'ancienne *Augusta Emerita* est située à 127 km au sud de Guadalupe, sur le río Guadiana. Fondée en 25 av. J.-C., cette cité fut la capitale florissante de la colonie romaine de Lusitanie. Les ruines romaines font aujourd'hui la fierté des habitants de Mérida, laquelle est devenue le site privilégié des archéologues, qui continuent de découvrir régulièrement de nouveaux trésors dans les environs, à défaut de pouvoir explorer le sous-sol de la ville.

Ses constructions du XVIIe siècle et ses haies de lauriers-roses et d'hibiscus donnent à Mérida une atmosphère agréable et raffinée. Par les chaudes soirées d'été, les terrasses des cafés de la **Plaza de España** s'emplissent d'une clientèle exubérante et élégante. Un festival de théâtre se tient chaque année à Mérida, au mois de juillet ; les meilleures compagnies espagnoles et internationales y donnent des pièces du répertoire classique. Les représentations ont lieu au **théâtre romain** et dans l'**amphithéâtre**, lesquels contiennent respectivement 6 000 et 14 000 places.

A proximité se trouve l'**hippodrome**, où se déroulaient jadis des courses de chars, et la **Casa Romana**, villa patricienne dont il ne reste guère plus que le tracé au sol des différentes pièces qui la constituaient. Les mosaïques presque intactes illustrent les quatre saisons de l'année.

En face des théâtres romains se dresse le nouveau **musée Archéologique**, inauguré en 1986, qui conserve l'une des plus grandes collections d'objets et d'œuvres d'art de l'époque romaine hors d'Italie. Avec sa haute voûte de briques, le hall principal du musée forme un cadre tout à fait approprié aux statues colossales qu'il abrite. En sortant du musée, vous pourrez emprunter la **Rambla Santa Eulalia** afin de vous rendre au **temple de Diane**, sanctuaire de style corinthien probablement édifié peu après l'installation des Ve et Xe légions romaines.

Tout près de la Plaza de España se dresse l'immense **arc de Trajan** qui domine de ses 50 m les constructions avoisinantes. Les deux autres édifices importants de l'époque romaine sont le **pont** qui enjambe le Guadiana (c'est le plus grand pont romain d'Espagne, avec ses 60 arches de granit, ses 792 m de long et ses 4,50 m de large) et l'**aqueduc de los Milagros** qui amenait à Mérida, il n'y a pas si longtemps encore, les eaux du barrage de la Prosepina, à 5 km de la ville.

Badajoz

Capitale de la province méridionale de l'Estrémadure, **Badajoz** se trouve à 60 km

Le nouveau musée archéologique de Mérida.

de Mérida et à 6 km seulement de la frontière portugaise.

Badajoz fut fondée par les Maures en 1009, à l'emplacement d'une ancienne cité romaine appelée *Pax Augusta*. Après le démembrement du califat de Cordoue, elle devint la capitale du petit royaume de Batalyos, souvent attaqué par les Portugais, les Castillans, les rois de León et de Galice. Les armées chrétiennes d'Alphonse IX s'en emparèrent en 1229, mais sa position stratégique en fit l'enjeu de combats acharnés durant plusieurs siècles.

Le 15 août 1936, les forces nationalistes l'occupèrent après une vive résistance des républicains. Ce fut l'un des épisodes les plus tragiques de la guerre civile. Au début des années soixante, la pauvreté endémique qui avait fait de Badajoz un fief républicain a été partiellement supprimée grâce au plan Badajoz, un programme gouvernemental d'expropriation et d'irrigation.

Badajoz est à présent la plus grande ville d'Estrémadure, et son apparence quelque peu massive met en relief la délicatesse des édifices qu'elle a hérités de l'oc-

cupation musulmane. La partie de la ville gardant la plus forte influence arabe est située sur une colline appelée **Orinace**, qui s'élève à 60 m au-dessus des berges du río Guadiana. C'est là, en effet, que les rois maures firent édifier leur forteresse, l'**Alcazaba**. La majeure partie des remparts et des tours d'origine ont résisté aux outrages du temps. Vous remarquerez tout particulièrement l'**Espantaperros**, tour octogonale ainsi nommée parce que la cloche qu'elle abritait jadis provoquait des vibrations qui affolaient les chiens (*perros* en espagnol). Les **jardins** qui entourent l'Alcazaba sont plantés de palmiers datant de l'époque mauresque.

Outre le **musée d'Archéologie** qui se trouve dans l'enceinte de l'Alcazaba, les deux monuments qui méritent une visite sont la **Puerta Palmas** — la porte de la vieille ville dessinée par Herrera — et la **cathédrale** gothique, avec ses stalles Renaissance et ses peintures de Luis de Morales et de Zurbarán. Pour conclure votre visite, ne manquez pas de goûter les délicieuses charcuteries locales, que vous pourrez déguster sous forme de *bocadillo*

Les religieuses aiment raconter les miracles de Trujillo.

(sandwich) à l'ombre des grands palmiers du **Parque de la Legión**, d'où l'on aperçoit les remparts.

Cáceres

Capitale du Nord de l'Estrémadure, Cáceres semble tout droit sortie d'un livre d'enluminures. Séduits par l'authenticité de ses rues pavées et l'ocre doré de sa pierre, les metteurs en scène l'ont choisie pour tourner de grands drames romantiques tels que *Roméo et Juliette* ou *la Célestine*. Cáceres a été miraculeusement épargnée par les nombreux sièges et bombardements qu'ont subi la plupart des villes d'Estrémadure. Son quartier médiéval, le **Barrio Monumental**, a été proclamé monument historique national. La vieille ville est isolée des nouveaux quartiers par des remparts à tourelles étonnamment bien préservés. C'est à partir de la **Plaza Mayor** que vous en aurez la meilleure approche. Laissez votre voiture pour monter jusqu'à l'**Arco de la Estrella** (l'arc de l'Étoile) qui vous fera passer sans transition du présent au passé. Loin des rumeurs de la ville nouvelle, la vieille cité endormie dans le souvenir de sa grandeur passée reste le domaine des cigognes et des hirondelles.

Une noblesse impétueuse

Au Moyen Age, Cáceres vécut des périodes mouvementées. Lorsque Alphonse IX la reconquit en 1229, la ville devint le berceau d'une lignée de chevaliers nommés *los fratres de Cáceres*. Ces derniers fondèrent par la suite l'ordre militaire de Santiago, à qui fut confiée la mission de protéger et d'héberger les pèlerins se rendant à Saint-Jacques-de-Compostelle. A une époque, la ville compta jusqu'à 300 familles de chevaliers, dont le palais se touchaient. Ces *solares*, ou maisons seigneuriales, étaient de véritables bastions de clans rivaux qui se livrèrent d'incessantes batailles jusqu'à la fin du XVᵉ siècle.

Dans l'intérêt de la paix générale, les tours fortifiées qui protégeaient ces nobles demeures et en affirmaient la puissance furent démantelées en 1477, sur l'ordre de Ferdinand et Isabelle. Parmi les rares qui ont subsisté, la plus étonnante est sans

La statue du conquistador Pizarre orne la Plaza Mayor de Trujillo.

doute la **Torre de las Cigüeñas** (la tour des Cigognes), **Plaza San Mateo**.

Juste en face, vous apercevrez la **Casa de las Veletas** (la maison des Girouettes), palais baroque partiellement édifié à l'emplacement du château mauresque. Les musulmans furent maîtres de Cáceres pendant près de quatre siècles et ce sont eux qui firent construire la plus grande partie des fortifications. Au sous-sol de la Casa de las Veletas se trouve encore un *aljibe*, grande citerne ressemblant à une mosquée inondée. Dans les étages, un musée abrite une collection d'objets variés témoignant du riche passé de Cáceres. L'on y trouve également reproduites les peintures rupestres des **grottes de Maltravieso**, désormais fermées au public.

A gauche du musée se dresse l'**église de San Mateo**, avec son magnifique clocher, et le **couvent de San Pablo**.

Cáceres est la ville natale de plusieurs conquistadores qui y firent bâtir leurs propres palais, jouxtant ceux des anciens aristocrates. Il en résulte un mélange de styles allant du gothique à l'art plateresque, mais l'utilisation presque exclusive du gra-

nit donne à l'architecture de la ville une homogénéité exemplaire.

Parmi les palais les plus intéressants, citons la **Casa del Sol**, qui doit son nom au gracieux blason de la famille Solis, sculpté au-dessus du portail, et la **Casa del Mono** (la maison du Singe), transformée en **musée des Beaux-Arts**. A côté de l'**église Santa María la Mayor** (XVIe siècle), le **palais épiscopal**, le **palais d'Ovando** et la **Casa Toledo-Moctezuma**, qui fut élevée par Juan Cano de Saavedra, grâce à la dot considérable de sa femme, laquelle n'était autre que la fille de l'empereur aztèque Moctezuma (ou Montezuma).

Derrière Santa María, vous trouverez la **Casa de los Golfines de Abajo**, résidence d'une famille de chevaliers français qui furent invités à venir à Cáceres au XIIe siècle afin de combattre les Maures. Ils finirent par terroriser les chrétiens tout autant que les musulmans, et un chroniqueur souligna que « *le roi lui-même ne parvint pas à les soumettre à son autorité* ». Une impertinente devise est gravée sur la pierre du palais : « *Ici, les Golfines attendent le jugement de Dieu.* » Le mot *golfo*

signifie « gredin » et dériverait du nom de cette illustre et redoutable famille. C'est dans cette maison que Franco fut proclamé chef de l'État, le 29 octobre 1936.

La meilleure façon d'apprécier le charme médiéval du Barrio Monumental de Cáceres est de cheminer à travers rues et venelles. Beaucoup de demeures seigneuriales sont habitées, mais vous pourrez souvent jeter un coup d'œil sur leurs ravissants patios. A la tombée de la nuit, les rues s'illuminent mais restent étrangement désertes, à l'exception de quelques touristes ou d'un petit groupe de personnes revenant solennellement de la messe du soir. Contrairement aux autres villes d'Espagne, le vieux quartier de Cáceres demeure résolument à l'écart de toute activité tapageuse.

Trujillo

A 47 km de Cáceres, la merveilleuse ville de **Trujillo** couronne une colline entourée de pâturages. Bien qu'à peine plus grande qu'un village, elle mérite qu'on s'y attarde au moins deux jours.

Cáceres, une ville médiévale intacte.

La longue histoire de Trujillo commence avec Jules César, mais l'apogée de sa gloire reste liée à la conquête du Pérou par Francisco Pizarro, dont elle est la ville natale. La statue équestre du célèbre conquistador qui se dresse au centre de la **Plaza Mayor** et les nombreux palais édifiés grâce à l'or des Incas qui sont disséminés dans toute la ville sont les témoignages de sa prospérité passée.

Les conquistadores n'étaient pas, comme on l'a souvent écrit, de vulgaires aventuriers, mais des cadets ou des fils naturels de familles de haut lignage. Malgré l'éducation et l'excellente formation militaire qu'ils avaient généralement reçues, ils ne pouvaient guère espérer de brillante situation au sein de la société espagnole d'alors. Francisco Pizarro, pour sa part, était le fils illégitime d'un noble ; il s'embarqua sur les mers avec ses trois frères et son compagnon Almagro afin de conquérir les richesses légendaires du Nouveau Monde. Même en ces temps où soufflait le vent de l'aventure, l'expédition péruvienne était considérée comme celle « *de los locos* » (des fous). L'on rapporte qu'à un moment désespéré de sa progression dans la jungle amazonienne, Pizarro traça un trait sur sol de la pointe de son épée et défia ses compagnons de le franchir s'ils désiraient rentrer chez eux. Tous le firent, sauf treize. C'est en compagnie de ces treize hommes décidés à tout que Pizarro poursuivit son incursion en territoire inca. L'audace de cette entreprise convainquit Charles Quint de lui fournir les vaisseaux et les troupes qu'il exigeait afin de triompher des Incas. Il y parvint en 1533 après avoir fait exécuter l'empereur Atahualpa.

Le **palais des Marquis de la Conquista** édifié par **Hernando Pizarro**, frère de Francisco, présente une façade d'un style plateresque exubérant où figurent les armoiries attribuées par Charles Quint.

Derrière la statue de Pizarro se dresse l'**église de San Martín** (XVᵉ et XVIᵉ siècles), dont la double façade s'ouvre sur la Plaza Mayor par un portail Renaissance. A l'intérieur, l'œuvre d'art la plus intéressante est le *Cristo de la Agonía*.

Un peu plus loin, vous découvrirez la superbe façade du **palais des Ducs de San**

Depuis 800 ans, le tour du marché à Plasencia est le mardi.

Carlos, qui fut réalisée au XVIIIe siècle malgré son pur style plateresque. Ce palais est désormais habité par des religieuses qui se feront un plaisir de vous faire visiter le patio et les magnifiques caves voûtées.

Toujours sur la Plaza Mayor, vous pourrez admirer le **palais de Chaves Cardeñas**, mélange d'architecture gothique et baroque. La ville de Santa Cruz, en Bolivie, fut fondée par un membre de cette illustre famille d'Estrémadure. A quelques pas de la Plaza Mayor, le **palais de Orellana-Pizarro**, également tenu par des religieuses, vous permettra de découvrir un merveilleux patio de style plateresque.

Ne vous éloignez pas de la Plaza Mayor sans vous être auparavant restauré à la **Fonda Troya**. Il n'y a pas de menu, mais la patronne apportera d'office à votre table vin, croquettes, omelette de pomme de terre et *empanadas* (friands fourrés à la viande ou au poisson).

La ville des prodiges

A Trujillo, l'on peut dire que chaque pas vous replonge un peu plus dans le passé. En remontant la **Cuesta de Santiago** en direction du **château mauresque**, vous passerez tout d'abord devant la **Torre del Alfiler** (la tour de l'Aiguille) ; ce gracieux clocher mudéjar semble être devenu le lieu de prédilection des cigognes. Ensuite, faites une halte à l'**église Santa Maria la Mayor**. De style roman du XIIe siècle, elle fut remaniée en style gothique aux XVe et XVIe siècles mais a conservé son clocher d'origine. Outre un splendide **retable** à 24 panneaux peint par Gallego, elle renferme le tombeau de Diego Paredes, surnommé le « Samson espagnol ».

Au sommet de la colline, le Castillo, fort bien conservé, domine Trujillo et ses alentours. Cette belle construction militaire fut édifiée sur des vestiges romains ; elle est renforcée par des tours carrées d'origine maure et par des tours cylindriques ajoutées après la Reconquête. Le château fut agrandi aux XVe et XVIe siècles. La chapelle située au niveau supérieur est dédiée à la Vierge, qui a permis à l'armée chrétienne de triompher des Maures en illuminant le brouillard qui les avait enveloppés.

Trujillo est particulièrement agréable le soir, lorsque les cafés de la *plaza* se remplissent d'une foule animée et que les jeunes prennent d'assaut la **statue de Pizarro**.

Plasencia

Bâtie sur une éminence que contournent les eaux de la Jerte, à 43 km au nord de Trujillo, Plasencia fut fondée par les Berbères puis conquise par Alphonse VIII, qui changea son nom d'origine — Ambroz — en *Placeat Deo et hominibus* (« Plaise à Dieu et aux hommes »). Les musulmans et les juifs qui l'habitèrent en grande partie jusqu'en 1492 lui ont laissé des ruelles tortueuses aux noms évocateurs, telle la **Calle de las Morenas** (la rue des Brunes). Rendez-vous à Plasencia de préférence un jeudi, jour de marché sur la **Plaza Mayor** depuis l'an 1200.

Plasencia possède une impressionnante **cathédrale,** qui résulte en réalité de la fusion de deux églises. La première date de l'époque romano-gothique (XIIe et XIVe siècles) tandis que la seconde, construite à la fin du XVe siècle, présente un style gothique agrémenté d'éléments plateresques du XVIe siècle. Elles forment toutes deux, de l'extérieur, un bloc massif qui n'est pas sans évoquer le rocher de Gibraltar. Les plus grands architectes et sculpteurs y ont travaillé : Juan de Avila, Francisco de Covarrubias, Siloé, Gil de Hontañón, pour ne citer que les plus célèbres.

Les stalles du chœur sont parmi les plus belles d'Espagne ; elles sont ornées, sur le devant, de motifs sacrés mais, au dos, de scènes profanes. Leur sculpteur, Rodrigo Alemán, déclara que Dieu lui-même n'aurait pu créer un tel chef-d'œuvre. C'est vraisemblablement à cause de ce blasphème qu'il fut emprisonné dans une tour du château. Selon la légende, Rodrigo Alemán mourut en voulant s'envoler du haut du château avec des ailes de sa confection.

Il y a plusieurs palais à Plasencia, le plus grand étant le **palais des Marquis de Mirabel**, sur la **Plaza de San Vicente.** La demeure est occupée par les descendants de la famille, mais le gardien vous permettra de faire le tour du patio Renaissance et de visiter les pièces du rez-de-chaussée, notamment le salon, qui contient une belle collection d'objets archéologiques. Il vous racontera également l'histoire de cette famille.

Une ville fantôme

Sur la route de Madrid, ne manquez pas de faire le détour par **Hervás**, un village de montagne entouré de forêts de pins et de châtaigniers qui possède l'un des quartiers juifs les mieux conservés d'Espagne. Au début du Moyen Age, Hervás attira une grande partie des juifs qui voulaient échapper aux persécutions dont ils étaient l'objet dans les grandes villes, de la part des chrétiens comme des Arabes. Hervás fut épargné par les pogroms et les incendies qui ravagèrent les *juderiás* en 1391.

Lorsque les juifs furent chassés d'Espagne en 1492, leur quartier demeura en l'état et leurs possessions furent attribuées au duc de Béjar. Le village sombra alors dans l'oubli avant de connaître un regain d'intérêt de la part des citadins, qui y font construire des chalets. Le dédale que forment les ruelles pavées et l'architecture fantaisiste des maisons de brique et de bois de châtaignier donnent à Hervás une ambiance intime et chaleureuse.

La ville a conservé quelques coutumes juives, comme la fabrication du *hornazo* (pain sans levain), et certains noms à consonance hébraïque. A l'entrée du vieux quartier, on peut lire sur une plaque commémorative une inscription dédiée à l'amitié judéo-espagnole.

D'Hervás, une petite route escarpée, à éviter par mauvais temps, traverse une partie de la **Sierra de Gredos**, qui culmine à 2 100 m d'altitude. La vue que vous découvrirez du sommet est magnifique.

Pour terminer votre circuit en Estrémadure, nous vous suggérons de faire halte au **monastère de Yuste**, qui fut la dernière résidence de Charles Quint, à partir de 1556, après qu'il eut abdiqué en faveur de son fils Philippe II. Il y mourut le 21 septembre 1558.

Après avoir été saccagé pendant la guerre d'indépendance contre les troupes napoléoniennes, puis restauré en plusieurs étapes selon les plans d'origine, le monastère a été de nouveau confié aux hiéronymites. Aujourd'hui, l'on peut visiter les appartements où résidait Charles Quint, l'église gothique, dont le chœur recèle de belles boiseries, ainsi que les deux cloîtres, l'un gothique, l'autre platéresque.

A Hervás, un village de montagne, l'ancien quartier juif a peu changé.

L'ANDALOUSIE

Séville, Cordoue, Grenade : par la simple résonance de leurs trois noms souvent associés, ces villes évoquent l'éclat, la splendeur et la fierté de l'Espagne méridionale.

En raison de son climat, de ses richesses minières et de sa position géographique — notamment la facilité d'accès par la mer — l'Andalousie a successivement attiré, dès l'an 1000 av. J.-C., les Phéniciens puis les Grecs, les Romains, les Vandales et les Maures. Mais c'est assurément la dernière peuplade, constituée d'Arabes et de Berbères, qui lui a laissé l'empreinte la plus remarquable.

Du temps de l'occupation maure, l'Andalousie abritait l'une des civilisations les plus évoluées du Moyen Age, bien que les qualités qui ont fait sa réputation remontent à l'époque romaine ; la région s'appelait alors la Bétique et représentait pour la Rome impériale le fleuron de ses colonies.

Aujourd'hui, ce sont toujours les mêmes qualités qui rendent l'Andalousie si séduisante aux yeux de l'étranger : un climat exceptionnel (peu de pays peuvent se targuer de bénéficier de trois mille heures d'ensoleillement pour quelque 30 cm de pluie par an), une extraordinaire variété de paysages, la richesse de son patrimoine et la merveilleuse hospitalité de ses habitants.

Les hivers andalous sont généralement doux mais les étés particulièrement torrides. De l'aridité témoignent les nombreux cours d'eau asséchés, dont les lits sont parfois exploités pour la culture.

Le peuple andalou

Jusqu'à la reconquête de Grenade par les Rois Catholiques en 1492, l'Andalousie a rarement été gouvernée par un seul et même souverain. Les conflits incessants qui opposaient les émirats et les *taifas* (petits royaumes musulmans indépendants) de Cordoue, Jaén, Grenade et Séville ont contribué à affaiblir la domination maure bien avant que la pression croissante des royaumes chrétiens de l'Espagne septentrionale ne lui porte le coup de grâce.

L'Andalousie est aujourd'hui la région la plus peuplée d'Espagne, avec 6,5 millions d'habitants répartis sur un territoire de 89 800 km^2 divisé en huit provinces. Comparable par la taille au Portugal, dont elle partage la frontière à l'ouest, elle s'étend à l'est jusqu'à la côte méditerranéenne à la hauteur de Murcie ; elle est limitée au nord par la Sierra Morena, au sud-ouest par le littoral atlantique et au sud-est par la Méditerranée.

Les habitants des provinces d'Almería, Grenade, Jaén, Cordoue, Málaga, Cadix, Séville et Huelva sont tout à la fois fiers d'être *andaluces* et soucieux de se définir, dans leur individualité, comme *almerienses, granadinos, cordobeses* ou *sevillanos*. Selon les dires d'un chauffeur de taxi sévillan : « *Séville est différente des autres villes. Les gens y sont plus sympathiques, plus ouverts et plus avenants qu'ailleurs. Bien sûr, nous nous disons Andalous parce que nous partageons le même drapeau, mais vous remarquerez que Cadix, même si elle lui ressemble, ne vaut pas Séville ; quant aux Granadinos, ils sont tellement rustres qu'on ne dirait même pas qu'ils sont andaluces !* »

Cet esprit de clocher, bien qu'énoncé sur un ton badin, dénote une rivalité plus profonde datant de l'époque où les brusques revers de fortune dressaient les uns contre les autres les royaumes de Grenade, Séville et Cordoue.

Les Espagnols du Nord tendent à considérer les Andalous comme des individus quelque peu paresseux et particulièrement attachés au rituel de la sieste. Mais parallèlement, tous reconnaissent et admirent leur spontanéité, leur vivacité d'esprit et leur aptitude innée à allier le sens de la tragédie à l'humour le plus ravageur.

Dans ses *Contes de l'Alhambra*, l'essayiste et historien américain Washington Irving (1783-1859) écrivait : « *Il existe deux catégories de personnes pour qui la vie est comme les grandes vacances : les très riches et les très pauvres. Les premiers parce qu'ils n'ont pas besoin de faire quoi que ce soit, les seconds parce qu'ils n'ont rien à faire. Mais ce sont les classes pauvres d'Espagne qui connaissent, mieux que personne, l'art de ne rien faire et de vivre avec trois fois rien. Le climat y est pour une bonne part, le tempérament fait le reste. Parlez-leur de pauvreté : pour eux, cela n'a* »

Pages précédentes : champs de tournesols en Andalousie ; Ronda à la nuit tombante. A gauche, un « señorito » lors de la feria de Abril de Séville.

rien d'infamant. Ils s'en revêtent, comme de leurs vêtements en loques, avec grandeur et dignité. Car même en haillons, un Espagnol demeure un hidalgo. »

L'on retrouve cette dignité, par exemple, dans la propreté des ruelles des villages andalous, où même les maisons les plus modestes sont impeccablement tenues.

Tour à tour amusés et agacés, les autres Espagnols considèrent avec indulgence les caprices et les excès de tempérament de leurs concitoyens andalous.

Un avenir prometteur

Il est vrai que l'Andalousie est pauvre depuis que les chrétiens ont supplanté les Maures. Il ne s'agit pas d'une misère évidente et dramatique comme dans les pays du tiers monde, mais d'une forme de pauvreté rurale sous-jacente dont le touriste ne prend pas forcément conscience.

Cependant, le récent essor de l'urbanisation, essentiellement sur le littoral méditerranéen, et l'épanouissement de l'agriculture laissent présager que la situation économique de l'Andalousie est en train de se redresser de façon spectaculaire. Grâce à la fertilité du sol, les champs vont enfin pouvoir tenir la promesse de devenir la Californie de l'Espagne. Car enfin, avec huit millions d'hectares de terres arables gorgées de soleil (soit 18 % de la superficie totale du pays), il suffit d'apporter l'eau, voilà tout. Depuis quelques années, 12 140 ha de serres de plastique ont été installés le long de la Costa del Sol, aux alentours d'Almería ; elles sont destinées à capter l'humidité de façon à permettre la culture de produits maraîchers ou exotiques tels que les kiwis.

Quant au tourisme, bien qu'il représente déjà une énorme industrie en Andalousie, il peut encore être développé, étant donné que seulement 129 km de côte sont exploités sur les 805 km disponibles. En outre, le réseau routier s'est sensiblement amélioré. En 1990, deux autoroutes supplémentaires faciliteront les communications intérieures et permettront de gagner rapidement Madrid.

Dans le même temps, parallèlement à ces grandes transformations, l'on conti-

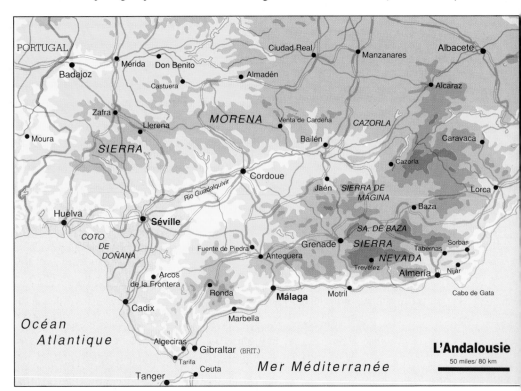

L'Andalousie
50 miles/ 80 km

nue d'exploiter les gisements de cuivre, de plomb, de fer et de charbon qui ont jadis fait la richesse de l'Andalousie. Heureusement pour elle, sa réputation de « *pays riche habité par des pauvres* » est en passe de décliner. Bien que le chômage reste élevé (plus de 31 %), le plus grand quotidien d'Espagne, *El País*, fait état d'une économie clandestine très florissante et d'un taux d'analphabétisme de 14 %, soit « *juste assez pour être une cause de préoccupation* ».

Stimulée par l'entrée de l'Espagne dans le Marché commun et solidement soutenue par son enfant, le premier ministre Felipe González, l'Andalousie déborde d'activité et s'applique à rattraper le temps perdu, comme si elle s'éveillait soudainement d'une trop longue sieste.

Séville

Quatrième ville d'Espagne par ses dimensions, **Séville** est la plus coquette des trois grandes cités du Sud. Et comme le dit le refrain d'une vieille chanson ; « *Quien no ha visto Sevilla, no ha visto maravilla* »

(« Qui n'a pas vu Séville n'a pas vu de merveille »).

De fait, Séville est une ville superbe. Séduisante même sous le crachin d'une journée de décembre, elle resplendit littéralement sous le soleil d'été. Ce n'est pas un hasard si Tirso de Molina l'a choisie comme toile de fond pour *le Trompeur de Séville* (où apparaît pour la première fois le personnage de don Juan, qui inspira par la suite Molière, Mozart et Byron), Beaumarchais pour son célèbre *Barbier*, et Bizet pour *Carmen*. Séville est également la ville natale de nombreux écrivains et artistes, dont Gustavo Adolfo Bécquer (1836-1870), Antonio Machado (1875-1939), Diego Vélasquez (1599-1660) et Bartolomé Esteban Murillo (1618-1682).

Des personnages plus austères, telle sainte Thérèse d'Avila, ont succombé à son charme, et le philosophe José Ortega y Gasset l'a décrite comme une « *ville de réflexion* ». Quel que soit le sens ambigu qu'il ait voulu donner à ces paroles, Séville n'en demeure pas moins un lieu où la vie se manifeste dans toute son ampleur et avec l'enthousiasme le plus débridé.

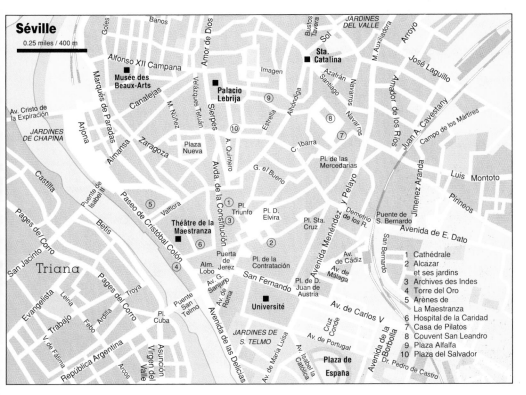

Séville

0.25 miles / 400 m

1 Cathédrale
2 Alcazar et ses jardins
3 Archives des Indes
4 Torre del Oro
5 Arènes de La Maestranza
6 Hospital de la Caridad
7 Casa de Pilatos
8 Couvent San Leandro
9 Plaza Alfalfa
10 Plaza del Salvador

La longue histoire de Séville se résumait en quelques mots gravés sur la porte de Jérez, aujourd'hui détruite : « *Hercule m'a construite, César m'a entourée de remparts et de tours, le Roi Saint (Ferdinand III) m'a conquise.* »

A l'époque de la conquête du Nouveau Monde, le port de Séville connut une brève, mais intense activité. Quelques années plus tard, alors que les Provinces-Unies, l'Angleterre et l'Espagne rivalisaient pour s'arroger la suprématie sur les colonies d'outre-mer, Séville devint l'une des plus riches cités du monde. Néanmoins, elle avait déjà connu la gloire et la fortune bien auparavant. Fondée par les Ibères, elle fut conquise par Jules César en 45 av. J.-C. Elle reçut alors le nom de *Colonia Julia Romula* et devint rapidement l'une des principales villes de la province romaine de Bétique, laquelle correspond approximativement à l'actuelle Andalousie.

Avec l'arrivée des Vandales, Séville connut un certain déclin qui s'accentua lorsque les Wisigoths transférèrent la capitale de leur royaume à Tolède.

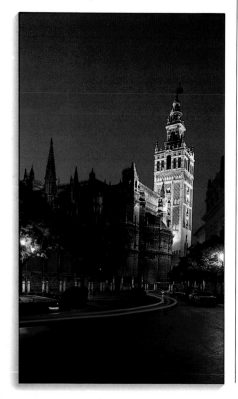

Les temps glorieux

En 712, les Maures nommèrent Séville *Ishbiliya* et l'annexèrent au califat de Cordoue dont elle devint la rivale, notamment sur le plan culturel et artistique. Lors du démembrement du califat au XIe siècle, Séville retrouva son indépendance avant de subir la domination des Abbadides en 1023, puis des Almoravides en 1091 et des Almohades en 1147. C'est sous cette dernière dynastie que la ville connut un regain de prospérité dont elle garde encore la merveilleuse empreinte, symbolisée par la Giralda.

En 1248, Séville fut reconquise par les armées chrétiennes de Ferdinand III, qui en fit une cité puissante dont l'importance commerciale ne fit que s'accroître jusqu'au règne d'Alphonse le Sage, à la fin du XIIIe siècle.

Au XVIe siècle, le courant des grandes explorations vers le Nouveau Monde porta Séville à l'apogée de sa gloire (c'est de là que Magellan partit en 1519, afin d'entreprendre son premier voyage de circumnavigation) mais l'entraîna également dans sa chute, lorsque le grand Empire espagnol s'effondra un siècle plus tard. En 1649, une épidémie de peste tua un tiers de la population. Par la suite, le déclin de Séville s'accéléra à cause de la compétition maritime que lui livrait Cadix et en raison de la perte de nombreuses colonies qui alimentaient une grande partie de son commerce. Les troubles politiques qui secouèrent l'Espagne au XIXe siècle, enfin l'occupation française de 1808 à 1812 achevèrent de mettre fin à sa prépondérance régionale.

Séville aborda donc le XXe siècle avec, en héritage, un passé historique mouvementé qui, bien que terni, gardait encore le souvenir de fastueuses époques. Dès les premiers temps de la guerre civile, elle devint le bastion des nationalistes d'Andalousie. Elle sortit de la guerre gravement endommagée et moralement très affaiblie, mais sa légendaire *alegría* a toutefois fini par reprendre le dessus.

La population de Séville a doublé depuis 1940 et compte aujourd'hui 650 000 habitants. Grâce au statut d'autonomie régionale garanti il y a quelques années, Séville commence à reprendre de l'importance et à mériter le titre de capi-

La Giralda de Séville est un ancien minaret.

tale de l'Andalousie. Elle sera le siège de l'exposition universelle de 1992 et, en prévision des millions de visiteurs attendus à l'occasion de cette manifestation, l'on met en place des infrastructures adaptées qui lui ouvriront de nouvelles perspectives de développement à l'horizon de l'an 2000.

L'œuvre de fous

Pratiquement toutes les constructions andalouses sont à échelle humaine, excepté la **cathédrale** de Séville. Avec ses 116 m de long et ses 76 m de large, elle fut construite entre 1402 et 1506 à l'emplacement de la grande mosquée, édifice de la seconde moitié du XIIᵉ siècle dont il reste plusieurs corps de bâtiments, notamment la fameuse **Giralda** et la **cour des Orangers**. En 1401, le chapitre de Séville voulut édifier une cathédrale « *qui ne puisse jamais avoir d'égale, afin que la postérité, en la voyant achevée, se dise que seuls des fous ont pu oser accomplir un tel ouvrage* ».

D'allure massive à l'extérieur, c'est l'une des dernières cathédrales gothiques, où se mêlent quelques influences Renais-

sance. A l'intérieur, les gerbes de colonnes supportant les grandes arcades paraissent fines et élancées, malgré leur robustesse, en raison de leur exceptionnelle hauteur. A la croisée du transept, les voûtes s'élèvent à 56 m.

Les diverses chapelles recèlent de nombreuses reliques et œuvres d'art, dont plusieurs tableaux de Murillo, Zurbarán et Goya, ainsi qu'une croix réalisée avec le premier chargement d'or rapporté d'Amérique par Christophe Colomb. A droite du transept se dresse le monument funéraire censé contenir les cendres du grand explorateur. A ce propos, il semble que Christophe Colomb ait autant voyagé après sa mort que de son vivant, car son corps fut tout d'abord conduit à Séville en 1507 avant d'être transporté à **Nuestra Señora de las Cuevas**, à Triana, où il demeura jusqu'en 1542. Il fut ensuite acheminé jusqu'en Haïti, puis à La Havane en 1796, avant de revenir à Séville en 1899.

Le sanctuaire est d'une remarquable richesse. De magnifiques grilles platéresques (1518-1533) précèdent un immense retable rutilant d'or ; il fut sculpté entre

Le tombeau de Christophe Colomb dans la cathédrale de Séville.

1482 et 1564 et passe pour l'un des chefs-d'œuvre de l'art gothique flamboyant. C'est là que, le jour de la Fête-Dieu et le 8 décembre, se déroule chaque année une cérémonie typiquement sévillane : devant le saint sacrement exposé, les *Seises* (groupe d'enfants costumés en pages) chantent et dansent, perpétuant une tradition séculaire.

Les trésors de l'époque mauresque

A côté de la cathédrale se trouve le **Patio de los Naranjos**. Cette place figurant un échiquier était autrefois la cour de la plus grande mosquée de Séville. Elle était alors plantée d'orangers, et ses nombreuses fontaines permettaient aux musulmans de faire leurs ablutions rituelles.

En sortant par la **Puerta de Oriente** vous vous trouverez au pied de l'emblème de la ville, la célèbre **Giralda** (Girouette) qui doit son nom à la statue de bronze qui la surmonte et tourne au gré des vents. Haute de 98 m, elle fut érigée entre 1184 et 1196 et constituait le minaret de la mosquée qui fut détruite un siècle plus tard. Une rampe en pente douce, rythmée par de fréquents paliers, permet de monter jusqu'à la plate-forme de la tour, à 70 m d'altitude, d'où l'on découvre une superbe vue sur Séville.

En face de la cathédrale, de l'autre côté de la **Plaza del Triunfo**, se dresse l'**Alcázar**, palais fortifié du style mudéjar le plus pur, malgré les modifications qui lui ont été apportées ultérieurement. Il fut construit entre 1350 et 1369 et, pendant près de sept siècles, il servit de résidence aux rois d'Espagne, dont le tristement célèbre Pierre le Cruel, qui y fit assassiner son demi-frère Fadrique en 1358 ainsi que son hôte, Abu Said de Grenade, afin de s'emparer de ses bijoux.

Bien que moins grandiose que l'Alhambra de Grenade, l'Alcázar de Séville possède un charme exceptionnel, grâce notamment à la décoration très colorée des appartements royaux. Les sols, les plafonds et les murs sont de véritables œuvres d'art qui atteignent toute leur splendeur dans la **chambre de Charles Quint** et le

Plaza de España, à Séville.

salon des Ambassadeurs. Le **Patio de las Doncellas** (cour des Demoiselles) est remarquable par ses frises, ses *azulejos* polychromes ainsi que par la délicatesse de ses stucs.

Autour de l'Alcázar s'étendent de merveilleux jardins où abondent orangers, palmiers et massifs de roses. Les gracieux jets d'eaux et fontaines qui ornent les allées offrent un plaisant contraste avec le grand bassin au tracé rustique qui jouxte le palais.

Le Barrio de Santa Cruz

Le long de l'Alcázar s'étend l'ancien quartier juif de Séville, connu sous le nom de **Barrio de Santa Cruz**.

Adopté au XVIIᵉ siècle par la noblesse sévillane, ce haut lieu aujourd'hui touristique et presque trop pimpant séduit par l'élégance de ses ruelles, la blancheur de ses maisons aux grilles ouvragées, ses patios fleuris et la fraîcheur de ses placettes agrémentées de palmiers et d'orangers. Le soir, le spectacle est rendu plus attrayant encore par les *gitanos* qui viennent faire la démonstration de leurs indéniables talents de guitaristes, de danseurs et de chanteurs.

A côté de la cathédrale, la **Casa Longa** abrite les **Archives des Indes**, où l'on conserve, depuis 1785, tous les documents relatifs à la découverte du Nouveau Monde et les chroniques relatant les épisodes de la colonisation. Ce bâtiment de style Renaissance fut construit entre 1583 et 1598 d'après les plans de Juan de Herrera, l'architecte de l'Escurial.

Pour vous mettre dans l'ambiance de la Séville de l'ancien temps, n'hésitez pas à prendre l'une des nombreuses calèches alignées devant la cathédrale afin de faire le tour du **parc de María Luisa** et de la **Plaza de España**.

Au milieu d'une extraordinaire variété d'essences tropicales, le parc abrite quelques constructions datant de l'exposition hispano-américaine de 1929. L'une d'elles a été transformée en **musée Archéologique** et d'autres seront certainement restaurées, d'ici à 1992, à l'occasion du cinquième centenaire de la découverte de l'Amérique par Christophe Colomb.

Terrasse de café dans le Barrio de Santa Cruz.

Niché au cœur de la végétation luxuriante du parc, le monument dédié au poète romantique Bécquer se distingue par la grâce des trois statues féminines qui illustrent respectivement les amours perdues, l'amour possédé et l'espérance de l'amour.

La vaste **Plaza de España** en forme de demi-cercle est ornée de céramiques provenant de toutes les provinces du pays. Plusieurs petits ponts enjambent le petit canal concentrique qui serpente à travers cette étonnante place. Les constructions monumentales qui la bordent abritent aujourd'hui le quartier général de l'armée et le siège du gouvernement régional.

Grâce à sa situation géographique, sur les berges du **Guadalquivir**, Séville a toujours été considérée comme un port, bien qu'elle se trouve à 113 km de la mer. Connu par les Romains sous le nom de *Baetis* et par les Maures comme le *Wadi el Kebir* (Grand Fleuve), ce cours d'eau de 644 km de long traverse également Cordoue, mais, à en croire les Sévillans, il n'appartient qu'à eux seuls. Durant les périodes de sécheresse, le Guadalquivir connaît d'importantes décrues qui le rendent parfois décevant aux yeux de qui est habitué à la Seine, à la Loire ou au Rhône. Les Sévillans, quant à eux, vénèrent leur fleuve comme s'il s'agissait de l'Amazone elle-même.

Comme dans beaucoup de villes traversées par un cours d'eau, il existait jadis à Séville une « bonne rive » et une « mauvaise rive ». En l'occurrence, la « bonne » se situait du côté de la cathédrale, des arènes et du Barrio de Santa Cruz tandis que la « mauvaise » abritait le **Barrio de Triana**, réputé pour être un repaire de brigands, mal famé et sans charme. Les choses ont bien changé depuis et le Barrio de Triana, s'il reste l'un des quartiers les plus populaires de Séville, est devenu aussi respectable et fréquentable qu'un autre — et il demeure le fief du flamenco dans sa plus pure expression.

En retournant sur la « bonne » rive, vous apercevrez le long du **Paseo de Cristóbal Colón** un édifice énigmatique : la **Torre del Oro**, énorme ouvrage fortifié à douze pans, qui fut érigé en 1220 par les Maures. L'origine de son nom et sa fonc-

« Señoritas » en tenue traditionnelle lors de la Feria.

tion première sont toujours un sujet de controverse. Certains prétendent qu'elle doit son appellation à la couleur de ses azulejos, d'autres affirment qu'elle servait autrefois de coffre-fort aux chargements d'or rapporté du Nouveau Monde, d'autres enfin supposent qu'aux époques de troubles, elle servait de point d'ancrage à une longue chaîne qui barrait le fleuve pour rejoindre une tour jumelle sur l'autre berge. Quoi qu'il en soit, la tour abrite aujourd'hui un petit musée maritime.

Selon la légende, la **Casa de Pilatos** (maison de Pilate), palais de la fin du XVe siècle, serait la fidèle réplique de la demeure de Ponce Pilate à Jérusalem ; construit pour le premier marquis de Tarifa, il est remarquable par ses azulejos et ses stucs finement ciselés.

Une journée à Séville

La ville commence véritablement à s'éveiller en fin de matinée. Les Sévillans ont coutume de se donner rendez-vous dans la **Calle de las Sierpes** — une rue piétonne reliant **la Campana** à la **Plaza de San Francisco**. Au nº 52, il y avait jadis une prison où Cervantès, alors captif, aurait imaginé le personnage de don Quichotte. Un peu plus loin, le **musée des Beaux-Arts**, installé dans l'ancien couvent de la Merced, est considéré comme la deuxième pinacothèque d'Espagne après le Prado. Il conserve une très belle collection de tableaux de Bartolomé Esteban Murillo, plusieurs toiles de Zurbarán et de Diego Vélasquez, et une œuvre du Greco.

A midi, les citadins aiment à se retrouver pour déguster un verre de *manzanilla* accompagnée de *tapas* dans la **Calle de San Eloy**, la **Calle del General Pelavieja** ou encore sur la **Plaza de los Venerables**, dans le Barrio de Santa Cruz.

Des pubs raffinés de la **Plaza de Cuba** aux cafés du coin de **Altozano**, vous pourrez choisir parmi tout un assortiment d'établissements qui affichent à la craie, sur des tableaux noirs, les spécialités sévillanes (queue de taureau, foie de volaille, poulpe, rognons au xérès et praires — les moins aventureux pouvant toujours se rabattre sur le fromage).

Après le dîner (de 21 à 23 h), les bars de Santa Cruz et de Triana (notamment dans la **Calle Salado**) s'animent de façon spectaculaire. Selon les endroits, l'art du flamenco s'y déploie sous des formes plus ou moins académiques.

Pour les automobilistes, il convient de préciser que les petites rues à sens unique de Séville sont de nature à en décourager plus d'un.

La Feria de Abril

Tous les ans, du 18 au 23 avril (sauf si ces dates se confondent avec Pâques, auquel cas les festivités sont repoussées d'une semaine), se déroule la Feria de Séville. On y trouve alors confondues toutes les composantes du folklore andalou : corridas, flamenco, *sevillanas*, défilés et manifestations multiples durant lesquelles le vin ne manque pas de couler à flots.

La fête commence vers midi par un défilé de chevaux montés par de fiers cavaliers portant en croupe de belles femmes arborant de somptueuses robes à volants. Le cortège comprend aussi de superbes attelages ornés de clochettes rutilantes.

Dans le quartier du **Prado de San Sebastián** — où se tenaient jadis les autodafés de l'Inquisition — s'élève un véritable village de *casetas* (loges de bois et de toile) séparées par des allées de sable richement fleuries. Ces *casetas*, qui portent chacune un numéro et figurent sur le plan de la Feria disponible à l'entrée, sont louées par des familles, des entreprises, des cercles ou des groupes d'amis qui, pendant toute la durée de la fête, s'y réunissent et s'invitent à tour de rôle pour boire, manger, chanter et surtout danser les *sevillanas* (sorte de séguedilles). A l'exception de quelques tentes publiques ou commerciales, notez que la plupart des lieux privés où il ne convient d'entrer que si l'on y est expressément invité. Dans le même secteur se trouve l'ancienne fabrique de tabac rendue célèbre par *Carmen*. On y employait autrefois 10 000 ouvriers. Cette immense bâtisse abrite aujourd'hui une partie de l'université.

En fin de journée débutent les indispensables corridas. Puis vient le temps des feux d'artifice et des grandes illuminations qui accompagnent les distractions nocturnes. Jusqu'au petit matin, la séduction, personnifiée par les belles Sévillanes et leurs *novios*, battra alors le pavé à travers les rues de la ville.

CORDOUE

Cordoue est l'une des plus anciennes villes d'Espagne. Située sur la rive droite du Guadalquivir, à 143 km de Séville, elle est bordée, au sud, par les grandes plaines fertiles de la Campiña et au nord par les contreforts de la Sierra Morena. Cité de « *l'esprit et de la culture* », Cordoue doit sa renommé à l'éclat des civilisations dont elle fut le berceau et qui la promurent, à deux reprises, au rang de capitale.

Fondée par les Carthaginois, Cordoue devint la capitale de la Bétique sous l'occupation romaine, vers 152 av. J.-C.

Elle vit naître Sénèque le Rhéteur (v. 55 av. J.-C. - v. 39 apr. J.-C.) puis son fils, le stoïcien Sénèque le Philosophe (v. 4 av. J.-C.- 65 apr. J.-C.), qui fut le précepteur de Néron et dont on peut admirer la statue à la **Puerta de Alamodóvar**, entrée principale de la vieille ville.

Entre le Vᵉ et le VIIIᵉ siècle, Cordoue fut gouvernée par les Wisigoths et placée sous la dépendance de Tolède. Le déclin qu'elle connut durant les deux cents ans qui sui virent facilita l'implantation des Maures dans la ville.

Le califat

Certains émirs de Damas s'étaient installés à Cordoue dès le début du VIIIᵉ siècle, mais c'est à l'arrivée d'Abd al-Rahman Iᵉʳ, en 756, que s'ouvre pour la ville une ère incomparable de richesse et de grandeur. Dans le même temps, la dynastie omeyyade assied son pouvoir sur toute l'Espagne musulmane, que les Maures appellent *al-Andalus*.

Cordoue atteint l'apogée de sa gloire sous les règnes d'Abd al-Rahman II (912-961), qui se proclame calife en 929, et de son successeur, al-Hakam II (961-976). Elle compte alors 300 mosquées et d'innombrables palais dont la somptuosité rivalise avec le luxe de Constantinople et de Bagdad.

Cordoue connaît à cette époque le rayonnement intellectuel et culturel le plus vif de l'Occident. Elle possède au Xᵉ siècle une université de grand renom. La littérature et les sciences bénéficient d'un essor

Quelques unes des 850 colonnes de la Mezquita de Cordoue.

remarquable, de même que les écoles de philosophie et de médecine et les bibliothèques.

La décadence de Cordoue s'amorce en 1031, lors du démembrement du califat en petits royaumes appelés *taifas*. Aux conflits incessants que se livrent ces émirats rivaux viennent s'ajouter les invasions des Berbères, des Almoravides, puis des Almohades. Le coup de grâce lui est porté en 1212 par la défaite de l'armée almohade à las Navas de Tolosa par les rois de Castille, d'Aragon et de Navarre. Les musulmans désertent alors Cordoue pour se réfugier en Afrique du Nord et le roi Ferdinand III de Castille s'en rend maître en 1236.

Cordoue va vivre dès lors dans l'insécurité pendant près de trois siècles. Les vainqueurs chrétiens négligent l'industrie et l'agriculture, laissant à l'abandon les grands travaux d'irrigation entrepris par les Maures.

Fort heureusement, Cordoue connaît depuis cinquante ans un regain d'activité qui tend à lui rendre sa prospérité d'antan. Sa population a augmenté de 50 % et compte aujourd'hui plus de 250 000 habitants. L'économie de la province favorise le développement du secteur primaire — essentiellement l'agriculture — et l'installation d'industries à caractère artisanal (céramique, bijouterie, travail du cuir et du métal).

La mosquée-cathédrale de Cordoue

En faisant s'imbriquer deux styles et deux lieux de culte diamétralement opposés, l'histoire a fait de la **Mezquita** de Cordoue un édifice hétérogène, symbole de la juxtaposition du christianisme et de l'islam.

La construction de la mosquée, commencée en 785, fut achevée deux siècles plus tard. Avec ses 174 m de long sur 137 m de large, c'est la plus grande mosquée du monde après celle de La Mecque. *« Cordoue aux maisons vieilles* — écrit Victor Hugo — *A sa mosquée où l'œil se perd dans les merveilles. »*

A l'intérieur, une forêt de 850 colonnes d'une hauteur variant de 4 à 13 m supporte une architecture qui fut une véritable innovation à l'époque : la superposition de deux étages d'arcs permettant une

plus grande élévation et donnant une remarquable légèreté à l'ensemble. *« De quelque côté que vous vous tourniez, votre œil s'égare à travers des allées de colonnes qui se croisent et s'allongent à perte de vue, comme une végétation de marbre spontanément jaillie du sol »*, à écrit Théophile Gautier.

Parmi les chefs-d'œuvre de l'art mauresque figure le *mihrab*, ou salle de prière, orientée face à La Mecque. Les mosaïques en sont remarquables, de même que les colonnes de marbre soutenant les arcatures du vestibule. La richesse de la décoration atteint toute sa splendeur dans la niche monumentale du *mihrab*, surmontée d'une coupole en coquille taillée dans un seul bloc de marbre.

Après la Reconquête, le chapitre de Cordoue décida d'élever une cathédrale dédiée à la Vierge de l'Assomption au cœur de la Mezquita. L'on construisit alors des chapelles le long des parois intérieures, et la façade nord fut fermée, à l'exception de la **Puerta de las Palmas**, qui devint la seule et unique entrée. La construction de l'église cruciforme, au

Le mihrab.

centre de la mosquée, ne débuta qu'en 1523.

Bien que la cathédrale soit massive, l'on ne s'aperçoit pas immédiatement de sa présence en entrant dans la mosquée. Ce n'est qu'après avoir cheminé au milieu du dédale des arcatures que l'on découvre cette structure Renaissance de 55 m de long. Le chœur, construit par Hernán Ruiz entre 1523 et 1539, renferme des stalles sculptées par Cornejo en 1758. La voûte de l'abside est ornée de médaillons Renaissance, celle de la nef de stucs peuplés d'angelots ; la **coupole du transept**, large de 15 m, présente des caissons de style italianisant du début du XVIIe siècle. *« La mosquée-cathédrale*, écrit Théophile Gautier en 1840, *s'élève au-dessus de l'enceinte et des toits de la ville plutôt comme une citadelle que comme un temple, avec ses hautes murailles denticulées de créneaux arabes, et le lourd dôme catholique accroupi sur sa plate-forme orientale. »*

Les cent ans qu'a nécessités la construction de l'église ont abouti à un mélange de styles (gothique, Renaissance et baroque), ce qui fit dire à Charles Quint, voyant les transformations parfois radicales accomplies : *« Vous avez mis ce qui se voit partout à la place de ce qui ne se voit nulle part. »*

A l'extérieur de la Mezquita s'étend le ravissant **Patio de los Naranjos** (cour des Orangers), indissociable des grandes mosquées orientales. On y accède par la **Puerta del Perdón** au pied du clocher de 93 m qui fut érigé à la fin du XVIe siècle à la place du minaret.

De la **Calleja de las Flores** (allée des Fleurs), on peut admirer cette tour avec un recul appréciable. Sa haute silhouette semble prise dans un écrin de fleurs en pots, lesquels sont accrochés aux murs par des anneaux de fer forgé, à la façon typiquement cordouane.

Religions et vestiges

La **Judería** de Cordoue témoigne bien du fait qu'ici comme ailleurs le peuple juif se comporta comme une race résolument à part et eut à subir de fréquentes persécutions, entrecoupées de rares et brèves périodes de tolérance.

En été, Cordoue est la ville la plus chaude d'Espagne.

Mécontents de leur sort durant le règne des Wisigoths, les juifs de Cordoue n'hésitèrent pas à favoriser l'incursion des Maures au VIIIe siècle.

Il s'ensuivit pour eux une ère de prospérité. Cordoue fut la ville natale du célèbre physicien, astrologue, mathématicien, médecin et philosophe arabe Averroès, qui y vécut de 1126 à 1198, ainsi que celle du médecin et philosophe juif Maïmonide (1135-1204). Dans la **Calle Maimonides** se dresse le monument qui fut érigé en son honneur, au sein d'une petite synagogue de style mudéjar du XIVe siècle (s'adresser au gardien pour la visite).

Non loin de là, le **Zoco** (souk) réunit de nombreux artisans autour d'un patio où se donnent, les soirs d'été, des spectacles de flamenco.

Le patrimoine historique de Cordoue et de ses environs est remarquablement mis en valeur au **musée Archéologique** sur la **Plaza de Jerónimo Paéz**. Installé dans un palais Renaissance, ce musée possède une superbe collection de vestiges préhistoriques, romains, wisigoths, mauresques et gothiques. Les antiquités les plus remarquables sont un cerf en bronze provenant de la médina Azahara (Xe siècle) et des lions de pierre ibériques, ainsi que de superbes mosaïques romaines.

Le musée abrite en outre la plus grande collection au monde de sarcophages en plomb, de nombreuses stèles à inscriptions et de magnifiques pièces d'orfèvrerie, de verrerie et de céramique.

Chevaux et calèches

Bien que les promenades en calèche puissent paraître surfaites, elles sont particulièrement agréables à travers les rues de Cordoue, car les cochers ont une connaissance parfaite de la ville et vous signaleront bien des détails pittoresques ou anecdotiques que vous ne pourriez découvrir par vous-même.

Sur la **Plaza del Conde de Priego** se dresse le monument dédié à Manolete. De son véritable nom Manuel Rodriguez, ce Cordouan né en 1917 trouva la gloire en combattant les taureaux, et finit par mourir dans l'arène en 1947. Également célèbre pour ses talents de *torero*, El Cordobés

Le restaurant El Churrasco à Cordoue.

(alias Manuel Benítez) est natif de Palma del Rio, à 48 km de Cordoue.

Sur la Plaza de los Dolores, le **Cristo de los Faroles** est un célèbre calvaire entouré de lanternes de fer forgé dont les silhouettes se découpent en ombres chinoises, la nuit venue.

La **Plaza Mayor**, également connue sous le nom de **Plaza de la Corredera** parce qu'elle servait autrefois d'arène, est entourée de portiques de style classique de la fin du XVIIe siècle. Un marché très animé s'y tient le matin.

La **Plaza del Potro** est célèbre depuis que Miguel de Cervantès aurait, dit-on, logé à la *posada* qui donne sur la place et y aurait écrit une partie de *Don Quichotte*. De fait, la statue figurant un poulain qui orne la fontaine est mentionnée dans son œuvre.

Art et artisanat

Sur la même place, un ancien hôpital abrite le **musée des Beaux-Arts**. On peut y admirer des tableaux de Goya et de Carreño de Miranda.

Tout au long de votre parcours, les magasins de souvenirs vous proposeront des articles d'artisanat traditionnel : bijoux en filigrane d'argent et objets de cuir gaufré. Cet artisanat date de l'époque mauresque, mais c'est aux XVIe et XVIIe siècles qu'il fut le plus apprécié ; la mode voulait alors que l'on recouvrît les sièges et les murs de cuir estampé dans toutes les habitations de bon ton.

A l'ouest de la Mezquita, à proximité du pont romain qui enjambe le Guadalquivir, l'ancien **Alcázar des Omeyyades** et de leurs successeurs est à présent occupé par l'évêché. De ce palais subsistent quelques patios mauresques agrémentés de bassins et des salles, où sont présentées de belles mosaïques romaines. Les jardins sont animés d'une multitude de fontaines et de pièces d'eau où se reflètent des cyprès de diverses couleurs.

La médina Azahara

A 6 km environ au nord-ouest de Cordoue, à **Córdoba la Vieja**, des fouilles ont mis au jour les vestiges d'un important palais élevé en 936 par Adb al-Rahman III pour satisfaire les caprices de son épouse favorite, Zahara (« Fleur »). C'était une véritable cité dont l'architecture s'intégrait harmonieusement au relief de la **Sierra de Córdoba**.

Elle s'étageait sur trois terrasses fortifiées ; sur la plus haute se dressait l'alcázar, sur celle du milieu s'étendaient les jardins et les vergers, la plus basse étant réservée à la mosquée.

Quelque 10 000 hommes, 2 600 mules et 400 chameaux ont travaillé à la construction de la médina Azahara vingt-cinq ans durant. Une partie des 4 300 colonnes proviennent de Carthage et d'autres cités antiques ; certaines sont en jaspe, d'autres en marbre. La garnison royale comptait 12 000 hommes, le palais 4 000 serviteurs et les étables 2 000 chevaux.

Les jardins suspendus, les volières, les bassins, les fontaines dorées ont fait l'objet de nombreux récits admiratifs.

Cependant, le faste extraordinaire de cette ville connut une existence éphémère. Elle fut anéantie par les Berbères en 1010, soit trois quarts de siècle seulement après son embellissement. La plupart des richesses furent dilapidées et une grande partie

Cour intérieure à Cordoue.

des éléments architecturaux servirent à d'autres édifices islamiques, dans la péninsule même ou en Afrique du Nord.

Les fouilles qui ont été entreprises depuis 1911 ont permis, jusqu'à présent, de mettre à nu une partie de la mosquée et de relever deux pavillons au niveau de l'alcázar. On y reconstitue peu à peu le splendide décor floral qui parait les murs du palais. A l'entrée de la médina sont exposés des fragments de stuc ou de marbre admirablement ciselés mais hélas inutilisables dans le cadre de la restauration de l'ensemble. La plupart des statues et des objets qui ont été exhumés sont conservés au musée Archéologique

Selon de nombreux chroniqueurs arabes, cette cité dont nous n'avons désormais qu'un pâle reflet était à l'époque la plus belle réalisation de toute l'Andalousie, rivalisant de somptuosité avec les merveilleux palais de Bagdad et de Constantinople et, en tant que telle, représentait l'emplacement idéal de la capitale de l'Empire musulman d'Occident.

Laissons la parole à Théophile Gautier : « Cordoue a l'aspect plus africain que toute autre ville d'Andalousie ; ses rues ou plutôt ses ruelles, dont le pavé tumultueux ressemble au lit de torrents à sec, (...) n'ont rien qui rappelle les mœurs et les habitudes de l'Europe. (...) Les Mores, s'ils pouvaient y revenir, n'auraient pas grand-chose à faire pour s'y réinstaller. L'idée que l'on a pu se former, en pensant à Cordoue, d'une ville aux maisons gothiques, aux flèches brodées à jour, est entièrement fausse. (...) Cordoue, autrefois le centre de la civilisation arabe, n'est plus aujourd'hui qu'un amas de petites maisons blanches par-dessus lesquelles jaillissent quelques figuiers d'Inde à la verdure métallique, quelque palmier épanoui comme un crabe de feuillage, et que divisent en îlots d'étroits corridors par où deux mulets auraient peine à passer de front. La vie semble s'être retirée de ce grand corps, animé jadis par l'active circulation du sang moresque ; il n'en reste plus maintenant que le squelette blanchi et calciné. Mais Cordoue a sa mosquée, monument unique au monde et tout à fait neuf, même pour les voyageurs qui ont eu déjà l'occasion d'admirer à Grenade ou à Séville les merveilles de l'architecture arabe. »

Ruines de la Médina Azahara, construite à l'origine pour le calife.

LA SEMAINE SAINTE

De la plus modeste paroisse aux plus grandes cathédrales, les processions cheminent à travers tout le pays, de jour comme de nuit, parfois pendant près de douze heures pour accomplir leur parcours.

L'importance des processions varie en fonction de la taille et des moyens des municipalités. Dans les principales villes, il peut y en avoir plus de trente en l'espace de vingt-quatre heures. Les confréries rattachées à une église ou à une paroisse détiennent chacune des statues à l'image de la Vierge, du Christ et des apôtres. Ce sont de véritables œuvres d'art, souvent très anciennes, qui sont l'objet de soins attentifs de la part des fidèles. Au cours de la semaine sainte, ces *imagenes* sont exposées sur des *pasos*, grandes plates-formes richement ornées de sculptures, de draperies et de fleurs. Les porteurs des *pasos* avancent avec leur précieux fardeau au rythme d'une musique traditionnelle composée spécialement pour cette occasion au xvie siècle.

La semaine sainte commence le dimanche des Rameaux par la bénédiction de grandes palmes tressées qui resteront accrochées aux balcons tout au long de l'année. Vient ensuite la période de deuil durant laquelle les somptueux ornements des églises disparaissent sous des voiles noirs.

A Séville, un tonnerre de ferveur emplit la cathédrale le mercredi suivant, lorsque l'on retire les voiles ; la même explosion de joie retentira encore le samedi, juste avant que les fidèles ne se rassemblent pour entonner le *Gloria* et que toutes les cloches de la ville ne se mettent à carillonner.

A Cordoue, l'après-midi du vendredi saint, la messe célébrée dans la Mezquita revêt un caractère grandiose grâce aux chœurs et à l'orchestre symphonique qui l'accompagnent.

A Grenade, les femmes s'habillent entièrement de noir et, la tête couverte d'une mantille, elles défilent dans les rues de la ville et suivent les processions en égrenant leur chapelet.

Tous les *pasos* représentent les différentes étapes de la Passion du Christ. Les statues polychromes, extraordinairement expressives, reprennent en détail les diverses scènes, depuis la Cène et le jardin des Oliviers jusqu'à la descente de la croix et la douleur de la Vierge, représentée par les larmes de cristal qui perlent de ses yeux.

Chaque confrérie — il y en a 55 à Séville — escorte deux *pasos* ; l'un est consacré au Christ, l'autre à la Vierge. En Espagne, la représentation de la Vierge échappe à tout caractère abstrait grâce aux somptueux atours de la confrérie à laquelle elle appartient.

Au passage de la Vierge à laquelle ils ont voué leur adoration, les fidèles pleurent ou applaudissent, chantent ou lancent quelque compliment, parfois impertinent. Les plus émus entonneront spontanément la traditionnelle *saeta* empreinte de mélancolie.

Les processions suivent un itinéraire et un horaire rigoureux. Elles circulent lentement et s'arrêtent fréquemment. Les membres des confréries portent de longues robes ceintes à la taille par une corde d'alfa et de hauts capuchons pointus qui dissimulent entièrement leur visage, à l'exception de deux trous aménagés pour les yeux.

Parmi les *hermanos* (laïcs) qui font partie du cortège, un grand nombre portent d'immenses cierges, d'autres, accomplissant une pénitence, portent une ou plusieurs croix et cheminent pieds nus.

Cependant, le sens de la fête, si profondément ancré dans le tempérament andalou, ne saurait être longtemps étouffé par la solennité de l'événement. Les processions de Séville, de loin les plus somptueuses et les plus remarquables de toutes, sont constamment interrompues par des personnages peu dévots qui n'hésitent pas à fendre la foule du cortège pour aller saluer des amis aperçus de l'autre côté et partager avec eux une bière ou un *bocadillo*. Les porteurs eux-mêmes ont souvent sur eux une provision de bonbons qu'ils distribuent, chemin faisant, aux enfants qui les escortent en sautillant.

A l'écart du parcours des processions, l'on dresse des tables et des chaises dans les rues avoisinantes afin que les gens puissent se reposer et se restaurer. Les *torrijas* (sorte de pain perdu) et les *flamenquines* (petites paupiettes à base de veau, de jambon et de fromage) sont les spécialités que l'ont peut déguster pour la circonstance.

Presque partout en Espagne, la fin de la semaine sainte signifie l'ouverture de la saison des corridas. Le dimanche de Pâques, une pittoresque course de taureaux se déroule à Arcos de la Frontera, et à Málaga, l'on se rend directement de la messe aux arènes.

Procession nocturne pendant la semaine sainte : l'expression haute en couleur d'une foi vivante.

GRENADE

« Dale Limosna, Mujer,
Que no hay en la vida nada
Como la pena de ser
Ciego en Granada. »

« Fais-lui l'aumône, femme,
Car dans la vie
Il n'est pire malheur
Que d'être aveugle à Grenade. »

Ces quelques vers inscrits sur les remparts de l'Alhambra illustrent parfaitement la splendeur inégalée de **Grenade**.

La ville est en effet située dans un cadre privilégié, doté d'une végétation verdoyante, au pied de trois éperons rocheux qui s'élancent gracieusement vers le bleu intense du ciel et se découpent, au sud-est, sur le massif majestueux de la Sierra Nevada. Elle est bordée à l'ouest par une *vega*, une vaste plaine fertile, et au nord par le Darro, un torrent de montagne qui serpente entre deux des trois collines sur lesquelles elle s'étend : l'**Alhambra**, l'**Albaicín** et le **Sacromonte**.

Formant un célèbre trio andalou avec Séville et Cordoue, Grenade envoûte par son authenticité et sa beauté, propices à la méditation et à la contemplation. Ayant échappé, jusqu'en 1300, aux grands mouvements d'immigration provenant du nord, Grenade a pu voir s'épanouir un style architectural unique et conserver intacts son patrimoine et ses traditions.

Les collines de Grenade offrent un charmant contraste avec les étendues relativement plates qui entourent Séville et Cordoue. Les sommets enneigés de la Sierra Nevada lui apportent une dimension supplémentaire qui se répercute également sur son climat, agréable et tonique.

Dernier bastion du royaume musulman d'Espagne, Grenade était connue au ve siècle av. J.-C. sous le nom ibérique d'*Elybirge*, puis sous celui d'*Illiberis* à l'époque romaine.

Ce n'est cependant qu'après l'implantation des Maures qu'elle acquit une réelle importance. Bien que dans les armes de la cité figure le fruit dont elle porte le nom, le nom du fruit provient en fait probablement du mot arabe *Gharnata* désignant le village voisin.

Contrairement à Séville et Cordoue qui bénéficièrent d'une grande opulence dès l'époque romaine, Grenade dut attendre l'avènement des califes de Cordoue pour être promue au rang de capitale provinciale. Lorsque la chute de la dynastie omeyyade entraîna le déclin de Cordoue en 1031, l'importance politique de Grenade commença de croître. Elle demeura pendant soixante ans la capitale d'un petit royaume indépendant, mais les invasions successives des Almoravides finirent par entraîner son annexion au royaume de Séville.

Après la prise de Cordoue par les chrétiens en 1236, les derniers occupants de l'ancienne cité des califes se réfugièrent à Grenade qui devint, jusqu'en 1492, la capitale d'un émirat gouverné par la dynastie nasride, fondée par Muhammad ibn al-Ahmar.

Néanmoins, quand Jaén fut reconquise par Ferdinand III en 1246, Muhammad fut contraint de le reconnaître pour suzerain.

À gauche, l'entrée de l'Alhambra ; à droite, la cour des Lions.

L'âge d'or

Pendant environ deux siècles et demi, l'existence de cet émirat arabe indépendant et florissant, en contact permanent avec la puissance castillane, tint presque du prodige.

Étant donné la fragilité et la petitesse de son territoire (à peine 30 000 km^2), Muhammad jugea sage et prudent de rester en bons termes avec les chrétiens de Castille. Il consentit même à aider Ferdinand III à s'emparer de Séville, ce qui explique peut-être le ressentiment qu'éprouvèrent — et qu'éprouvent d'ailleurs parfois encore — les *sevillanos* à l'égard des *granadinos*.

Par la suite, les victoires remportées par les armées chrétiennes à travers toute l'Andalousie eurent pour effet d'attirer à Grenade un nombre important de réfugiés musulmans, lesquels contribuèrent à développer le commerce tout en apportant leurs précieuses connaissances dans le domaine des sciences et des techniques.

Ainsi, tandis que les royaumes musulmans s'effondraient un à un, Grenade connaissait dans le même temps un regain de prospérité. De grands travaux d'irrigation permirent d'exploiter la fertilité de la plaine de **la Vega**. Les sciences, les arts et les humanités s'épanouirent dans toute leur ampleur.

La ville comptait alors 200 000 habitants, soit quatre fois plus que Londres à la même époque. C'est de cette remarquable synergie intellectuelle, spirituelle, économique et industrielle que naquirent les plus prestigieuses réalisations de l'art mauresque, dont le seul qui a subsisté est l'**Alhambra**.

Splendeur et décadence

Au fur et à mesure que les Espagnols réduisaient l'étendue des territoires soumis à l'islam, leur tâche fut facilitée par une intrigue amoureuse au sérail de Grenade. En effet, le roi maure Mulay Hasan (1462-1485) s'éprit de Zoraya, une belle chrétienne, et envisagea de répudier la reine Aïcha, qui lui avait donné un héritier, Boabdil. La cité fut dès lors déchirée entre deux clans rivaux : les Abencérages,

Pour les voyageurs du XIXe siècle, l'Alhambra représentait l'exotisme.

puissante famille soutenant Aïcha, et les Zégris, partisans de Zoraya.

Après avoir quitté Grenade en emmenant son fils, Aïcha revint peu après avec des renforts afin de renverser Hasan et d'asseoir Boabdil sur le trône. Profitant de la précarité de la situation, Ferdinand d'Aragon captura « *el Rey Chico* » (le petit roi) qui dut alors le reconnaître pour suzerain en échange de sa liberté.

Lorsque, à la fin de l'année 1491, Ferdinand et Isabelle se présentèrent aux portes de Grenade, Boabdil n'opposa qu'un semblant de résistance et, le 2 janvier 1492, le dernier bastion de l'islam capitulait.

Tandis que la croix et la bannière de Castille flottaient enfin sur l'Alcazaba, Boabdil partit en exil dans les monts Alpujarras. En jetant un dernier regard sur sa capitale, il s'entendit dire par sa mère : « *Pleure comme une femme sur ce que tu n'as pu défendre comme un homme.* » Depuis ce jour, l'endroit où furent prononcés ces mots amers est appelé le Suspiro del Moro, le Soupir du Maure.

Sous le règne des Rois Catholiques, Grenade continua d'être un important centre d'art et de culture, mais l'intolérance religieuse et les nombreuses expulsions qui s'ensuivirent portèrent une grave atteinte à son commerce et à son agriculture. En 1609, un décret ordonnant l'expulsion définitive des *moriscos* priva la cité de la majeure partie de ses forces vives. En 1800, la population ne s'élevait plus qu'à 40 000 habitants.

Comme toute l'Andalousie, Grenade connaît depuis quelques dizaines d'années un regain de prospérité grâce à l'essor de l'agriculture. Le tourisme joue également un rôle important dans le développement de l'économie, la ville tirant profit du merveilleux patrimoine architectural que lui ont légué sept cent quatre-vingt-un ans de domination mauresque.

L'Alhambra

L'**Alhambra** (« la Rouge », en arabe) est le seul palais maure du Moyen Age resté intact à Grenade. Il se dresse majestueusement au sommet d'une colline boisée, et aucun mot ne saurait décrire l'émerveillement que suscite son apparition.

ue sur la le depuis les rdins du eneralife.

« L'Alhambra ! l'Alhambra ! palais que les génies — ont doré comme un rêve et rempli d'harmonies », s'écrie Victor Hugo.

Remarquable par ses proportions tout autant que par la délicatesse de ses structures, l'Alhambra est le fleuron de l'art musulman espagnol, l'expression essentielle du raffinement d'une culture parvenue à son apogée. Considéré par certains comme la huitième merveille du monde, par d'autres comme le premier pont jeté entre la conception occidentale et orientale de la sensibilité artistique, ce palais évoque irrésistiblement le monde des *Mille et Une Nuits*.

La splendeur de l'Alhambra ne réside pas seulement dans la perfection de son architecture mais également dans la recherche et la grande subtilité de sa décoration.

La finesse des plafonds de bois sculpté, le minutieux relief des stucs, les entrelacs d'arabesques, les voûtes à stalactites, l'élégance des cours jalonnées d'arcades, la délicatesse des colonnes de marbre blanc finement ciselé en font un joyau d'une inestimable valeur.

Les Rois Catholiques, fort conscients de la beauté exceptionnelle de ce palais, le firent restaurer après les dégâts subis durant la Reconquête. Ils l'utilisèrent par la suite comme résidence temporaire lors de leurs déplacements, mais Charles Quint en fit abattre une partie afin de faire élever son propre palais dans un style Renaissance italienne qui présente un contraste quelque peu choquant avec les bâtiments arabes.

L'**Alcázar** (le palais mauresque proprement dit) se compose de deux ensembles de constructions ordonnées autour du **Patio de los Arrayanes** (cour des Myrtes) et **du Patio de los Leones** (cour des Lions).

La première cour (110 m de long sur 78 m de large) est divisée par un long bassin bordé de buissons de myrtes dans lequel se reflètent deux gracieux portiques.

La **salle des Ambassadeurs**, qui s'ouvre à l'une des extrémités, était autrefois la chambre d'audience des sultans. Coiffée d'une superbe coupole en bois de cèdre, elle est éclairée par des baies qui offrent une remarquable vue sur Grenade. La décoration est composée d'azulejos

Des géraniums ornent tous les balcons et les fenêtres de Grenade.

polychromes et de stucs portant des inscriptions tirées du Coran ou prônant les vertus des princes arabes.

Le Patio de los Leones, de plus modestes proportions (28 m sur 15), a été construit autour d'une antique fontaine comprenant 12 lions de marbre gris. A l'extrémité nord se trouve la **Sala de las Dos Hermanas** (la salle des Deux-Sœurs), qui contient la coupole la plus élaborée de l'Alhambra ; on dit qu'elle compte plus de 5 000 alvéoles.

A l'est des appartements royaux s'étendent les **jardins du Partal**, qui descendent en terrasses jusqu'à l'élégante **Torre de las Damas**. Ce bâtiment du XIVe siècle est aussi richement décoré que ceux de l'Alcázar. De ses baies surplombant le Darro, on peut admirer le **Sacromonte**.

Est-il besoin de le préciser, ce bref aperçu ne peut en aucune sorte rendre compte des sources infinies de ravissement que recèlent les multiples pièces et alcôves de l'Alhambra. Laissons conclure Victor Hugo :

> Toutes ces villes d'Espagne
> S'épandent dans la campagne
> Ou hérissent la sierra ;
> Toutes ont des citadelles
> Dont sous des mains infidèles
> Aucun beffroi ne vibra ;
> Toutes sur leurs cathédrales
> Ont des clochers en spirales ;
> Mais Grenade a l'Alhambra.

Les jardins de la séduction

Le **Generalife**, qui jouxte le palais de l'Alhambra, était autrefois la résidence d'été des sultans de Grenade. La beauté des jardins qui l'entourent surpasse de beaucoup celle de la construction, datant de 1250 et restaurée à maintes reprises.

Avec ses allées de cyprès, de lauriers-roses et d'orangers, ses haies taillées à la perfection et ses éblouissants massifs de roses, les jardins du Generalife constituent un véritable décor de rêve. Chateaubriand rapporte que la sultane Alfaïma de Boabdil retrouvait son amant Hamet dans l'intimité du **Patio de los Cipreses**.

Le **Patio de la Acequia** est fermé à chaque extrémité par de ravissants pavillons reliés d'un côté par une galerie et de l'autre par de somptueux appartements.

Au nord du Generalife, un mirador surplombe la ville et la vallée du **Darro**.

Un peu plus loin, le **Camino de las Cascadas** est un enchantement pour l'œil comme pour l'oreille : tel un fragile tunnel en perpétuel mouvement, une longue succession de jets d'eau en arceaux retombent en cascade dans un chemin de pierre à la symétrie parfaite. Chaque été, entre le 15 juin et le 15 juillet, les jardins du Generalife abritent un festival de danse et de musique.

Tombeaux royaux

A l'issue de la victoire décisive qu'ils avaient remportée sur les Maures, les Rois Catholiques émirent le désir d'être enterrés sur les lieux mêmes où l'Espagne musulmane avait été anéantie à jamais. La chapelle royale, qui fut élevée entre 1506 et 1521 afin d'accueillir les dépouilles de Ferdinand et d'Isabelle, abrite également les tombeaux de Philippe le Beau et de sa femme Jeanne la Folle, parents de Charles Quint. De nombreux objets ayant appartenu à la famille royale sont exposés dans

Le poète Federico Garcia Lorca est né à Grenade.

des vitrines. La sacristie, véritable musée, renferme une partie de la collection de tableaux de la reine Isabelle, composée d'œuvres flamandes, espagnoles et italiennes du XVe siècle.

La **cathédrale** gothique, qui jouxte la chapelle, fut fondée en 1521. Les travaux se poursuivirent dans le style Renaissance jusqu'en 1528, mais ne furent véritablement achevés qu'en 1714. Sa structure massive et hétérogène ne supporte guère la comparaison avec les remarquables édifices que l'Espagne a vu naître.

Grenade au quotidien

La visite de Grenade semble plus intense et plus prenante que celle de tout autre ville du Sud. Peut-être est-ce à cause de l'envie que l'on a de vouloir tout embrasser du regard, de savourer les richesses de la cité dans ses moindres détails, des parfums enivrants des fleurs du Generalife à la petite maison de Manuel de Falla, située juste sous l'Alhambra.

Au plaisir touristique s'ajoute également la tentation de s'arrêter dans un café

pour y déguster quelques *tapas*. Dans les bars à vin spécialisés dans les crus de la région, ne manquez pas de goûter à la *falleza*, une boisson à base de vin doux coupé d'eau gazeuse, fort appréciée des Grenadins.

Derrière la cathédrale, la **Plaza Birrambla** — où se déroulaient jadis des joutes médiévales et des corridas — est particulièrement animée le soir.

Albaicín

Ce quartier, le plus ancien de Grenade, s'étend sur la rive droite du Darro, face à l'Alhambra. C'est là que les Maures dressèrent leur première forteresse et là également qu'ils se réfugièrent après la conquête de la cité par les chrétiens. On y retrouve le charme des ruelles andalouses, sinueuses et bordées de maisons blanchies à la chaux, dont certaines dissimulent de luxuriants patios.

Du **Mirador de San Nicolás**, l'on a une vue magnifique sur l'Alhambra. Un peu plus haut, derrière les ruines des remparts mauresques, vous parviendrez au **Mirador de San Cristóbal.** Chemin faisant, vous remarquerez les pittoresques maisons arabes, notamment le n° 37, dans la Calle del Agua.

Sacromonte

Cette colline qui s'élève face au Generalife est l'enclave des *gitanos* de Grenade. Les sentiers qui la parcourent, bordés de figuiers de Barbarie, conduisent aux grottes où habitent les gitans. Dès votre arrivée, vous risquez d'être sollicité à maintes reprises pour assister aux spectacles de flamenco qui se donnent dans les nombreuses habitations troglodytiques du quartier.

Malheureusement, les danseurs se sont adaptés à la mode *turista*, et le flamenco andalou dans sa forme la plus pure se fait de plus en plus rare.

Gitans et flamenco

Pour des raisons qui restent inconnues, les gitans ont émigré en masse du nord-ouest de l'Inde entre le VIIIe et le IXe siècle. Nombre d'entre eux se sont acheminés vers la

Le flamenco, chant et danse typiques du Sud de l'Espagne, est une des traditions des gitans de Grenade.

péninsule Ibérique. A l'instar des minorités juive et arabe, ils furent persécutés au temps de l'unification de l'Espagne. Contraints de se réfugier, comme leurs compagnons d'infortune, dans les montagnes et les collines, leur musique et leurs rythmes respectifs se sont progressivement mêlés pour donner naissance au flamenco.

Le flamenco traditionnel n'est pas seulement un art de spectacle destiné au divertissement ; c'est un mode d'expression original, en étroite harmonie avec l'âme andalouse. Il a pour base le *cante jondo*, ou chant profond, qui exprime les sentiments les plus intimes dans une langue ancienne et poétique. Dans une étonnante symbiose, paroles, musique et danse sont soutenues par le claquement des mains, des castagnettes et des talons, avec un extraordinaire sens du rythme.

Federico García Lorca

Né en 1899 à Fuentevaqueros, Federico Garcia Lorca passa toute son enfance et la majeure partie de sa vie à Grenade. Considéré comme le plus grand poète et drama-

turge d'Espagne depuis le Siècle d'or, il a souvent célébré, dans ses nombreux ouvrages, l'Andalousie et ses gitans.

En 1928, son *Romancero Gitano* lui valut son premier succès. Malheureusement, le climat politique de l'époque ne permit pas à ses œuvres ultérieures de trouver l'audience qu'elles méritaient. Il mourut exécuté par la garde franquiste en 1936.

Avec le retour de la monarchie en Espagne, le génie de García Lorca fut enfin reconnu à sa juste valeur. Ses pièces, souvent inspirées de thèmes populaires et folkloriques, sont désormais largement diffusées ; certaines d'entre elles ont été adaptées pour le cinéma, telles *les Noces de sang*.

Personnalité symbolique de l'Andalousie, Federico García Lorca ressentait une poignante nostalgie, chaque fois qu'il devait s'absenter de Grenade. Il déclara à ce propos : « *Cela en sera toujours ainsi. Avant et maintenant. Nous devons partir, mais Grenade reste. Éternelle dans le temps, mais fuyante entre nos pauvres mains...* »

Calligraphie mauresque ornant la devanture d'un café.

L'ANDALOUSIE ET GIBRALTAR

L'Andalousie est limitée par Séville et Cordoue au nord, par Grenade à l'ouest et par la mer Méditerranée au sud et à l'est. Cette province, souvent mal connue des touristes, est le royaume des petits *pueblos* tranquilles où la vie s'écoule lentement dans la paix et la simplicité.

Les habitants de la région sont aussi hospitaliers que la nature elle-même, qui de la côte à l'intérieur des terres ne cesse de surprendre le voyageur par sa beauté et sa variété. Les paysages andalous changent aussi subitement que des décors de théâtre, et les villages apparaissent à l'improviste comme s'ils venaient juste de fleurir sous le souffle sec et léger de l'air.

Même les oliveraies, qui sont pourtant omniprésentes, ne prêtent pas à la monotonie. Bien sûr, les arbres sont toujours les mêmes, mais alors que certaines plantations s'étendent dans de vastes plaines, d'autres s'étagent sur les versants des colli-

nes, ou bien s'accrochent à des terrains escarpés.

Les villages blancs

Les « villages blancs » sont d'innombrables petits bourgs aux murs blanchis à la chaux qui se nichent au cœur de l'Andalousie. Conscient de la beauté et du caractère pittoresque de ces lieux, le ministère du Tourisme a dressé une carte de tous les villages, même les plus isolés, des provinces de Cadix, Malaga et Grenade, et des routes qui y conduisent.

Ces routes secondaires, qui serpentent entre les champs et les prés où foisonnent les fleurs sauvages, sont généralement plus fréquentées par les ânes et les mulets que par les hommes. Mais, s'ils ne sont pas nombreux, les habitants de la région possèdent des qualités de cœur et une chaleur humaine étonnantes ; loin d'être rejeté, l'étranger est accueilli avec bienveillance, et il n'est pas rare que des ouvriers agricoles apercevant un touriste en train de se promener dans les oliveraies à l'heure du déjeuner l'invitent à partager leur repas.

Nombreuses sont les petites villes qui ne possèdent pas d'hôtel, mais une fois de plus l'hospitalité espagnole ne faillit pas à sa réputation, et vous trouverez toujours quelqu'un qui acceptera de vous louer une chambre pour la nuit dans sa propre maison (le mieux est de se renseigner dans un café). Aujourd'hui, tous ces villages se caractérisent par leur calme et leur sérénité ; mais il n'en a pas toujours été ainsi. Les mots *de la Frontera* qui suivent le nom d'un grand nombre d'entre eux font référence à l'époque où ces places étaient situées à la frontière des royaumes musulman et chrétien, et subissaient directement le contrecoup des luttes qui les opposaient.

Arcos et Jérez

Arcos de la Frontera et **Jérez de la Frontera** sont les deux plus grandes villes entre Séville et Cadix. Arcos (25 000 habitants) domine une des boucles du Guadalete. Tout en haut de la ville est installé un parador, d'où l'on a une vue panoramique sur la campagne andalouse.

Cueillette de fleurs en Andalousie.

C'est sur les terres sèches et plates qui s'étendent entre Séville et Jérez, que sont cultivées les vignes dont on tire le célèbre vin de Jérez. Les vignobles appartiennent à des producteurs bien connus, tels Gonzalez, Byass, Pedro Domecq ou Sandeman.

Chaque année, au début du mois de septembre, **Jérez** (167 000 habitants) est le cadre d'une grande fête des vendanges au cours de laquelle on goûte les crus de l'année.

Plus importante encore, la **Feria del Caballo** (fête du cheval) qui se déroule en avril (juste après la Feria de Abril de Séville) est l'occasion, pour les éleveurs de Jérez, d'organiser de grandes courses entre leurs pur-sangs, dont s'enorgueillit toute la ville. Ces chevaux arabes sont dressés à l'école andalouse des Arts équestres, suivant les mêmes méthodes que celles en pratique à l'école espagnole de Vienne. Les compétitions n'ont lieu que pendant les vacances ou lors d'occasions spéciales, mais il est possible d'assister à des séances d'entraînement tous les jours de la semaine entre 11 h et 13 h.

Jérez possède un très beau musée de l'horloge, ainsi que les ruines d'un alcázar et d'un établissement de bains maure datant du XIᵉ siècle.

La cité portuaire

Ne vous laissez pas tromper par les bâtiments modernes qui longent l'isthme menant à **Cadix** : âgée de 3 000 ans, cette cité est en réalité la plus vieille ville habitée du monde occidental. Moins étendue que Jérez, elle compte pourtant le même nombre d'habitants, et ses rues sont grouillantes de monde et débordantes d'activité. Mais la longue histoire de Cadix est jalonnée de défaites et de victoires successives ; souvent au bord du désastre, la cité a conservé les séquelles de ces luttes.

Ce sont les Phéniciens qui, les premiers (en 1100 av. J.-C.), s'intéressèrent à ce port naturellement protégé qu'ils dénommèrent *Gadir*. Appelée *Gadeira* par les Grecs, cette place commerciale devint un important entrepôt d'ambre et de fer au VIIᵉ siècle av. J.-C. En 501 vinrent les

Pause pendant les vendanges.

Carthaginois, bientôt suivis par les Romains qui firent de *Gades* une ville riche et prospère. Mais la chute de l'Empire romain marqua aussi celle de Gades, qui ne fut rien d'autre pour les Wisigoths puis pour les Maures qu'un petit port sans importance.

Avec la découverte de l'Amérique, la ville connut un nouvel essor, au point de devenir le port le plus florissant de toute l'Europe occidentale... et une cible pour les corsaires barbaresques et les navires anglais.

Depuis plusieurs années, la cité subit douloureusement les retombées de la crise de la construction navale. Récemment, l'Espagne a proposé à l'OTAN de transférer sa base aéronavale de Gibraltar à Cadix, à la fois plus grande et mieux aménagée.

Cadix n'est plus la ville florissante d'autrefois ; sa décadence est visible dans toutes les ruelles. Mais cela n'empêche pas ses habitants, les *gaditanos*, de continuer à parler d'elle avec amour et fierté, même si leur ton devient mélancolique lorsqu'ils évoquent la partie submergée de la cité (que beaucoup déclarent encore apercevoir quelquefois à marée basse).

Réputée pour son dôme recouvert de tuiles dorées, la **cathédrale** a été décrite comme *« une épave échouée sur des sables mouvants »* par Richard Ford. C'est sous ses pierres qu'est enterré le compositeur Manuel de Falla.

Les admirateurs de Goya trouveront trois de ses œuvres exposées à l'intérieur de l'**Oratorio Santa Cueva** ; cependant, ils devront attendre que quelqu'un vienne les accueillir avec la clef.

La côte de la Lumière

De Huelva à Tarifa s'allonge la **Costa de la Luz**. Au sud de Cadix, perchée sur une haute falaise, **Vejer de la Frontera**, magnifique « ville blanche », surplombe la mer ; elle possède un ancien château partiellement restauré, et trois moulins à vent depuis longtemps abandonnés.

Tarifa, à la pointe méridionale de la côte, est le point de départ des bacs qui relient l'Espagne au continent africain.

Champs d'oliviers en Andalousie.

Le rocher

A l'extrémité méridionale de la péninsule, juste après la ville d'**Algésiras**, se trouve **Gibraltar**. Depuis la réouverture de la frontière en 1969, un simple passeport et une assurance automobile suffisent pour pénétrer dans ce territoire. Si quelqu'un près de la frontière se propose de vous obtenir rapidement une carte d'assurance, passez votre chemin : il s'agit à coup sûr d'une escroquerie. Les voitures de location sont assurées automatiquement, et toute personne pénétrant en Espagne avec un véhicule étranger doit être muni d'un papier prouvant que ce dernier est bien en règle.

Depuis 1704, Gibraltar, l'une des « colonnes d'Hercule », est un objet de contentieux entre l'Espagne et l'Angleterre. Déjà avant cette date, la possession de ce territoire avait plusieurs fois opposé les Espagnols aux Maures, lesquels s'étaient emparés du rocher pour la première fois en 711 et l'avaient alors appelé *Djebel Tarik* (la montagne de Tariq), en hommage à leur chef : Tariq ibn-Zeyad. On peut encore voir les ruines du château dans lequel résidait ce dernier. En 1462, les Espagnols reprirent définitivement Gibraltar aux Maures, avant de le céder aux Anglais en 1704.

Malgré les tentatives espagnoles, les Britanniques ont toujours refusé de partir ; et lors d'un référendum organisé en 1967, la population a exprimé son refus d'être rattachée à l'Espagne (12 138 en faveur du maintien de la souveraineté britannique, 44 contre). 25 000 personnes résident sur ce territoire de moins de 7 km^2 dont le point culminant s'élève à 425 mètres au-dessus de la mer.

Long de 58 kilomètres et large de 18 à l'endroit le plus étroit, le détroit de Gibraltar occupe une position stratégique entre l'Atlantique et la Méditerranée.

La vie sauvage

Malgré son aspect désertique, ce rocher au charme insolite est habité par de nombreux animaux. On y trouve notamment

La ville blanche de Casares.

des singes dont on ignore l'origine, et qui n'existent pas dans le reste de la péninsule. En 1944, ces singes, alors menacés d'extinction, ont été protégés par Churchill lui-même, qui a ordonné une série de mesures destinées à les protéger et à accroître rapidement leur nombre... Il est vrai que, d'après une légende, les Anglais demeureront les maîtres du rocher tant que les singes y vivront !

Mais les représentants les plus nombreux de la vie sauvage sur le rocher sont les oiseaux. La plupart sont migrateurs et y font escale avant de quitter ou de regagner l'Europe.

Encore plus étonnant est le brassage culturel qui caractérise le territoire. Des femmes arabes en robe longue et tchador traversent la rue en même temps que des officiers britanniques, des marchands espagnols et des descendants des Maures, aisément reconnaissables à leur peau sombre. Les langues en usage sont aussi diverses que les habitants, et il n'est pas rare d'entendre dans un même café une émission en espagnol à la télévision et une autre en anglais à la radio.

La région des bandits

En s'enfonçant dans les terres, en direction de Ronda, le paysage est tranquille, sans surprise. Pourtant, il y a quelques siècles, ceux qui traversaient cette région le faisaient au péril de leur vie : les collines étaient infestées de bandits de grand chemin, et seuls les villages pouvaient fournir un abri, au demeurant précaire, aux voyageurs. Pendant et après la guerre civile, ces villages, aujourd'hui si pittoresques, devinrent le refuge des républicains. Heureusement, les *bandidos* sont devenus personnages de légende et plus personne ne vient se terrer en ces lieux.

Un autre château en ruines se dresse au-dessus de **Jimena de la Frontera**. Une route sinueuse, sur laquelle circulent surtout des mules, mène à ce village accroché à flanc de colline. Les 56 kilomètres qui séparent Jimena de Ronda sont une merveille de calme et de sérénité. L'air est délicieusement parfumé et seuls le chant d'un oiseau ou le bêlement d'un mouton viennent de temps en temps troubler le silence.

Décantation du sherry pour la dégustation à Jérez Bodega.

Une ville en surplomb

Non seulement **Ronda** est l'une des plus anciennes cités d'Espagne, mais elle est aussi l'une des plus surprenantes : perchée tout en haut d'une falaise, avec un à-pic de 120 mètres sur trois côtés, elle est en outre coupée en deux par un ravin de 90 mètres qui sépare les 40 000 habitants de la vieille et de la nouvelle ville. Le site est fantastique, et Ronda elle-même est pleine de poésie. Les rues pavées, jalonnées d'arcades, de l'ancienne cité maure ont servi de décor au célèbre film *Carmen*.

Bâti au XVIIIᵉ siècle, le **Puente Nuevo** relie les deux parties de la ville. Un petit chemin permet d'admirer d'un peu plus loin cette splendide construction, aux lignes très aérées, qui surplombe une gorge vertigineuse. En raison de sa position imprenable, Ronda est restée aux mains des Maures jusqu'en 1485. Ces derniers en avaient fait leur capitale.

L'arène du XVIIIᵉ siècle, installée dans la nouvelle ville, est la plus ancienne d'Espagne après celle de Séville. Elle abrite un musée de la **Corrida** où sont conservés des « habits de lumière », des photographies, des documents et des peintures de Goya.

Selon certains spécialistes, c'est à Ronda que se seraient déroulées les premières corridas à pied, qui devaient par la suite remplacer les traditionnels combats à cheval menés par les hidalgos. Dans leur livre *Ou tu porteras mon deuil*, Collins et Lapierre racontent que « *au début du XVIIIᵉ siècle, à Ronda, un cavalier et son cheval furent renversés par un taureau pendant un combat. Alors que l'animal s'apprêtait à transpercer l'homme avec ses cornes, un habitant du village sauta dans l'arène et, utilisant son chapeau comme leurre, réussit à attirer le taureau à l'écart du cavalier sans défense... Ainsi fut établi le rituel de la tauromachie moderne : un affrontement entre un taureau et un homme à pied, et une pièce d'étoffe qu'on agite en guise de leurre.* »

Petites villes de montagne

Sur le cirque montagneux qui entoure Ronda, la **Serranía de Ronda**, se détachent

Ronda, la ville perchée, a inspiré entres autres voyageurs le poète Rilke.

d'étincelantes taches blanches qui correspondent à plusieurs petites villes pleines de charme, comme Grazalema, Ubrique, Zahara et Seteníl.

A dix kilomètres à l'ouest de Ronda, la tranquille **Grazalema** (2 500 habitants) avait au XIXᵉ siècle la réputation d'être un véritable coupe-gorge. Un peu plus loin, lovée dans un creux de la montagne, la ville d'**Ubrique** (14 000 habitants), est réputée pour son artisanat du cuir ; elle est prolongée par le petit village d'**El Bosque**, que sa taille minuscule fait ressembler à un simple faubourg.

A Grazalema et Ubrique, le temps s'écoule plus lentement qu'ailleurs : on s'y déplace encore à cheval ou à pied, et les voitures ainsi que les tentes des rares touristes qui viennent ici chaque année semblent incongrues.

Zahara de los Membrillos (à ne pas confondre avec Zahara de los Atunes, sur la Costa de la Luz), s'étend sur le flanc d'une montagne escarpée au nord-ouest de Ronda. Plus blanche que toutes les villes d'Andalousie, elle surgit, immaculée, dans la lumière. Zahara possède un vieux château typiquement espagnol et offre de très beaux panoramas sur les alentours.

Également située à flanc de montagne, **Seteníl** se reconnaît à ses surprenantes habitations troglodytiques creusées sous la roche en surplomb.

Le pays des merveilles

Antequera est une très jolie ville de 40 000 habitants. L'absence de panneaux et les renseignements confus des habitants sont parfois décourageants, mais il faut absolument avoir vu les ruines du **château maure**, qui dominent un paysage splendide, et l'église adjacente de **Santa Maria la Mayor** (XVIᵉ siècle) avant de quitter la localité.

Dans la campagne environnante se trouvent les sites les plus impressionnants d'Antequera : les **Cuevas de Menga**, de **Viera** et de **Romeral**. Ces anciens dolmens ou chambres mortuaires (qui, selon certains spécialistes, servaient aussi au déroulement de cérémonies religieuses) dateraient de la première moitié du IIᵉ siècle av. J.-C. Pour visiter les grottes, adressez-vous au responsable à Menga même.

La Costa del Sol

De Tarifa au cap de Gata, à l'est d'Almería, s'étend la célèbre Costa del Sol. Mais la plupart des touristes ne connaissent de cette côte du soleil que la partie située à l'ouest de Malaga, où sont installés tous les aménagements.

Entre **Fuengirol** et **Málaga**, les rues ne sont qu'une succession d'immeubles, d'hôtels de luxe, de restaurants, de boîtes de nuit, de clubs chics et de boutiques ; à tel point qu'il est devenu pour ainsi dire impossible d'apercevoir la Méditerranée autrement que d'une chambre avec vue sur la mer.

Marbella et l'élégante marina de **Puerto Banus** abritent les résidences de vacances de plusieurs grandes vedettes, hommes du monde, millionnaires, et même le roi s'y rend parfois.

La **mosquée**, située sur la route principale qui longe la côte, et le nombre de panneaux écrits en arabe révèlent le nombre des touristes nord-africains et moyen-orientaux en Andalousie.

Selon une légende, les Anglais occuperont Gibraltar aussi longtemps qu'il y aura des singes.

Vieux villages

Mijas, autrefois petit village montagnard très pittoresque, compte désormais plus de boutiques de souvenirs que de maisons, et ses ânes ne sont plus utilisés que pour poser devant les photographes.

Il est encore possible de trouver sur cette côte quelques coins moins envahis, mais pendant l'été, ils se font extrêmement rares ; **Estepona** et la Playa de Calohonda font partie de ces exceptions.

Presque personne ne s'arrête à l'est de Málaga, où les aménagements touristiques sont souvent insuffisants. Dans cette région, il n'y a presque rien sauf le calme, la tranquillité, et des champs à perte de vue, au milieu desquels se dressent de nombreuses tours maures.

Art rupestre

Nerja est l'une des plus grandes stations balnéaires de cette partie de la côte. Aux alentours ont été découvertes plusieurs **grottes préhistoriques**, dans lesquelles sont exposés des objets datant de l'époque paléolithique ainsi que des photographies des fouilles. On y a également retrouvé plus de 500 peintures rupestres semblables à celles d'Altamira, auxquelles les visiteurs n'ont malheureusement pas accès pour l'instant.

Un tunnel d'environ un kilomètre (un cinquième de la surface qui sera ouverte au public une fois les travaux d'excavation et les études archéologiques terminés) traverse ces grottes joliment éclairées, qui semblent tout droit sorties d'un conte fantastique. On a l'impression de pénétrer dans une cathédrale souterraine dessinée par l'architecte d'avant-garde Gaudí, les stalactites figurant les tuyaux d'orgues et les stalagmites les flèches. Parfois, on jurerait que Salvador Dalí lui-même a participé à ce décor étonnant. Chaque été, des concerts et des ballets sont organisés dans ces lieux.

Perchée sur un rocher entre la mer et la montagne, le petit village blanc de **Salobrena** offre un panorama original. Il est dominé par un ancien château maure qui a été très habilement restauré.

Le rocher de Gibraltar à l'aube.

VALENCE

Valence (Valancia) jouit d'une situation privilégiée. A 2,5 km de la Méditerranée, sur le **Guadalaviar** (ou Rio Turia) , elle est au centre de la région agricole la plus cultivée d'Europe. Les terres fertiles qui entourent la ville peuvent produire jusqu'à quatre récoltes par an. Grenadiers, orangers et citronniers bordent les routes. Riz et maïs croissent côte à côte, et des mûriers permettent la production de la soie. Des canaux scintillants sillonnent la région.

C'est la *huerta*, une campagne irriguée qui nourrit la nation et qui était pour les Maures le paradis sur terre. Le Cid lui-même succomba à ses charmes ; en entrant à Valence, il déclara : « *Du jour où j'ai vu cette cité, je l'ai trouvée à mon goût, je l'ai désirée, et j'ai prié Dieu de m'en rendre maître.* »

La ville qu'il souhaitait tant posséder avait déjà connu les gloires de quatre empires. D'abord colonie grecque, elle fut conquise, en 138 av. J.-C., par les Romains, qui en firent une retraite pour leurs vétérans. En 75 av. J.-C., elle devint la capitale de la colonie *Valentia Edetanorum*, et les Romains profitèrent de la douceur de son climat en toute saison, de son ensoleillement perpétuel et de l'eau des montagnes environnantes pour faire de son sol fertile l'un des terrains de culture les mieux irrigués de leur empire.

Un paradis

Wisigoths et Maures apprécièrent cette irrigation à sa juste valeur et perfectionnèrent le réseau complexe des canaux et des rigoles. Pour les Maures, habitués au désert, c'était un paradis et la possibilité de nourrir leur peuple. Ils gouvernèrent la région pendant cinq siècles et y bâtirent une ville assez imposante pour attirer l'attention du Cid. Celui-ci s'empara de Valence en 1094, mais la cité, après sa mort, retomba entre les mains des Maures.

En 1238, la ville fut finalement arrachée à la domination arabe et rattachée au royaume d'Aragon par Jacques Ier le Conquérant. Le XVe siècle fut l'âge d'or de Valence, qui détrôna Barcelone en devenant la capitale financière de l'Empire méditerranéen. Parallèlement à ses richesses agricoles et à l'activité de son port, la ville développa les industries de la céramique et de la soie, et construisit, en 1474, la première presse à imprimer du pays.

La cité continua de prospérer jusqu'en 1609, date à laquelle Philippe III lui porta un coup funeste en expulsant les morisques du royaume. Aucune ville ne fut aussi gravement éprouvée que Valence, qui perdit le tiers de sa population, essentiellement des travailleurs agricoles, et ne s'en remit jamais complètement. Si elle resta le grenier à blé, à fruits et à légumes de l'Espagne, elle ne fut plus le premier port espagnol de la Méditerranée.

Ses privilèges politiques subirent le même déclin que son port. C'est là que Ferdinand VII, en 1814, déclara la constitution caduque et restaura l'ancienne monarchie. Pendant la guerre civile, la ville paya cher d'être le siège du gouvernement républicain. Les effets des bombardements sont encore visibles.

Pages précédentes : les toits d'Ibiza ; une cuisine de Valence ; à gauche, la huerta valencienne bénéficia du savoir-faire des Arabes en matière d'irrigation ; à droite, les géants de carton-pâte des Fallas.

Mais ces cicatrices s'oublient vite. La prospérité de la *huerta* rayonne sur cette agglomération et ses 800 000 habitants. La profusion des étalages de fruits et de légumes colore les rues. Des épis de maïs rôtissant en plein air transforment un carrefour encombré en aire de pique-nique improvisée, et la plus grande place de la ville ne serait qu'un lieu d'embouteillage de plus, sans l'opulence de ses deux douzaines de fleuristes.

Comme la plupart des places principales de Valence, la **Plaza del País Valenciano** est située dans le centre, et on y trouve la mairie, la poste, le central téléphonique ainsi que des arrêts d'autobus. Ce qui différencie cette place triangulaire, c'est son nom, lequel signifie : « place de la Nation Valencienne ». Si les sentiments séparatistes des Valenciens sont moins développés que ceux des Catalans et des Basques, ceux-là n'oublient pas que leur cité était importante bien avant d'être rattachée à la Castille. Ils sont fiers de leurs traditions et de leur langue. Celle-ci — le *valenciano*, qui est, en fait, un dialecte catalan — est de plus en plus utilisée. Les manifestations de cet orgueil régional risquent d'égarer le visiteur : la plupart des plaques de rue, rédigées en espagnol, sont recouvertes de papier portant le nom de la voie en *valenciano*.

Un petit musée, situé au premier étage de l'**Ayuntamiento**, l'hôtel de ville, retrace l'histoire de cette nation. Malheureusement, on n'y trouve rien sur le Cid, la plupart des pièces exposées datant du règne de Jacques Ier, considéré par les Valenciens comme le véritable libérateur de la ville. On remarquera surtout le premier plan de la cité, établi à une époque où Valence, avec ses 80 000 habitants, était plus peuplée que Barcelone, Madrid et Gênes. Le tracé de cette carte, qui date de 1704, dura cinq ans ; le cartographe, le padre Tosca, mesura la ville rue par rue avec un mètre à ruban.

Des denrées superbes

Au nord de la Plaza del Pais Valenciano, la **Plaza del Mercado** héberge le marché central. Ce bâtiment de brique et de céra-

A gauche, vue de Valence ; ci-dessous, de nombreux motifs célèbrent l'agriculture.

mique est une véritable cathédrale. Doté d'un dôme, de vitraux et de porches ornementés, il couvre plus de 8 000 m², ce qui en fait l'un des plus vastes marchés couverts d'Europe.

En face, la **Lonja de la Seda**, la vieille bourse de la Soie, fut édifiée au XVe siècle pour cette industrie en pleine expansion. La prospérité, qui nécessita la construction d'une bourse plus vaste, se reflète dans l'élégante **salle des Transactions**. Haute de plafond, soutenue par huit colonnes torses, elle est éclairée par des verrières délicates qui permettent au soleil de jouer sur son carrelage noir et rouge. Le conseil maritime, l'ancienne autorité portuaire, siégeait à l'étage.

A l'ouest, les fenêtres de la salle du premier donnent sur l'**église de Los Santos Juanes**, exemple typique de l'état de la plupart des sanctuaires valenciens. Son aspect délabré est dû à deux événements distincts. Le premier se produisit au XVIIe et au XVIIIe siècle, lorsque le goût des architectes de l'époque fit surcharger de stucs churrigueresques la sobriété des façades gothiques. Le second date de la guerre civile : beaucoup d'églises furent incendiées par les rouges, et leurs ruines affligeantes n'ont pas été restaurées.

En suivant la **Calle de San Vicente**, large artère coupant au travers du lacis de ruelles de la vieille ville, on croise trois de ces églises avant d'atteindre la **Plaza de Zaragoza** et l'édifice composite qu'est la **cathédrale**.

Édifiée sur le site d'un temple romain dédié à Diane et, plus tard, d'une mosquée musulmane, la cathédrale fut commencée en 1262 dans le style gothique. Au XVIIIe siècle, on lui apposa une façade néoclassique actuellement en cours de démolition. La façade orientale, sur la Plaza de Zaragoza, est dans le goût baroque italien, alors que le portail sud est roman. L'élément dominant de l'ensemble est le clocher octogonal du XVe siècle, jamais achevé, appelé **Miguelete** ; son sommet offre un beau panorama sur les toits de tuiles vernissées de la ville et la *huerta* déployée jusqu'aux montagnes voisines. Le **musée de la Cathédrale** conserve un petit calice d'agate violacée présenté comme le Saint-Graal.

oissonnière lencienne et n étal.

La houille blanche

Tout près du Miguelete, le **portail des Apôtres** est précédé d'un porche du XIVe siècle orné de statues effritées. C'est là que se réunit, tous les jeudis à midi, le *Tribunal de las Aguas* (conseil des Eaux). Huit hommes, représentant chacun l'un des premiers canaux d'irrigation creusés par les Romains il y a plus de deux mille ans, administrent les 930 ha de la *huerta*. Toute contestation concernant le réseau compliqué de canaux, de rigoles et de drains leur est obligatoirement soumise. Les débats ont lieu en *valenciano*. Toute la procédure est verbale, et les décisions de la cour, qui s'est réunie sans interruption depuis plus de mille ans, sont sans appel.

Les curieux qu'attire toujours le tribunal s'amassent sur la **Plaza de la Virgen**, l'une des places les plus paisibles et les plus séduisantes de Valence.

La **chapelle de Nuestra Señora de los Desamparados**, protectrice de la ville depuis le XVIIe siècle, occupe le côté est de la plaza et est reliée à la cathédrale par un petit pont. La statue originale de la Vierge fut sculptée en 1416 pour la chapelle du premier asile d'aliénés d'Espagne. Une copie se trouve sous la coupole.

En face de la chapelle, le palais gothique de **la Generalidad**, édifié au XVe siècle pour les Cortes, abrite aujourd'hui la *Diputación* (conseil municipal). Les Cortes, assemblée élue destinée à tenir tête à la noblesse, furent dissous en 1707 par Philippe V qui redoutait leur influence. L'une de leurs fonctions était le recouvrement d'un impôt dit « général » parce que tout le monde le payait, d'où le nom de l'édifice. On remarquera particulièrement la cour intérieure et un verger d'orangers donnant sur la Plaza de la Virgen.

La **Calle de Caballeros**, qui s'ouvre au nord du palais, est l'ancienne grand-rue. Son rôle commercial a décliné, mais sa splendeur passée subsiste dans les demeures gothiques qui survivent entre les échoppes de cordonnier, les boutiques de fruits et légumes, les bars et les cafés. La plupart des maisons ont conservé leur magnifique patio, manifestation de la prospérité valencienne au XVe siècle.

Une fois par semaine, le conseil des Eaux règle le différends relatifs à l'irrigation.

Gardes de nuit

Le dédale de rues qui entoure la Calle de Caballeros est la partie la plus ancienne de la ville. Jusqu'en 1762, Valence fut un labyrinthe de ruelles enserré par des remparts. L'insécurité de ces coupe-gorge fit créer, en 1777, le premier corps de *serenos*, les gardes de nuit qui, par la suite, se généralisèrent dans presque toutes les cités.

La **Calle de Serranos** aboutit aux **Torres de Serranos**, l'une des deux portes fortifiées encore debout (l'autre étant la **Torre de Quart**, à l'extrémité de Caballeros). Cette construction massive, datant de la fin du XIVe siècle, faisait partie des remparts abattus en 1865. Percés de dix portes, ceux-ci suivaient le périmètre formé actuellement par l'Avenida de Guillem de Castro et la Calle de Colón d'un côté et par la courbe du Turia de l'autre.

Le **Turia**, dernier segment du **Guadalaviar**, n'est pas un vrai cours d'eau. Son cours ayant été détourné au sud de la ville, ce n'est plus qu'un lit à sec, au milieu duquel un fossé canalise le peu d'eau qui y coule parfois. On y trouve des terrains de jeu, des jardins publics, des sentiers de promenade et des orangeraies. La douzaine de ponts majestueux qui l'enjambent paraissent un peu incongrus.

Peinture et poterie

Sur la rive opposée s'étendent les **Jardins royaux**, avec un théâtre de plein air, un petit zoo et le **musée des Beaux-Arts**, l'une des plus riches galeries de peinture d'Espagne. Le musée, qui occupe les quatre étages d'un couvent baroque, conserve notamment les œuvres des impressionnistes valenciens. Le soleil perpétuel, les couleurs de la *huerta* et la vie simple des fermiers se prêtaient parfaitement au pinceau léger des impressionnistes. L'artiste le plus connu de cette école est Joaquín Sorollay Bastida.

Le métier dont Valence fit un art, la céramique, est représenté au **Palacio del Marques de Dos Aguas**, qui abrite le **musée national de la Céramique González Martí**. Plus de 5 000 pièces retracent l'histoire de cet artisanat, perfectionné par les potiers locaux. Cette industrie remonte au XIIIe siècle, quand la céramique devint un élément de décoration intérieure. Les tapisseries utilisées pour lutter contre le froid ne furent jamais nécessaires à Valence, dont les murs se couvrirent d'*azulejos*, ces carreaux de faïence émaillée. Les pièces les plus anciennes du musée proviennent de deux villages de la *huerta*, **Paterna** et **Manises**, dont les faïences étaient très recherchées par les familles royales d'Europe. Aujourd'hui, seul Manises conserve des potiers.

Le palais lui-même est du plus pur style churrigueresque : de part et d'autre du porche d'albâtre, l'eau qui s'écoule des amphores de deux colosses grecs illustre le nom du marquis.

Tout près de là s'élèvent l' université, bâtiment du XVIe siècle, dont labibliothèque possède une copie de *Los Trobes*, le premier livre imprimé en Espagne, et le **Colegio de Patriarca**, qui abrite un patio à étage Renaissance et le tombeau de Juan de Ribera, persécuteur des Morisques.

Les « Fallas »

La coutume date du Moyen Age, époque où la veille du 19 mars, fête de saint Joseph, patron des charpentiers, tous les menuisiers allumaient de gigantesques feux de joie avec les copeaux accumulés durant l'année. Au cours des siècles, les copeaux furent remplacés par des effigies de carton-pâte brocardant des politiciens, des coutumes locales ou des événements d'actualité. Pendant une semaine, 700 de ces éphémères chefs-d'œuvre sont exposés dans toute la ville. Le 19 mars, à la minute de vérité — la *crema* — les personnages colorés s'embrasent, si bien qu'à minuit toute la ville, baignant dans un halo orange, semble être la proie des flammes. S'y ajoutent les éclairs du plus grand feu d'artifice du pays.

Avec les *Fallas*, l'autre sujet qui passionne la *huerta* est la nourriture. Le plus typique des plats espagnols, la paella, est originaire des rizières qui s'étendent au sud de la ville. Suivant les goûts du cuisinier, la paella combine une base de riz au safran avec divers légumes, viandes, poissons et fruits de mer. Initialement servi au cours des seules fêtes campagnardes, ce plat est devenu synonyme de l'Espagne.

LES BALÉARES

« Me voici à Palma, au milieu des palmiers, des cèdres, des aloès, des orangers, des citronniers, des figuiers et des grenadiers. Le ciel est turquoise, la mer est bleue, les montagnes sont émeraude. L'air ? Eh bien, l'air est tout aussi bleu que le ciel, le soleil brille toute la journée, et les gens portent des vêtements d'été parce qu'il fait chaud... Bref, la vie ici est délicieuse » (Frédéric Chopin).

Au cours des cent cinquante années qui se sont écoulées depuis que ces mots ont été écrits, des millions de cartes postales ont confirmé l'opinion de Chopin sur la vie à Majorque. Avec ses quelques 3 600 km², **Majorque** (Mallorca) est la plus grande des Baléares, l'archipel qui commence à 92 km de la côte d'Alicante et s'étire dans la Méditerranée en direction du nord-est. **Minorque** (Menorca), deuxième par la taille, est suivie d'**Ibiza**, l'île la plus proche du continent. **Formentera**, qui est visible d'Ibiza, ne couvre que 82 km².

Frondes et talayots

Ces îles forment la province des **Baléares**, dont la capitale est **Palma**. Leur nom vient du grec ancien *ballein*, qui signifie « lancer un projectile ». Les anciens habitants des Baléares étaient si réputés pour leur adresse à lancer de mortelles balles de plomb avec une fronde que les Romains baptisèrent les deux plus grandes îles *Balear Maior* et *Balear Minor*.

D'infimes vestiges prouvent que les îles étaient habitées dès le IVe millénaire, mais les ruines les plus anciennes ne datent que du IIIe millénaire. L'âge talayotique, qui va de l'an 1000 av. J.-C. à la conquête romaine, a laissé la plupart des témoignages archéologiques. Ces vestiges dont il tire son nom, les talayots, sont des constructions de pierre sèche que l'on pense avoir été édifiées par un peuple venu de la Méditerranée orientale.

Au cours des siècles suivants, la situation stratégique et la fertilité des Baléares éveillèrent la convoitise de tous les conquérants. Les Carthaginois, qui les

occupèrent au milieu du VIIe siècle av. J.-C., y recrutèrent des mercenaires dont les frondes terrifiaient les Romains. Ce fut seulement vingt ans après la destruction de Carthage en 146 av. J.-C. que Rome parvint à soumettre les îles.

Le temps des conquêtes

Les Vandales profitèrent de l'effondrement de l'Empire romain pour envahir les îles en 465. Ils y restèrent jusqu'en 534, date à laquelle ils furent expulsés par les Byzantins. La domination musulmane, qui dura plus de trois siècles, a laissé aux Baléares, devenues tributaires de l'émirat de Cordoue en 848, un héritage de noms de lieu et de façades chaulées.

La Reconquête eut lieu à Majorque en 1229, sous le règne de Jacques Ier d'Aragon. Cet événement se révéla décisif pour l'évolution culturelle des îles, qui subirent l'influence de la Catalogne : aujourd'hui encore, chacune d'elles possède son propre dialecte catalan.

Au XIIIe siècle, les Baléares devinrent une escale importante sur la route commerciale reliant l'Italie du Nord à l'Europe du Nord. Le talent des artistes et des artisans majorquins de cette époque a laissé deux chefs-d'œuvre à Palma : la **cathédrale** et le **château de Bellver**.

Au XVIe siècle, l'expansion de l'Empire turc fit des îles Baléares un bastion de l'Empire espagnol en plein essor. De nombreuses tours de guet, les *atalayas*, témoignent de la nécessité constante qu'il y avait à se défendre contre les raids des pirates musulmans en quête de butin et d'esclaves. Les magnifiques remparts de la ville d'Ibiza datent de cette période.

Lorsque le commerce méditerranéen reprit, au milieu du XVIIe siècle, les marchands majorquins tirèrent de nouveau profit de la situation stratégique des îles. Beaucoup de ces gentilhommières qui agrémentent le paysage majorquin — les *possessiós* — datent de cette époque, et leur architecture d'inspiration italienne rappelle les liens étroits qui unissaient alors Majorque à l'Italie.

En 1708, les Anglais occupèrent Minorque à l'occasion de la guerre de Succession d'Espagne et y demeurèrent, sauf une brève occupation française, jusqu'en 1781.

gauche, la magnifique cathédrale de Palma vue du port de Majorque.

Une colonie d'artistes

Au milieu du xix⁰ siècle, des touristes étrangers commencèrent à découvrir les délices des Baléares. Un séjour de cinq mois effectué par Aurore Dupin, baronne Dudevant, plus connue sous son nom de plume de George Sand, et par le pianiste et compositeur Frédéric Chopin inaugura une véritable ère touristique. Le livre de George Sand *Un hiver à Majorque* fut le premier ouvrage de l'abondante littérature suscitée par les îles. Ce couple fut suivi par des écrivains comme Charles Wood, Gaston Vouiller et l'excentrique archiduc Luis Salvador de Habsbourg. Ce descendant nomade de l'une des plus vieilles familles royales d'Europe découvrit Majorque en 1867. Cinq ans plus tard, il acquit le domaine de Miramar. L'archiduc Luis Salvador n'était pas un oisif : il écrivit plus de 50 livres, dont le plus connu est son ouvrage en sept volumes, *les Baléares décrites par les mots et par les images*.

Un courant régulier d'écrivains et d'artistes à la recherche d'endroits pittoresques à l'écart des sentiers battus continua de visiter Majorque et Ibiza jusqu'à l'avènement du tourisme populaire. Certains, comme l'Anglais Robert Graves, s'y établirent définitivement ; l'auteur de *Moi, Claude* et de *la Déesse blanche* s'installa à **Deiá**, où il présida la colonie artistique locale.

Majorque

L'essor touristique espagnol des années 1960 fit de **Majorque** la villégiature la plus en vogue de la Méditerranée, capable d'héberger et de distraire tous les vacanciers. Chaque été, les membres de la famille royale d'Espagne passent leurs vacances au **château de Marivent**, près de Palma.

Majorque a la forme d'un rectangle dont deux côtés sont bordés de montagnes et deux échancrés de larges baies. La chaîne la plus élevée, la **Tramuntana**, forme le versant nord-est de l'île, qu'elle protège contre les vents et la mer. Ses sommets sont souvent enneigés durant l'hiver.

La côte d'Ibiza vue d'un balcon de l'hôtel Hacienda.

Palma

C'est en y arrivant par mer, par les services réguliers qui la relient à Barcelone et à Valence, que l'île se présente sous son jour le meilleur. Vue du large, la **cathédrale** gothique de Palma se dresse comme un énorme rocher rose et dentelé. Ce chef-d'œuvre de l'art gothique fut commencé au XIIIᵉ siècle et achevé au XVIᵉ siècle. Le nombre et la dimension de ses vitraux en font la plus lumineuse des cathédrales méditerranéennes. Lorsque le bateau se rapproche, l'horizon frangé de palmiers est couronné d'autres monuments : le **château de Bellver**, perché sur une colline ; les tours crénelées de **Sa Llotja** ; le palais royal de l'**Almudaína**, blotti au pied de la cathédrale.

L'ancienne ville arabe, connue dans l'Islam sous le nom de *medina Mayurka*, occupait les alentours de la cathédrale. Il n'en reste qu'un arc dans la **Calle Almudaína** et les **bains arabes** de la **Calle Serra**. Ce quartier permet surtout de découvrir de vénérables églises et d'admirer les façades et les patios des demeures de la noblesse et des riches bourgeois des siècles passés. Le palais de l'Almudaína fut édifié au XIIIᵉ siècle sur les fondations de l'ancien alcázar (forteresse) arabe. Sa décoration intérieure est un bel exemple de gothique majorquin.

Les rues voisines de l'Almudaína, **Zanglada** et **Morey**, recèlent de nobles demeures bâties entre le XVIᵉ et le XVIIIᵉ siècle. Sur la **Plaça Sant Francisco**, l'église du même nom remonte au XIVᵉ siècle, bien que sa façade actuelle date du XVIIIᵉ siècle. L'une de ses chapelles latérales, toutes décorées dans les styles Renaissance et baroque, abrite le sarcophage de Raymond Lulle (XVᵉ siècle). Symbole de la prospérité passée de Palma, le magnifique édifice du XVᵉ siècle connu sous le nom de **Sa Llotja** est l'ancienne Bourse de commerce. Avec ses quatre tours octogonales et sa galerie à verrières, il se dresse comme un contre-point de la majestueuse cathédrale, quand on approche du port par la mer. A côté, le **Consolat de Mar**, bâti au XVIIᵉ siècle, possède une imposante galerie de style Renaissance.

La vie nocturne de Palma est centrée sur l'ouest moderne de la ville, notamment autour de la **Plaça Gomila**. Au sommet de la colline qui domine ce quartier, la forteresse ronde de Bellver date du début du XIVᵉ siècle.

Routes touristiques

Autour de Palma, des routes longent la côte, s'enfoncent dans les montagnes de la Tramuntana ou traversent la plaine fertile en direction des baies d'**Alcudia** et de **Pollensa** et de la côte orientale. S'il y a des sites pittoresques dans toute l'île, les plus beaux sont ceux du montagneux Nord-Ouest.

Si le temps vous est compté, gagnez directement **Valldemosa** pour visiter la **chartreuse** où George Sand et Chopin passèrent un hiver. Bien qu'il n'y disposât que d'un piano assez rudimentaire, Chopin y composa ses plus beaux préludes, dont le *Prélude de la goutte de pluie*, certainement inspiré par le mouvement des nuages dans cette région pluvieuse de Majorque. Le monastère est un ancien palais édifié par le roi Sanche sur le site d'un palais maure. Les fresques de sa chapelle néoclassique sont du beau-frère de Goya, Francisco Bayeu y Subías. Les propriétaires des coquettes maisons du village mettent un point d'honneur à laisser ouverts leurs rideaux, afin que les visiteurs puissent admirer leur intérieur.

Si vous avez le temps de découvrir tout le panorama de la côte nord-ouest de Majorque, prenez la route d'**Andratx**. C'est l'un des endroits les plus enchanteurs de l'île. Son port a conservé son caractère de village de pêcheurs. Comme beaucoup de villes des Baléares, Andraitx, pour se protéger des pirates, fut édifiée à l'intérieur des terres et entourée d'*atalayas* (tours de guet). Sa typique église fortifiée, jadis cernée de douves, était l'ultime refuge contre les envahisseurs. La vieille ville offre de nombreux sites pittoresques, notamment la vue du port depuis le cimetière.

D'Andratx, regagnez le bord de mer par la **Cala San Telm**, d'où le point de vue sur **Sa Dragonera** est saisissant. Le couvent abandonné de **Sa Trapa** est tout proche. Un pêcheur vous fera faire le tour de Sa Dragonera ; d'après la tradition, c'est là qu'accosta l'expédition qui conquit Majorque en 1229.

Un parfum de Californie

Dominant la mer en un à-pic vertigineux, la corniche (que beaucoup de touristes américains comparent à celle de Big Sur en Californie) est l'une des plus spectaculaires du monde. Le village d'**Estellencs**, accroché au flanc du **mont Galatzó**, est très fier de son donjon datant du temps des pirates.

Plus loin, le village de **Banyalbufar** est entouré de jardins en terrasses à flanc de montagne et étayés par des murets de pierres méticuleusement assemblées ; des canaux miroitants les irriguent. L'agglomération a conservé la motié des douze tours fortifiées qui la défendaient contre les incursions turques aux XVIᵉ et XVIIᵉ siècles. Une cascade rend la grève de galets particulièrement attrayante.

A quelques kilomètres de la route Palma-Valldemosa, le domaine de **Miramar** fut la première des propriétés qu'acquit l'archiduc Luis Salvador. Le plus remarquable de ces *possessiós* est **Son Marroig**, sur la route de Deiá ; ce magnifique

manoir, bâti autour d'un ancien donjon, abrite un musée du folklore majorquin et les collections de l'archiduc.

Deiá a conservé une grande partie de son architecture initiale. Si elle a résisté aux ravages des complexes hôteliers et des boutiques de souvenirs, c'est en grande partie grâce aux efforts de sa colonie d'artistes, dirigée par Robert Graves, qui s'y est installé au début des années 1920. L'archiduc Luis Salvador avait créé à Deiá une auberge du nom de **Comado Pilla**, où les voyageurs pouvaient loger gratuitement pendant trois nuits.

Un autre rivage accidenté vous attend dans la **presqu'île de Formentor**, à la pointe nord de l'île. Non loin de là, la charmante bourgade de **Pollensa** voisine avec un **pont romain**.

Les vastes **grottes d'Artá et du Drach**, à l'est de l'île, méritent une visite. Sur le plus grand des lacs souterrains des grottes du Drach, un orchestre joue de la musique de chambre dans un bateau. Du même côté de l'île, la ville de **Capdepera** possède une citadelle imposante. Le père Junipero Serra, fondateur des premières missions californiennes, était né à **Petra**, dans le centre agricole de l'île. L'État de Californie y a créé un musée, et la maison natale du missionnaire, restaurée et remeublée, est à peu près telle qu'il l'a connue. Plusieurs des missions qu'il a fondées — et, par conséquent, plusieurs villes californiennes — portent le nom d'une des chapelles latérales de l'église locale **San Bernardino**.

Un coin d'Angleterre

Minorque se distingue des autres Baléares par l'abondance de ses vestiges préhistoriques et par l'influence exercée sur sa culture par l'occupation britannique du XVIIIᵉ siècle. Les constructions mégalithiques appelées talayots sont des tours généralement, coniques, à deux ou trois niveaux ; leur raison d'être n'a pas encore reçu d'explication, mais il semble probable qu'elles ont servi à la défense et à l'habitation. Une autre construction, baptisée *naveta*, en forme de coque de bateau retournée, servait de sépulture.

Les monuments préhistoriques les plus fascinants et les plus mystérieux de Minor-

Un plantureux buffet attend les clients d'un hôtel d'Ibiza.

que sont appelés *taulas*. Une *taula* (table en catalan) est un mégalithe de plusieurs tonnes, posé en équilibre au sommet d'un autre de façon à former un T. On en a identifié une trentaine, dont sept sont encore debout. Ils avaient vraisemblablement un but religieux.

Cavernes et palais

Cala Coves abrite une autre curiosité préhistorique : un lacis de quelque 140 cavernes creusées par l'homme et datant, pour la plupart, du IXe siècle av. J.-C. Dans l'une d'elles, on a découvert une inscription latine remontant aux alentours du IIe siècle av. J.-C.

Dans les deux villes principales, Mahón et Ciudadela, des bars et des boîtes de nuit ont été installés dans des grottes. La discothèque la plus spectaculaire des Baléares, celle de **Cala'n Porter**, occupe une suite de cavernes naturelles dominant la mer.

C'est à **Mahón** et aux alentours que l'influence britannique est la plus sensible. Cette cité, dont les Anglais firent la capitale de l'île, est située au fond d'une ria de 5 km de long, la seule des Baléares. C'est l'unique ville de toute l'Espagne où les fenêtres sont à guillotine. Autour de la cité s'élèvent de nombreux manoirs typiquement britanniques. A l'embouchure de la ria, l'agglomération de **Villa Carlos**, fondée par les Anglais, s'appela d'abord Georgetown. Le gin minorquin, dont la saveur caractéristique est appréciée dans toute l'Espagne, fut introduit par les Britanniques, et le dialecte minorquin a même assimilé un certain nombre de mots anglais.

La seconde ville importante de Minorque, **Ciudadela**, est à la pointe occidentale de l'île, dont elle fut la capitale sous l'occupation musulmane et après la Reconquête. L'une des tours de sa **cathédrale** gothique est édifiée sur les assises du minaret de la mosquée qui l'a précédée. Les majestueuses demeures de la noblesse, bâties du XVIe siècle, confèrent à Ciudadela une ambiance beaucoup plus aristocratique que celle de Mahon. Ciudadela renaît à la vie tous les ans pendant la **fiesta de San Joan** les 23 et 24 juin. Cette fête, qui remonte à la fin du

Bronzage à Cala Torado, dans l'île d'Ibiza.

Moyen Age, est animée par des cavaliers incarnant les différentes classes de la société. Ils disputent des tournois sur le port et caracolent dans les ruelles de la vieille ville.

Ibiza

Ibiza fut fondée au milieu du VIIᵉ siècle av. J.-C. par les Carthaginois, qui l'appelèrent Ibosim. Ils y développèrent une économie florissante, qui reposait sur l'exportation du sel, de la poterie, de la verrerie et des produits agricoles. Les monnaies ibizanes découvertes dans toute la Méditerranée témoignent de cette prospérité. Les deux **musées archéologiques** de l'île possèdent des vestiges de cette période. Le premier est situé sur la place qui domine la vieille ville ; sa collection d'objets puniques est l'une des plus riches du monde. L'autre est dans la **Via Romana**, au pied de la colline appelée **Puig des Molins**, qui est une énorme nécropole de plus de 400 tombes taillées dans le roc à diverses profondeurs ; l'essentiel des collections de ce musée provient de ces sépultures.

Mais si Ibiza a un passé brillant, son présent n'est pas moins prospère. Depuis une vingtaine d'années, elle est devenue l'une des Mecque des touristes ne recherchant pas seulement le soleil, le sable et la mer, mais également une vie nocturne qui commence habituellement dans les bars élégants du port pour se terminer, à l'aube, dans une discothèque de la campagne.

Le bruit et l'agitation du port contrastent avec l'aristocratique sérénité de la vieille ville, appelée **d'Alt Vila**, enfermée dans un réseau compliqué de fortifications. La disposition des rues de cette partie d'Ibiza n'a pratiquement pas varié depuis les Carthaginois.

En fin d'après-midi, sitôt les remparts franchis, on est aveuglé par la réflexion du soleil sur le pavage de galets. C'est avec les espadrilles ou *alpargatas* qu'on est le mieux chaussé pour affronter les rues raboteuses. De la porte fortifiée, une route sinueuse escalade la colline abrupte. A mi-pente, les vieilles familles ibizanes ont édifié de vastes demeures dont quelques-unes ont quatre ou cinq cents ans. L'une d'elles est devenue un hôtel-restaurant de luxe, le

Corsario, dont le nom évoque l'époque où Ibiza possédait une flotte de corsaires qui, au XVIᵉ et au XVIIᵉ siècle, non seulement défendait les Baléares mais attaquait tous les vaisseaux suspects. La grotte qui s'ouvre dans le petit jardin du Corsario permettait autrefois de gagner une crique, que ce fût pour fuir une invasion de pirates ou pour la refouler.

Le sommet de la colline est occupé par un **musée Archéologique**, ainsi que par la **cathédrale** et la **citadelle**. Le terrain sur lequel est édifiée l'austère cathédrale était sûrement prédestiné, puisqu'elle a succédé, si l'on remonte le temps, à une mosquée, à une église paléochrétienne, à un temple romain consacré à Mercure et à un temple carthaginois.

Formentera

L'île de Formentera, séparée d'Ibiza par 7 km de chenaux et d'îlots, n'est accessible que par le service régulier de bateaux qui relie le port d'Ibiza à celui de Formentera, La Sabina. Cet isolement est un avantage pour ceux qui souhaitent s'éloigner de la foule des touristes d'Ibiza. En plus du calme et du silence, Formentera offre à ses visiteurs les superbes **plages d'Illetas** et de **Mitjorn** ; celle d'**Es Pujols** accueille surtout les voyages organisés, et a de nombreuses petites *calas*. Le caractère agricole de l'île (dont le nom vient du latin *frumentum*, froment) renforce l'impression de tranquillité qui s'en dégage.

Le rendez-vous des jeunes

Le moyen de transport le mieux adapté à Formentera est le scooter, qu'on peut louer à La Sabina ; il vous permettra de traverser l'île en quarante minutes. Il ne faut pas manquer la promenade sur le plateau qui occupe l'extrémité de l'île appelée **la Mola**. La route en lacet qui grimpe jusqu'au sommet offre de remarquables points de vue sur l'île et sur Ibiza. Une fois sur le plateau, elle traverse les vignobles qui fournissent le vin local et aboutit à un phare dominant une falaise escarpée. Une plaque rappelle que c'est de là que Jules Verne fit décoller l'astronef de son roman *De la Terre à la Lune*.

A droite, costume traditionnel à la fiesta d'Ibiza.

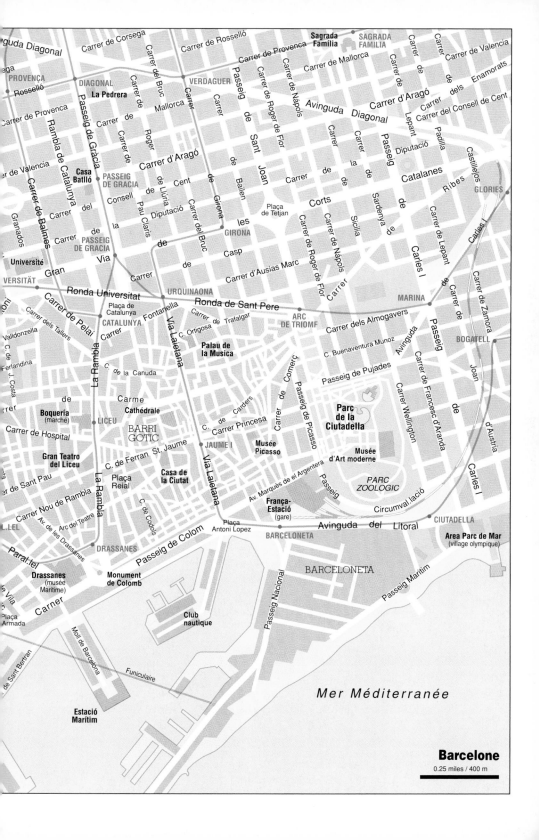

Barcelone

0.25 miles / 400 m

BARCELONE

Port méditerranéen et capitale de la Cata-logne, **Barcelone** (Barcelona) est un carre-four de l'histoire en tant qu'héritière des cultures phénicienne, grecque, carthagi-noise, romaine, gothique et arabe. Ville bilingue (espagnol et catalan), ayant un pied en France et l'autre dans l'Espagne traditionnelle, Barcelone fut longtemps le chaînon reliant l'Espagne à l'Europe.

La ville a engendré des artistes de répu-tation mondiale, tels Pablo Picasso, Joan Miró, Salvador Dalí et Pablo Casals. Elle s'est acquise une renommée de centre expérimental cosmopolite, tant pour les idées politiques que pour les mouvements artistiques. Le nationalisme catalan, l'ac-tivisme prolétarien, l'inspiration artistique et la passion méditerranéenne s'y sont mêlés pour créer une formule explosive, capable de produire n'importe quoi, de l'anarchie au cubisme et au surréalisme.

Catalogne et Espagne

La compréhension de Barcelone nécessite un aperçu de la dualité hispano-catalane. Bien que la moitié de ses trois millions et demi d'habitants soient venus d'autres régions d'Espagne, Barcelone est histori-quement une cité catalane, la capitale de la Catalogne et le siège de la Generalitat, le gouvernement catalan autonome.

La Catalogne était une nation indépen-dante, dotée d'un Parlement, le conseil des Cent, bien avant la formation de l'État espagnol. Elle devint une puissance com-merciale en Méditerranée au XIVe et au XVe siècle, période où elle donna naissance à une bourgeoisie ; des banques et une structure sociale profondément différente de celle de l'Espagne, encore en grande partie féodale, virent le jour. Plus tard, pendant que le reste de l'Espagne ne pen-sait qu'à coloniser le Nouveau Monde et à exploiter ses richesses, la Catalogne s'in-dustrialisa : en 1850, elle était la quatrième puissance industrielle du monde. Barce-lone donna ainsi naissance à une classe ouvrière.

Le catalan, langue romane dérivée de celle de l'occupant romain, est proche du provençal et de la langue d'oc. La vigueur de la culture catalane a suivi les fluc-tuations politiques de la Catalogne. Après avoir été réunie, au XIIe siècle, au royaume d'Aragon, la Catalogne se trouva intégrée à une nouvelle nation, l'Espagne, lorsque Ferdinand d'Aragon épousa Isabelle de Castille, en 1469. Au cours des trois cents années suivantes, le centralisme castillan fit disparaître des privilèges et des institu-tions séculaires, notamment en 1714, quand le nouveau roi, Philippe V, petit-fils de Louis XIV, soumit Barcelone par les armes et abolit toute trace d'autono-mie. Bien que les succès industriels de la Catalogne aient favorisé de nouveaux mouvements indépendantistes et une *renaixença* du nationalisme catalan au XIXe siècle, la dernière expérience de la Catalogne en matière d'autonomie fut écrasée par la victoire du général Franco, qui, en 1939, mit fin à la guerre civile espa-gnole.

Depuis la mort de Franco, en 1975, la Catalogne a effectué un spectaculaire redressement culturel. Le catalan, interdit durant quarante ans, est de nouveau

gauche, Christophe Colomb domine le port de Barcelone ; à droite, jazz dans le quartier gothique de Barcelone.

enseigné dans les écoles, imprimé dans les livres et les journaux, et reconnu comme la seconde langue officielle de la Catalogne. Il existe une radio, une télévision et un cinéma catalans. La Catalogne connaît actuellement un âge d'or culturel sans équivalent depuis le Moyen Age. Le discours que le roi Juan Carlos a prononcé en 1978, en catalan, devant le parlement régional, a ouvert la voie au rétablissement des institutions démocratiques et de l'identité culturelle de la Catalogne.

Le cadre

Bordée d'un côté par la mer et de l'autre par les hauteurs de **Collserola**, Barcelone est coupée de larges avenue (**Diagonal, Paseo de Gracia**) et ponctuée d'espaces dégagés qui contrebalancent agréablement sa densité humaine et architecturale. Les collines de Montjuich, au port, et de Tibidabo, à l'arrière-plan, dominent l'étendue chaotique de la ville, qui débouche sur Barceloneta et l'immensité bleue de la Méditerranée.

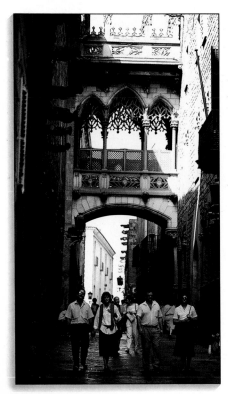

Partie de l'élégance gothique de la vieille ville et des ruelles tortueuses du port, Barcelone a évolué vers les concepts néoclassiques de l'urbaniste Ildefons Cerda dans l'**Ensanche**, la ville moderne, qui occupe la zone naguère inhabitable située entre la vieille ville et les collines, et dont le labyrinthe rationnel — alignements d'immeubles et rues larges formant un damier de blocs identiques dépourvus de numérotation — contraste brutalement avec l'anarchie urbaine du restant de la ville. Les villages périphériques qui ont été englobés par la ville sont plus représentatifs du caractère de Barcelone : mairie, boutiques et église agglutinées autour d'une petite place.

Le Barrio Gótico

La vieille ville de Barcelone, appelée **Barrio Gótico** (quartier gothique) en espagnol, Barri Gòtic en catalan, est un prodigieux déploiement de pierre, émaillé d'oasis — cafés, brasseries, restaurants gastronomiques — permettant au promeneur de se reposer. Bien que la plupart de ses constructions majeures aient été édifiées du XIIIe au XVe siècle, on y trouve des colonnes et autres vestiges de la civilisation romaine.

L'acropole de Barcelone commença par être un village ibère, *Laia*. Les Romains s'en emparèrent en 133 av. J.-C., y édifièrent le temple d'Auguste et, au IVe siècle, cernèrent leur *Mons Taber* de remparts.

L'itinéraire qui donne la meilleure idée de cet important centre archéologique commence devant la **cathédrale**, sur la Plaça Nova, traverse le parvis et, par le Carrer Tapinería, gagne la **Plaça de Ramón Berenguer el Gran**, qui occupait la limite orientale des remparts romains. Reprenez le Carrer Tapineria jusqu'à la **Plaça des Angel**, puis suivez le Carrer Murallas Romanes, où subsistent des portions de remparts. Passez derrière le rempart pour atteindre la **Plaça Sant Just**, remontez jusqu'au Carrer Llibreteria, d'où le Carrer Veguer vous conduit à la Plaça del Rei, où s'élèvent la **chapelle Santa Agata** et le **Palau Reial**. Santa Agata est un échantillon remarquablement pur du style gothique catalan ; le

Promeneurs dans le quartier gothique de Barcelone.

Palau Reial, le palais royal, était la résidence des comtes de Barcelone, devenus rois d'Aragon en 1137. **Le musée municipal de Barcelone**, la **Casa Padellas**, le **Saló del Tinell** et le **Palau del Loctinent** jalonnent ce qui fut le centre de la vie de cour de l'ancienne Barcelone.

La cathédrale

Commencée en 1298 dans un style de transition encore imprégné d'influences romanes, la **cathédrale** de Barcelone fut achevée au cours des deux siècles suivants, à l'exception de sa façade principale, construite à la fin du xixᵉ siècle. Les deux clochers octogonaux sont peut-être les éléments les plus imposants de la cathédrale, dont le cloître intérieur, avec ses magnolias, ses palmiers, ses orangers et son bassin où barbotent des oies, est l'un des joyaux de la ville. A l'intérieur, les chapelles latérales, les sculptures et les peintures sont d'une qualité inégale, les plus intéressantes étant peut-être les bas-reliefs du *Martyre de sainte Eulalie* par Ordóñez.

Dans le port de Barcelone est amarrée une copie de l'une des caravelles de Christophe Colomb.

Les **maisons Canonja**, **Degà** et **Ardiaca**, qui entourent la place devant la cathédrale, ainsi que la **chapelle Santa Llucia**, au coin du Carrer del Bisbé, sont également des merveilles architecturales à ne pas manquer, avant de remonter cette même rue vers la **Plaça Sant Jaume**. On y rencontre souvent des guitaristes ou des flûtistes — généralement des élèves du conservatoire — jouant des airs médiévaux qui sont amplifiés et répercutés par les hauts murs de pierre.

La Generalitat

Au coin du Carrer del Bisbé et de la Plaça Sant Jaume se dresse l'imposante **Generalitat**, siège du gouvernement catalan autonome depuis le xivᵉ siècle : sa stupéfiante ornementation balaie les derniers doutes que l'on pouvait conserver sur le fait que la Catalogne se considère comme une nation. Les principaux points d'intérêt de l'édifice, qui date essentiellement des xvᵉ, xviᵉ et xviiᵉ siècles, sont le **patio gothique**, avec son escalier extérieur, la **chapelle Sant**

Jordi, le **Pati dels Tarongers** (patio des Orangers) et le **Saló Daurat** (salle Dorée), avec ses ravissantes fresques représentant les montagnes, les vallées, les plaines et les plages de Catalogne.

La Plaça Sant Jaume est, en elle-même, une remarquable œuvre d'art. En fin d'année, elle abrite un gigantesque sapin de Noël venu des Pyrénées.

La façade néoclassique qui s'élève de l'autre côté de la place, face à la Generalitat, est celle de la **Casa de la Ciutat**, l'hôtel de ville. A gauche, une façade gothique contraste plaisamment avec la rigueur géométrique du style néoclassique de ce dernier. À l'intérieur du bâtiment, on remarquera surtout l'escalier de marbre noir et le **Saló de Cent** (salle des Cent), où se réunissait l'un des premiers parlements démocratiques d'Europe. Tout en reconnaissant l'autorité royale, cette assemblée siégea sans interruption du XIVe au XVIIIe siècle, mais elle fut dissoute par Philippe V en 1714, l'année où la Catalogne perdit son autonomie.

Le Barrio de Santa María

Le Barrio de Santa María est le quartier qui entoure la superbe **église Santa María del Mar**, peut-être le plus bel exemple existant d'architecture gothique méditerranéenne. Commencée en 1329, Santa María del Mar fut le cœur de la nouvelle communauté maritime et marchande de Barcelone et la glorieuse consécration de l'hégémonie de la Catalogne sur la Méditerranée de cette époque. « Santa María ! » fut l'un des cris de guerre des marins et des soldats catalans qui envahirent la Sicile, la Sardaigne et la Grèce.

L'église est l'un des monuments les plus sobres et les plus élégants de la ville. La largeur de ses trois nefs, qui sont presque de la même hauteur, réduit les supports intérieurs au strict minimum. Particulièrement remarquables sont les massives colonnes de pierre, la grande rose, les deux clochers, les chapelles latérales et les vitraux. L'acoustique mérite également d'être signalée en raison d'un décalage de six secondes, capable de transformer une mélodie en puissante polyphonie.

Le **Carrer del Argenteria**, le **Carrer dels Caputxes** et tout le dédale de rues et de places qui entoure l'église recèlent les coins et recoins médiévaux les plus charmants de la ville. **El Born** (à l'extrémité orientale de l'église, au fond de la place rectangulaire) a servi de cadre aux joutes, aux tournois, aux processions et aux célébrations diverses du XIIIe au XVIIe siècle. La maison située au n° 17 de la **Plaça del Born** est la seule survivante du XIVe siècle. Les autres ont été rebâties au XVIIe et au XVIIIe siècle. Le Born devint le marché central de la Barcelone maritime. Le **Carrer del Rec**, qui descend du Born vers le port, est un autre joyau architectural, bordé de porches gothiques servant de supports aux terrasses.

En tournant à gauche au coin de la façade orientale de Santa María del Mar, on débouche sur le **Carrer Montcada**, qui fut l'une des rues les plus aristocratiques de Barcelone au XIVe siècle et en est restée l'une des plus belles. Presque tous les palais du XIVe siècle qui la bordent sont parfaitement conservés. Les plus importants sont le **Palau Cervelló**, au n° 25, le **Palau Dalmases**, au n° 23, avec ses fenêtres trilobées typiques des demeures

A la fraîche, les Ramblas attirent de nombreux flâneurs.

nobles de l'époque, et le **Palau d'Aguilar**, devenu **musée Picasso**, presque aussi intéressant pour son architecture que pour ses collections, avec en particulier son patio dont l'escalier en plein air est caractéristique des palais du XIVe siècle.

Le musée Picasso offre un aperçu sur les débuts de l'œuvre de l'artiste. Des caricatures qu'il fit de ses professeurs dans les marges de ses cahiers, de ses études d'anatomie d'étudiant des Beaux-Arts et de ses premières grandes compositions inspirées des maîtres — Goya, Vélasquez, le Greco — émanent déjà la prodigieuse vitalité de Picasso.

En continuant vers le **Carrer dels Corders**, on découvre la **chapelle Marcus**, du XIIe siècle, qui, bien qu'accolée maintenant à une maison baroque construite en 1787, conserve son caractère d'ermitage roman. Tout près de là, au n° 12 du Carrer dels Corders, le patio du XIVe siècle de l'**Hostal de la Bona Sort** (auberge de la Bonne Chance) est resté intact depuis le Moyen Age. Le Carrer dels Corders monte jusqu'à la **Plaça de la Llana**, autre place médiévale typique. De là, continuez par

les ruelles qui courent parallèlement à la Via Laietana, traversez le rafraîchissant **marché Santa Catalina** et montez le Carrer Mare de Deu jusqu'au stupéfiant **Palau de la Musica**.

Construit en 1908 par l'architecte Modern'style Domenech i Montaner, cette explosion de formes et de couleurs à la Gaudí vous arrachera d'un seul coup à toute cette grâce médiévale pour vous ramener au XXe siècle.

Barceloneta

La plus agréable conclusion d'une matinée de promenade dans le quartier gothique est un déjeuner sur la pittoresque plage de **Barceloneta**, pour savourer une *paella de mariscos* arrosée de vin blanc frappé. **Can Costa El Deporte** est le plus en vogue des restaurants donnant sur la plage : Can Costa El Deporte semble prêt à prendre la mer et baigne dans une admirable lumière méditerranéenne ; à l'horizon se profilent les cargos et les ferrys en route vers Gênes ou les îles Baléares.

Ci-dessous, emplettes au marché de la Boquería, dans le centre de Barcelone ; à droite, les balcons d'un immeuble des Ramblas.

Barceloneta a conservé son ambiance typique de village de pêcheurs méditerranéen : maisons et balcons peints de couleurs vives, linge séchant aux fenêtres, rues étroites et savoureux arômes de poisson frais. De l'**église Sant Miquel de Port**, qui s'élève sur une place charmante, en lisière du **Paseo Nacional**, on atteint la plage en quinze ou vingt minutes ; sur le parcours, les terrasses de café offrent d'irrésistibles tentations.

La Ciutadella

La **Ciutadella** (citadelle) fut édifiée par Philippe V pour impressionner les Barcelonais après le long et pénible siège de 1714. Convaincu que seul un imposant déploiement de force assurerait des relations pacifiques, le souverain espagnol fit bâtir l'une des plus vastes citadelles d'Europe. N'ayant jamais servi, elle fut finalement démantelée en 1888. Il n'en reste que le **palais du Gouverneur**, la **chapelle** et l'**arsenal**.

Le parc de la Ciutadella abrite aujourd'hui le zoo, l'aquarium, les **musées de Zoologie** et de **Géologie**, un jardin botanique, une bibliothèque enfantine et, surtout, le **musée d'Art moderne**, dont les excellentes collections présentent des œuvres des peintres catalans Casas, Miró, Nonell et Sert.

Les Ramblas et le port

Les célèbres **Ramblas**, qui sont un peu à Barcelone ce que les grands boulevards sont à Paris, ont de quoi satisfaire tous les goûts. Occupant le lit asséché d'un ancien ruisseau, elles relient la **Plaça Catalunya** à la statue de Christophe Colomb, sur le port. Bien qu'on y croise une foule pittoresque et qu'il soit amusant de les emprunter, les Ramblas ne sont plus la promenade élégante qu'elles furent.

Face au début des Ramblas, à l'endroit où le métro sort de terre, le **café Zurich** est idéal pour lézarder au soleil. Au n° 6 du **Carrer Canuda**, l'**Ateneo Barcelonés** mérite au moins que l'on pénètre dans son vestibule, pour son austère élégance et parce qu'y est affiché le programme culturel de l'Ateneo. Sur la **Rambla dels Estudis** se

trouvent l'**église de Bethléem** et, à gauche, le **Palau Moia**. La **Rambla dels Flors**, ou **Rambla Sant Josep**, lui fait suite, bordée d'étals de fleuristes, du Palau de la Virreina et du spectaculaire marché Boquería. Ramón Casas, le premier peintre impressionniste de Catalogne, passe pour avoir découvert son plus beau modèle, qui devint ultérieurement sa femme, parmi les ravissantes marchandes de fleurs des Ramblas. Le **palais de la Virreina**, du XVIIIᵉ siècle, porte le nom de la veuve du vice-roi du Pérou ; c'est une belle construction de style Louis XIV, richement ornée de sculptures. La **Boquería**, le plus grand marché de Barcelone, s'abrite sous un haut hangar métallique. Les étalages de fruits et légumes brillamment éclairés, la vivifiante odeur de sel et d'iode des poissons et des fruits de mer, le tohubohu affairé du marché et les minuscules bistrots au comptoir de marbre, où l'on boit en vitesse un verre de vin ou une tasse de café, contribuent à faire de la Boquería l'étape la plus marquante des Ramblas.

La **Rambla del Centre**, ou **Rambla dels Caputxins**, commence après la petite place ornée d'un trottoir de mosaïque dû à Joan Miró située devant l'opéra de Barcelone, le **Liceu**. Le **café de l'Opéra**, en face du Liceu, est un lieu de rencontre apprécié. Un petit crochet par le **Carrer Cardenal Casañas**, jusqu'à la **Plaça del Pi** et à l'**église Santa María del Pi**, du XIVᵉ siècle, est recommandé. La place et les rues avoisinantes sont intéressantes à parcourir ; des peintres exposent souvent leurs œuvres sur la place, le long de l'église. Tout près de la Rambla, au n° 3 du **Carrer Conde del Asalto** — ou **Carrer Nou** —, s'élève le **Palau Güell** d'Antoni Gaudí ; les invités viennent à 4 h du matin à la boulangerie voisine acheter des *ensaimadas*, la pâtisserie du petit déjeuner typiquement majorquine, qui sortent toutes chaudes du four. L'**hôtel Oriente**, ancien collège franciscain de Sant Bonaventura, possède également une architecture intéressante. La **Rambla de Santa Monica**, la dernière des Ramblas, descend de la **Plaça Reial** jusqu'au port. Avec ses palmiers et l'uniformité de ses maisons à portique, la Plaça Reial fut longtemps considérée comme l'un des endroits les plus attrayants de Barcelone. Les cafés et les brasseries qui s'abritent sous ses colonnades sont tou-

À gauche, la Sagrada Familia, la cathédrale inachevée de Gaudi.

jours des endroits agréables pour déguster une bière, des *patatas bravas* (pommes de terre à la sauce pimentée) et des *calamares* (encornets), mais la Plaça Reial, maintenant fermée à la circulation automobile, est devenue un marché pour tous les trafics.

Dans la journée, il est amusant de vagabonder dans les petites rues qui bordent les Ramblas. Celles qui relient le **monument de Christophe Colomb** aux Correos (la poste), à deux pas du front de mer, sont bordées de bistrots réputés pour leurs encornets, leurs poulpes et la variété de leurs *tapas*.

La Barcelone de Gaudí

Peu d'architectes ont autant marqué une ville que Gaudí a marqué Barcelone. Né dans la proche Reus en 1852, Antoni Gaudí y Cornet créa des formes révolutionnaires qui coïncidèrent avec l'épanouissement du Modern'style. On trouve dans toute la ville des œuvres de Gaudí et de ses disciples : constructions onduleuses, sculpturales, remplaçant systématiquement les lignes droites et les angles vifs par des éléments naturels et organiques.

Le parc de la Ciutadella abrite l'une de ses premières œuvres : avant 1878, alors qu'il était étudiant en architecture et l'assistant de Pere Fontserè, il dessina les rochers de la **Cascada**. Les réverbères de la Plaça Reial, qui tendent à diverses hauteurs des bras en forme de branches, sont également du jeune Gaudí. Sa **Casa Vicens** (1880), dans le **quartier de Gracia** (24-26, Carrer dels Carolines), fut sa première construction importante et le début d'une architecture entièrement polychrome. Son **palais Güell**, au n° 3, Carrer de Conde del Asalto, au coin des Ramblas, terminé en 1889, apporte beaucoup de nouveautés (arcades paraboliques de l'entrée, portail sinueux, mosaïques de céramique, pierres sur le toit) que l'on retrouve dans les œuvres postérieures de l'architecte.

Les œuvres majeures de Gaudí sont le parc Güell, la Casa Battló, la Casa Milá (parfois appelée la Pedrera) et, bien entendu, sa grande cathédrale de la Sagrada Familia.

Les Casas Consistoriales de Barcelone vues par un artiste local.

Le **parc Güell** fut commandé par le financier barcelonais Eusebi Güell dans le cadre d'une opération d'urbanisme : c'est un ensemble de jardins situé dans la partie la plus élevée de la ville, au-dessus de Gracia.

Entre 1900 et 1914, Gaudí dessina un marché couvert, une grande place centrale, une série de sentiers à flanc de coteau et les plans de plusieurs maisons, dont deux seulement furent finalement construites. Son mur d'enceinte décoré de mosaïque est la première particularité notable du parc Güell. Tout aussi frappants sont les deux bâtiments proches de l'entrée, avec leurs formes étranges et leur toit multicolore. Le marché est appelé **Sala dels Cent Columnes** bien que son plafond onduleux, décoré de mosaïque, ne soit supporté que par 86 colonnes doriques ; la galerie irréelle qui s'élève de guingois sur la gauche conduit à l'entrée du parc. La place centrale, entourée de bancs ingénieusement décorés par Gaudí, décrit toute la gamme des couleurs en utilisant une profusion d'objets disparates, tessons, débris divers, distribués au hasard et incorporés au revêtement de mosaïque. Un sentier sinueux escalade le flanc de la montagne au-dessus des remparts oniriques de Gaudí, franchit des ponts fantasmagoriques et sort du parc à **La Farigola**. De là, une courte marche vous ramènera, par le viaduc de Vallcarca, jusqu'à l'**Avenida Republica Argentina** en offrant des points de vue spectaculaires dans toutes les directions.

La **Casa Milá** (la **Pedrera**) et la **Casa Battló** sont des immeubles d'habitation du Paseo de Gracia. La Casa Battló (au n° 43) fait partie de la célèbre **mançana de la Discordia** (îlot de la Discorde), ainsi nommée à cause de la disparité des styles de la demi-douzaine d'immeubles édifiés dans ce pâté de maisons pendant les dix premières années du siècle. La Casa Battló est l'une des plus fabuleuses réalisations de Gaudí avec ses mosaïques multicolores et ses murs onduleux.

Autre fantaisie, la **Casa Milá**, au n° 92, s'inspire davantage de la nature : sable modelé par le ressac, jeux d'ombres, balcons de fer forgé tarabiscotés. Tout, jusqu'aux moulures, aux boutons de porte et aux crémones des fenêtres, est de Gaudí ou dans le style de l'artiste.

Le **Temple Expiatori de la Sagrada Familia** (« temple expiatoire de la Sainte Famille ») fut commencé en 1884 comme un monument néogothique, sous la direction de Francex P. Villar. Antoni Gaudí succéda à celui-là en 1891, acheva la crypte et dressa les plans d'un sanctuaire colossal, dont la hauteur devait atteindre 150 m, mais qui ne fut jamais terminé.

Conçue comme un symbole, la cathédrale devait posséder trois gigantesques façades : celle de l'est serait consacrée à la Nativité, celle de l'ouest à la Passion et à la mort du Christ, et celle du sud — la plus grande — à sa gloire. Douze flèches (quatre par façade) symboliseraient les douze apôtres ; la tour, au-dessus de l'abside, incarnerait la Vierge Marie ; et la flèche centrale, dédiée au Christ Sauveur, serait entourée de quatre tours plus petites représentant les évangélistes. La statuaire décorative et l'ornementation de la façade et des quatre tours existantes sont d'une qualité et d'une densité extraordinaires. On trouve à la Sagrada Familia des guides en plusieurs langues décrivant le monument en détail.

'our danser 1 sardane, 'ieux vaut oser sa veste u centre du ercle, l'abri des ickpockets.

Le caractère le plus marquant de l'œuvre de Gaudí est probablement la constance avec laquelle l'architecte s'est efforcé d'intégrer à ses créations des éléments empruntés à la nature. L'influence des pics et des pitons de Montserra (centre de pèlerinage de la Catalogne, proche de Barcelone) est flagrante dans l'élan et la texture de la Sagrada Familia. Beaucoup des constructions de Gaudí, telle la Casa Battló, semblent avoir jailli spontanément, à la manière d'un champignon, d'un rêve élégiaque et délirant.

Le travail se poursuit à la Sagrada Familia, au milieu des controverses sur sa conception et son financement. Gaudí fait tellement partie de la vie quotidienne de Barcelone que son nom est aussi connu que ceux des plus récentes vedettes des arts et du sport.

Profondément religieux et mystique, Gaudí mourut en 1926. Renversé par un trolleybus à l'âge de soixante-quatorze ans, il avait une apparence si modeste qu'on ne le reconnut pas tout de suite et qu'il rendit l'âme anonymement dans une salle commune de l'hôpital de San Pau i de la Santa Creu, non loin du Temple de la Sagrada Familia. Antoni Gaudí y Cornet repose dans la crypte de la cathédrale inachevée à laquelle il a consacré une grande partie de sa vie et qui continue à s'élever autour de lui.

Tibidabo

Tibidabo, la plus élevée des collines de Collserola, au nord de Barcelone, doit son nom à la tentation de Jésus par Satan telle que la rapporte saint Matthieu : *« Haec omnia Tibi dabo si cadens adoraberis me »* (« Je te donnerai tout cela, si tu te prosternes et m'adores »). Selon la légende catalane, aucune tentation n'aurait pu être plus diabolique que la vue du pic de 518 m qui domine Barcelone d'un côté et la Catalogne intérieure de l'autre.

Le terminus du chemin de fer barcelonais de Tibidabo est situé au sommet de la **Calle Balmes**. De là, un tramway bleu monte jusqu'à la gare du funiculaire, où se trouve un excellent restaurant, **La Venta**, avec tables en terrasse pour les dîners esti-

Le parc de Montjuich domine le port de Barcelone.

vaux. Le charme de la visite à Tibidabo réside en partie dans son accès par train, tramway et funiculaire.

L'**église du Sagrat Cor** et ses célèbres petits chanteurs, l'**hôtel Florida** et le parc d'attractions sont tous intéressants, mais c'est surtout le panorama qui justifie la promenade : la vue de la ville et de la Méditerranée d'un côté, de la campagne catalane et des pitons dentelés de Montserrat de l'autre, avec au nord, par temps clair, les cimes neigeuses des Pyrénées.

Montjuich

L'autre éminence de Barcelone, **Montjuich**, domine le port. Ses principaux atouts sont la forteresse militaire qui garde l'entrée du port, un parc d'attractions, des pistes d'athlétisme, des sentiers de promenade, des terrains de football et de rugby, un amphithéâtre et quatre musées : le **musée d'Art catalan**, le **musée Archéologique**, la **fondation Miró** et le **Village espagnol** (Pueblo Español).

Le tour de Montjuich en une matinée, suivi du trajet en trolleybus jusqu'à Barceloneta pour le déjeuner, est un itinéraire ambitieux, mais spectaculaire. On part de la **Plaça d'Espanya** et on traverse les pavillons d'exposition pour atteindre le **Museu d'Art de Catalunya**, dans le **Palau Nacional**, dont la collection de fresques romanes est généralement considérée comme la plus belle au monde. Presque toutes ces peintures murales proviennent des Pyrénées catalanes et datent des Xe, XIe et XIIe siècles. La plupart d'entre elles ornaient les absides du millier d'églises et de chapelles romanes éparpillées dans toute la Catalogne. La collection d'art gothique est également superbe.

Surnommé « l'Espagne en bouteille », le **Pueblo Español**, ou **Poble Espanyol** en catalan, construit pour l'exposition de 1929, réunit les divers styles régionaux du pays. On y voit des maisons typiques d'Andalousie, du Pays basque, de Castille, d'Aragon, de Galice, d'Estrémadure et, bien sûr, de Catalogne ; des artisans fabriquent et vendent des spécialités régionales en bois, en cuir, en céramique et en verre.

Jeux d'eau nocturnes à Montjuich.

Sarriá et Pedralbes

Sarriá, ancien village englobé par la ville, est parvenu à conserver son caractère propre, un peu de sa tranquillité et un certain individualisme. A un quart d'heure du centre de Barcelone, on a parfois la surprise d'y croiser un chasseur revenant des collines de Collserola ou un *boletaire* portant un panier de champignons.

En sortant de la gare, la typique **Plaçeta de Sant Vincens**, patron de Sarriá, est l'une des plus pittoresques : son ambiance est restée celle d'une place de village. Près de la place, au **marché de Reina Elisenda**, on admirera les poissons, les fruits, les légumes, et les jolies femmes qui les achètent.

Sarriá et Pedralbes, pleines d'anciennes résidences estivales, abritent nombre d'artistes, d'écrivains et d'aristocrates qui les considèrent comme un refuge contre l'agitation frénétique de Barcelone.

Les villas tarabiscotées de Pedralbes entourent le magnifique **monastère de Pedralbes**, édifice du XIVe siècle d'une remarquable pureté architecturale ; le clo-

cher, le cloître et la **chapelle Sant Miguel** sont d'excellents exemples de la meilleure période de l'architecture catalane, caractérisée par sa sobriété et son harmonie.

Derniers points forts

Dans et autour de Barcelone, vous pouvez aussi visiter les quartiers traditionnels de Sants, de Gracia et de Horta. Comme Sarriá, **Horta** est un ancien village annexé par la ville. **Sants** et **Gracia** abritent toutes deux une classe ouvrière d'origine rurale et, surtout, des traditions intensément *barcelonés*. Dans son émouvant roman *la Plaça del Diamant*, l'écrivain Mercé Rodoreda décrit parfaitement la vie à Gracia pendant les années 1930 et 1940. La **Torre del Rellotge**, beffroi situé sur la **Plaça de Rius i Taulet**, est le symbole de plusieurs mouvements progressistes.

Los Encantes, le marché aux puces de Barcelone, se tient tous les lundis, mercredis et vendredis sur la **Plaza de las Glorias Catalanas**. C'est un bon endroit pour dénicher quelque vieil objet en cuir à retaper, prendre le soleil en hiver, boire un café ou une bière et, d'une façon générale, pour se sentir méditerranéen dans le tohu-bohu du marché.

Le **Futbol Club Barcelona**, situé près de l'**hôtel Princesa Sofía**, sur le Diagonal, est l'un des hauts lieux de la ville. Édifié en 1957 par l'architecte Francesc Mitjans, **El Camp Nou**, qui peut accueillir 150 000 spectateurs, est considéré comme l'un des plus beaux stades de football au monde. Le Futbol Club Barcelona — qui, pendant quarante ans, a été le seul moyen d'expression public du nationalisme catalan — est un club monolithique dont les équipes de professionnels et d'amateurs disputent tous les championnats.

L'**abbaye bénédictine** et le **sanctuaire de la Mare de Deu de Montserrat**, à trois quarts d'heure de Barcelone en voiture, en train ou en autocar, est un lieu de pèlerinage très réputé dans toute la Catalogne. Depuis bien des années, c'est le seul endroit où la messe et les mariages sont célébrés en catalan. La *Morenata*, la Vierge noire, attire d'innombrables pèlerins dans l'église nichée parmi les flèches de roc qui dominent la vallée.

A gauche, sculpture de Joan Miró ; à droite, pour les Catalans, le monastère de Montserrat est un symbole national et religieux.

LA CATALOGNE

La Catalogne a tout : des côtes rocheuses, des plages de sable, des plaines fertiles, des steppes, des collines et des montagnes, et ce à moins de deux heures de l'une des principales métropoles européennes. On y trouve des villes magnifiques, de petits villages de pêcheurs, des hameaux montagnards, un millier de chapelles romanes, des ponts romains, des fermes séculaires, des vignobles, des champs de blé, des vergers, des ours et des torrents à truites ; tout cela dans une région de la taille de la Bretagne. Une telle diversité et une telle densité dans un espace aussi réduit sont une surprise continuelle, même pour les inconditionnels de cette minuscule fraction de la surface du globe. Les Catalans semblent avoir cultivé l'art d'être différents, et chaque ville, chaque vallée tire une immense fierté de son histoire.

Les 32 000 km² de la Catalogne couvrent 6 % de la partie espagnole de la péninsule Ibérique et sont divisés en quatre provinces — Barcelone, Gérone (Gerona), Lérida et Tarragone (Tarragona) — et en 38 *comarcas* (comtés). Il est plus simple d'y distinguer trois grands ensembles : l'eau, l'air et la terre, c'est-à-dire la Méditerranée, les Pyrénées et l'intérieur.

La Costa Brava

L'appellation **Costa Brava** (côte abrupte, escarpée, rocheuse, ou, littéralement, « sauvage »), créée en 1905 par le journaliste catalan Ferran Agulló, désignait initialement le littoral accidenté situé au nord de Barcelone.

Aujourd'hui, on appelle Costa Brava tout le rivage de la province de Gérone, entre **Blanes** et la frontière française.

Une série de *calas* (criques) dotées de petites plages intimes, de restaurants, d'hôtels et de villas jalonnent les falaises jaillissant des eaux bleues de la Méditerranée. Des caboteurs vont de crique en crique pour prendre ou déposer des voyageurs, certaines *calas* étant pratiquement inaccessibles par voie de terre.

L'**ermitage de Santa Cristina** et ses deux plages sont situés entre Blanes et **Lloret de Mar**. C'est la crique la plus proche de Barcelone — à moins d'une heure par la route côtière — et, si elle est exquise, elle peut aussi être surpeuplée. Après l'active et populeuse Lloret de Mar, on trouve des plages dans les **criques de Canyelles** et de **la Morisca**. Plus au nord s'égrènent les *calas* incroyablement sauvages et préservées de **Bona**, **Pola**, **Giverola**, **Sanlionç** et **Vallpregona**. La route côtière qui relie Lloret de Mar à **San Felíu de Guixols** et le ferry qui les dessert permettent de découvrir ce stupéfiant décor.

Canyet de Mar, autre étape importante sur la route de San Felíu de Guixols, est une crique délicieuse, typique des pinèdes de cette côte rocheuse. Plus au nord, **S'Agaro** et **Platja d'Aro** sont des villégiatures récentes assez fréquentées. Au nord de **Palamós**, une série de plages et de calas solitaires sont peut-être les endroits les mieux préservés de la Costa Brava. **S'Alguer** est une minuscule anse de pêcheurs, avec des hangars à bateaux sur le sable et des digues rocheuses naturelles

gauche, les Pyrénées à l'aube ; ci-dessous, bateaux de pêche sur la Costa Brava.

protégeant la plage. **Tamariu** est une petite cala particulièrement intime, un endroit merveilleusement retiré pour profiter du soleil de l'automne et de l'hiver et déguster une *paella* au bord de l'eau. Le **Parador Nacional d'Aiguablava** est juste au-dessus de Tamariu, mais beaucoup de cartes ne signalent pas la route qui rejoint le sommet des falaises ; la vue qu'il offre est l'une des plus grandioses de la Costa Brava.

A l'intérieur des terres, les sujets d'intérêt ne manquent pas. A **La Bisbal**, principal centre commercial de la région, le marché du vendredi remonte à 1322 ; la variété de ses poteries et son école de céramique sont connues depuis des siècles. A **Palafrugell**, le marché du dimanche est toujours très animé. **Peratallada**, au nord-est de La Bisbal, est l'un des fleurons de l'architecture médiévale de Catalogne.

Gérone

Ancienne colonie romaine, la ville de **Gérone** occupe une situation stratégique au confluent de quatre cours d'eau. Enfermée dans ses remparts jusqu'aux temps modernes, Gérone fut si souvent investie qu'on l'avait surnommée « la ville aux cent sièges ». Son célèbre quartier juif est l'un des meilleurs exemples catalans de l'ancienne architecture méditerranéenne. L'art roman y est représenté par le **monastère de Sant Pere de Galligants**, l'**église Sant Nicolau**, les **bains arabes**, et le cloître et le clocher de la cathédrale, la **Seu de Girona**, dont la nef gothique est la plus large de toute l'architecture médiévale.

Begur est le centre nerveux d'un autre secteur du littoral, qui comprend Aiguablava, Fornells, Sa Tuna, Aiguafreda et Sa Riera.

Toute cette partie de la Costa Brava semble avoir été conçue par des artistes : oliviers, pins, chênes verts, falaises et promontoires rocheux baignent dans la douceur diaphane de l'air marin.

Le nord de la Costa Brava s'étend, par le **golfe de Rosas**, de **La Escala** jusqu'à la frontière française. La ville la plus importante de cette région est **Figueras**, connue pour le **château de Sant Ferran** (XVIIIe siècle), pour le rôle important qu'elle a joué

Fermier catalan.

dans l'essor de la sardane — la danse nationale catalane — et, depuis peu, pour son **musée Dalí**, remarquable collection de quelques-unes des plus stupéfiantes créations du peintre catalan Salvador Dalí.

Au nord de l'Escala, les ruines grecques d'**Empuries** offrent un émouvant aperçu sur le passé historique de la région. **Rosas**, port de pêche important, est en train de devenir une villégiature internationale de premier plan. **Cadaqués**, où résidait Dalí, est un petit port tout blanc, peuplé en majeure partie d'artistes, d'écrivains et de toute une faune cosmopolite. Tout près de là, la promenade à **Cabo Creus** est un rafraîchissant bain de nature, surtout quand souffle la tramontane, le vent dominant.

Au nord de Cabo Creus, **Port de la Selva** et ses pêcheurs ont souvent été chantés par les poètes catalans. Dominant le golfe de la Selva, les ruines du légendaire **monastère de San Pedro de Roda** sont un mystérieux témoignage du passé, serti dans le panorama des lumineuses bourgades côtières et de la Méditerranée.

Cadaqués, sur la Costa Brava, où vécut Salvador Dalí.

La Costa Dorada

Au sud de Barcelone, le littoral, connu sous le nom de **Costa Dorada** (Côte dorée), devient progressivement plus plat, plus sauvage et plus solitaire. Même au mois d'août, on peut faire des kilomètres sur les grèves du **delta de l'Èbre** sans rencontrer âme qui vive. Alors que les *calas* de la Costa Brava sont intimes et douillettes, les plages du sud de la Catalogne sont exactement l'inverse : d'immenses étendues de sable, de mer, de ciel et de soleil.

Castelldefels et **Sitges**, les deux plages les plus proches de Barcelone, sont accueillantes, mais sans grand charme. Entre Sitges et Tarragone, des plages interminables offrent leur sable fin, leur eau limpide et leurs restaurants de fruits de mer.

Tarragone est une ville-musée. Riche en art et en monuments romains, elle possède également une belle cathédrale et une vitalité qui en font une combinaison unique de passé et de présent, de citadin et de provincial. Le **mausolée de Centcelles**,

l'**aqueduc de las Ferreras**, la **tour des Scipion** et l'**arc de Berá** sont en dehors de la ville, mais l'un des sites les plus spectaculaires de Tarragone, le **Paseo arqueológico**, qui longe les remparts et dont la base cyclopéenne remonte au IIIe siècle av. J.-C., est en plein centre. Les ruines de l'amphithéâtre, édifié près de la plage pour profiter de la pente du rivage, sont également intéressantes. La **Rambla**, large et élégante promenade qui descend jusqu'à la mer, est l'un des hauts lieux de Tarragone : ses restaurants servent de merveilleux fruits de mer, un pain délicieux et les vins clairs et secs de la région.

Au sud de Tarragone se déroulent des kilomètres de plages de sable dont la plus fréquentée est **Salou**. **Cambrils**, plus au sud, est un excellent port de pêche et de plaisance, surtout réputé pour la qualité des poissons que servent les restaurants du port. **L'Ametlla de Mar** et **L'Ampolla** sont de belles plages proches du **delta de l'Èbre**, qui, avec **El Trabucador** et **La Punta de la Baña**, possède deux des étendues de sable les plus sauvages, les moins polluées et les plus délaissées par les touristes.

Les Pyrénées

Les Pyrénées catalanes sont des montagnes et des vallées verdoyantes où le ski, l'alpinisme, la chasse, la pêche et la nature vierge voisinent avec des millénaires de civilisation. Des ponts romains enjambent les torrents à truites, et on trouve des restaurants gastronomiques au pied des remonte-pentes.

Le **val d'Aran** est l'extrémité nord-ouest de la Catalogne. On y parle l'**aranes**, une autre variante de la langue d'oc. **Baqueira Beret**, où la famille royale passe la semaine de Pâques, est une station de sports d'hiver réputée.

A pied ou à cheval en été, à skis en hiver, on y découvre des sentiers de montagne et de superbes panoramas. Comme dans les hautes vallées alpines, les toits sont couverts de lauses.

L'église de Bossost (XIIe siècle) est l'un des édifices religieux les plus remarquables de la vallée. Celle de **Salardú** (XIIe-XIIIe siècle) a un crucifix, le *Sant Crist de Salardú*, qui est un chef-d'œuvre.

Les arcs-boutants de la cathédrale de Tortosa.

La cuisine du val d'Aran fait largement appel aux produits de la montagne environnante : lièvres, sangliers, perdrix, truites, champignons et baies sauvages tiennent une grande place dans la gastronomie locale.

Le **parc national d'Aigües Tortes**, **El Pont de Suert**, **La Pobla de Segur**, **Isona** et **Tremp** sont de pittoresques bourgades de montagne nanties d'un important patrimoine naturel et artistique. Plus à l'est, **Super Espot** et **Llesui** sont des stations de sports d'hiver et de charmants vieux villages. A 4 km de **Sort**, la cité médiévale de **Rialb** possède d'antiques et étroites ruelles et les ruines du château des comtes de Pallars. Les petites églises romanes disséminées dans toute la région ont l'air enracinées dans la montagne. Plus à l'est, **Seo de Urgel** est le siège d'un évêché dont le titulaire est coprince d'Andorre avec le président de la République française. La petite ville s'enorgueillit de sa cathédrale ou *Seu*, de son cloître et de son musée. L'art roman est partout : chaque hameau pyrénéen se blottit autour de sa minuscule chapelle.

Élevage de moutons dans le parc national d'Aigües Tortes, dans les Pyrénées.

Soleil et champignons

Les Pyrénées orientales descendent presque jusqu'à la Méditerranée. L'une des vallées les plus lumineuses est la **Cerdagne**, que l'histoire et la politique ont partagée entre la France et l'Espagne (1659). A trois quarts d'heure de **Puigcerdá**, on skie dans trois pays : l'Espagne, la France et la principauté d'Andorre. En automne, on y chasse l'ours et le chamois et on y ramasse des champignons ; au printemps et en été, le **Sègre** est l'un des torrents à truites les plus réputés d'Europe. **Llivia**, enclave espagnole en territoire français — grâce à une clause du traité de 1659, cédant quelques « villages » à la France (Llivia était une « ville ») —, possède des rues dallées, des maisons anciennes, la plus vieille pharmacie d'Europe et le meilleur restaurant de la région (**Can Ventura**) dans le cadre unique d'une ferme de l'ancien temps située en pleine ville. Les minuscules villages ont peu changé au cours des siècles. **Guils**, **Aja**, **Villalovent** et **Bellver de Cerdaña** ont conservé la rustique saveur des

bourgades montagnardes. La Cerdagne apparaît ouverte et riante à côté de l'abrupt et anguleux val d'Aran.

La **Garrotxa**, région la plus orientale des Pyrénées, est réputée pour ses formations volcaniques et ses cratères. **Besalú**, **Castelljollit de la Roca** (perchée au sommet d'un cône de basalte) et **Olot** en sont les principales agglomérations. L'académie de peinture d'Olot a acquis la notoriété en formant les paysagistes de l'« école d'Olot ». Ce n'étaient pas les sujets qui leur manquaient, car, que l'on vienne de Vich ou de Ripoll, la route qui passe par Olot pour rejoindre **Figueras**, bordée de fermes et de manoirs nichés au milieu de prés abrupts et verdoyants où paissent chèvres, moutons et bovins, longe un merveilleux paysage.

L'intérieur

La plupart des Catalans tiennent pour acquis qu'une vie ne suffirait pas pour visiter toutes les chapelles romanes, tous les petits villages (dont beaucoup sont de véritables joyaux), tous les sites naturels et toutes les villes de la Catalogne.

Au nord-est de Barcelone, les hauteurs arrondies, placides et massives du **Montseny** offrent d'excellents points de vue sur la plaine côtière. En catalan, *seny* signifie « sang-froid », une qualité reconnue du caractère catalan (et qui surprend chez un peuple aussi passionné) ; le massif du Montseny semble incarner cet aspect du tempérament local.

Rupit, au nord-est de Vich, sur la route d'Olot, est une étonnante ville médiévale bâtie sur un torrent limpide. Assez peuplée, avec des restaurants dont la spécialité — la *patata de Rupit*, une pomme de terre farcie d'herbes, de canard, d'agneau et de veau — est renommée, Rupit est une oasis pittoresque et gastronomique dans une région désertique.

A une heure de Barcelone, **Vich** est une florissante capitale provinciale à laquelle ne manquent ni une ravissante grand-place, la **Plaça Major**, ni une **cathédrale**. Celle-ci est réputée pour la vigueur de ses fresques, dues au peintre catalan Josep Maria Sert. Endommagées par des vanda-

Le soleil se lève sur le défilé de Collegats, dans les Pyrénées.

les anticléricaux au début de la guerre civile, en 1936, elles furent restaurées par le peintre lui-même avant sa mort, en 1945. Certains personnages de ces fresques passent pour des portraits satiriques des chefs nationalistes ; Franco n'a pourtant rien remarqué lorsqu'il visita la cathédrale au début des années 1940.

A l'ouest, **Cardona** mérite un arrêt pour son **Parador Nacional**, qui occupe l'ancien château, et pour son église dominant la **vallée du Cardoner**. La **montagne de Sel**, une colline de 150 m faite de sel pratiquement pur, est l'une des curiosités géologiques de la Catalogne : les Romains l'exploitaient déjà.

Plus à l'ouest, **Solsona** baigne dans une atmosphère médiévale : silence, murs de pierre et ruelles tortueuses. Elle est connue pour sa très belle cathédrale, son **musée diocésain** et son **musée de l'Artisanat**, ses deux places principales sont de beaux exemples d'architecture provinciale primitive, mais son principal attrait est son ambiance : la profonde sérénité de cet antique monde de granit. On y trouve même un crieur public.

Lérida est une ville ancienne, perchée au bord de la Meseta, qui possède une très belle cathédrale et une jolie vieille ville. La **Paeria**, dans la Carrer Major, et l'**hôpital** gothique sont ses plus belles constructions anciennes, avec l'**église Sant Llorenç** au délicat clocher octogonal.

Falset et la campagne environnante, **El Priorat**, forment un ensemble austère mais magnifique de pins, d'oliviers, de rochers et de constructions romaines. Le **Portal del Bou**, la porte du Bœuf, faisait partie des remparts qui ceignaient jadis Falset. La principale activité du Priorat est la production du vin : sec et rugueux, il accompagne bien la robuste cuisine catalane, à base de lapin, de sanglier, de canard, de saucisses, de haricots blancs, d'épinards et d'omelette aux pommes de terre. Aux alentours, on visitera avec plaisir la **Sierra de Montsant** ; la fameuse **Cartoixa de Santa Maria d'Escaladei**, un monastère du XIIe siècle ; le pont romain qui franchit le **rio Montsant** à **Cabassers** ; et la ville médiévale de **Tivissa**, au sud-ouest.

Au nord de Tarragone, le **monastère de Poblet** commémore la Reconquête de la Catalogne au milieu du XIIe siècle. Parti de Lérida, Raimond Bérenger IV, comte de Barcelone, fit la première donation pour sa fondation en atteignant la mer, après avoir franchi tour à tour la **Sègre** et l'**Èbre**. Situé dans une région rude, austère, Poblet reflète cette sévérité dans son architecture sobre et puissante.

A votre santé

Villafranca del Panadés est le siège de l'industrie de la *cava*, le célèbre mousseux catalan produit dans la région du **Panadés**. Villafranca est le centre commercial, l'œil du cyclone vinicole. L'aride région agricole du Panadés ne produit que deux choses : des céréales et du raisin, le pain et le vin. En plus de son architecture aristocratique, Villafranca a de nombreux attraits : son **Museu del Vi** (musée du Vin), des ruines romaines et ibéro-romaines, sa **Fira del Gall** (foire à la volaille) la veille de Noël, et, en février, la *calçatoda*, un régal d'oignons nouveaux et de sauce. Le tout arrosé de beaucoup de bonne *cava*, bien entendu.

Un village pyrénéen : Perbes.

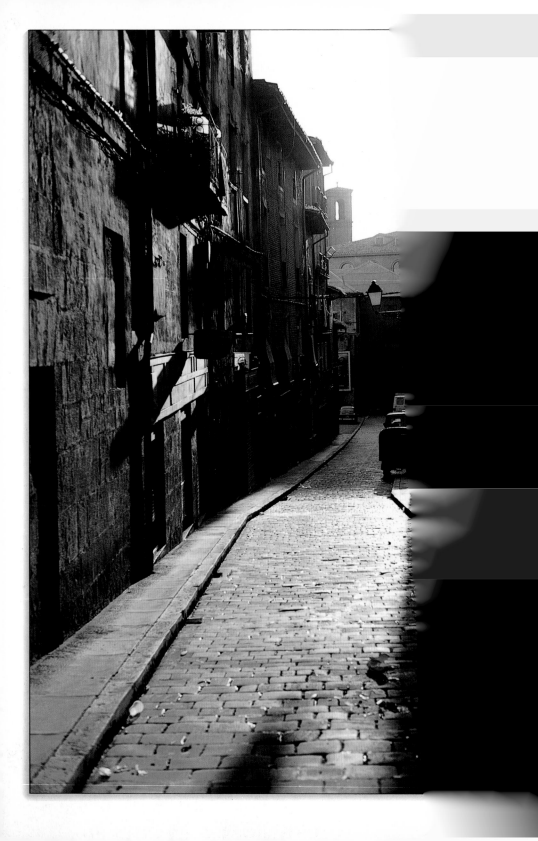

NAVARRE ET ARAGON

En l'an 778, Charlemagne, roi des Francs, décida d'agrandir son royaume vers le sud. L'expédition se solda par un échec, et l'armée fatiguée dut regagner ses pénates par le col de Roncevaux. Elle y tomba dans une embuscade tendue par des Basques qui anéantirent son arrière-garde. C'est là que périt Roland, le preux immortalisé quatre cents ans plus tard par *la Chanson de Roland*, où les Basques sont remplacés par des envahisseurs maures.

Peu après Roncevaux, un groupe de chefs basques se proclama indépendant. L'État qu'ils fondèrent était destiné à devenir le royaume de Navarre.

La Navarre resta un État dans l'État durant des siècles : elle ne fut réduite au statut de province qu'en 1841. Le plus célèbre de ses souverains médiévaux fut Sanche III le Grand, l'un des Sanche qui régnèrent du Xe au XIIIe siècle. Sanche III doubla la superficie de la Navarre.

« Fueros » et carlisme

La période qui suivit sa mort (1035) fut marquée par un essor considérable de la Navarre, royaume prospère et durable qui instaura le système des *fueros*, chartes accordées par la monarchie et garantissant aux villes une certaine autonomie dans l'exercice de leur droit coutumier. Le *Fuero general*, probablement rédigé au XIIIe siècle, concernait la Navarre dans son ensemble. Analogue à la *Magna Carta* anglaise, il comprenait 508 articles constituant un code de lois précises et réalistes.

Le *Fuero* détermina les relations de la Navarre avec le restant de l'Espagne durant des siècles.

A partir du XIIIe siècle, la Navarre fut gouvernée par plusieurs dynasties françaises. Puis une série de souverains sans énergie, la peste noire de 1348, et la situation géographique malencontreuse qui plaçait la Navarre au beau milieu des querelles entre la France et la Castille permirent au duc d'Albe de l'envahir en 1512 et de s'emparer du royaume au nom du roi Ferdinand.

La Navarre n'était plus indépendante, mais elle avait toujours ses *fueros*, et les souverains de Madrid durent s'engager à les respecter, ce qu'ils firent jusqu'à l'avènement de la dynastie des Bourbons en 1700.

Ce système fit de la Navarre une région très monarchiste, et il n'est pas surprenant qu'elle ait mal accueilli les idées nouvelles de libéralisme, de république et d'anticléricalisme qui pénétrèrent en Espagne à la fin du XVIIIe siècle et au XIXe siècle. Les tendances centralistes qu'impliquaient ces mouvements constituaient une menace pour l'autonomie de la Navarre, presque toujours respectée par la monarchie.

A la mort de Ferdinand VII, en 1833, se posa la question de sa succession : sa fille Isabelle ou son frère don Carlos ? La Navarre se fit la championne de Carlos, dont la réputation d'énergie laissait espérer la restauration des traditions. La devise carliste était « *Dios, Patria y Rey* », la première cause des guerres carlistes étant la ferveur religieuse séculaire de la Navarre.

La dernière de ces guerres prit fin en 1876, mais les carlistes refirent surface pendant la guerre civile : ils y participèrent activement aux côtés des franquistes et jouèrent un rôle déterminant en fomentant le coup d'État qui mit le feu aux poudres. En 1936, Franco, après un voyage en Navarre, qualifia celle-ci de « *berceau du mouvement nationaliste* ».

Cette attitude éloigna la Navarre de ses voisines, les provinces basques, auxquelles la rattachaient pourtant de multiples liens. Alors qu'elles partageaient sa langue (dans une certaine mesure), son passé et de nombreuses coutumes, les provinces plus industrielles de Biscaye, d'Alava et du Guipúzcoa unirent leur destinée à celle de la république... et perdirent la partie.

Quand le mouvement nationaliste basque commença à se développer, au début du XXe siècle, il tenta un rapprochement avec la Navarre, mais toutes ses tentatives échouèrent. Le *navarrismo* séculaire des secteurs les plus conservateurs s'est toujours opposé à l'unification. Après la mort de Franco, les chefs nationalistes basques essayèrent, en élaborant le statut d'autonomie de leur région, d'y incorporer la Navarre, mais ce fut encore un échec : elle demeura obstinément indépendante.

Pages précédentes : la vallée de Llesui, dans les Pyrénées ; costumes aragonais à la fiesta d'El Pilar ; à gauche, une rue de Pampelune.

Pampelune

Baptisée par les Romains *Pompaelo*, « la ville de Pompée », **Pampelune** fut, du Xe au XVIe siècle, la capitale du royaume de Navarre. Depuis la guerre civile, les Navarrais, conservateurs, religieux et travailleurs, ont fait de leur ancienne citadelle une ville industrielle prospère. Immeubles modernes, larges avenues et usines entourent d'un glacis protecteur la vieille ville, édifiée sur une colline dominant l'**Arga**.

Au centre, la **Plaza del Castillo**, ancien lieu de rencontre de l'aristocratie locale, est bordée de terrasses de cafés. Le noble passé de la ville est toujours présent à l'extrémité ouest de la place, au **Diputación Foral**, dont la magnifique salle du Trône est ornée des portraits des rois de Navarre.

Les principaux monuments de Pampelune se trouvent au nord de la place. La **cathédrale**, proche des remparts de la vieille ville, est du XIVe siècle, avec une façade du XVIIIe siècle due à l'architecte néoclassique Ventura Rodríguez. Elle abrite les magnifiques tombeaux d'albâtre de Charles III de Navarre et de sa femme, Éléonore de Castille. Le cloître gothique attenant est considéré comme le plus beau d'Espagne.

Le **Museo de Navarra**, logé dans un hôpital du XVIe siècle, conserve d'intéressantes pièces d'archéologie navarraise, des fresques provenant des églises romanes de la région et le *Portrait du marquis de San Adrián* par Goya.

Au sud de la Plaza del Castillo commencent les Champs-Élysées de Pampelune, le **Paseo de Sarasate** (le célèbre violoniste était natif de la ville) qui passe devant le **monument des Fueros** et contourne la verdoyante **Ciudadela**, forteresse construite par Philippe II, qui sert de cadre aux concerts en plein air de la belle saison. Le Paseo aboutit au **Parque de la Taconera**, somptueux jardin public plein de daims apprivoisés, de fontaines et de monuments aux héros navarrais. Au milieu du parc, l'**église San Lorenzo** possède une chapelle dédiée à saint Firmin, patron de Pampelune.

L'encierro lâche des taureaux de combat dans les rues de Pampelune.

La fiesta

Cinquante et une semaines par an, l'ambiance de Pampelune est réservée. Les *pamplonicas*, fiers de leur assiduité au travail, méprisent ostensiblement les divertissements typiquement espagnols, tels que le flamenco, les soirées prolongées et les interminables pauses-café.

Mais le 6 juillet, veille de la Saint-Firmin, un *chupinazo* (fusée) tiré à midi du balcon baroque de l'**Ayuntamiento** met fin à l'ordre et à la pondération qui ont rendu la ville florissante.

On a dit que les Sanfermines, les plus débridées de toutes les *fiestas* débridées, sont le prolongement logique, plutôt qu'une aberration, du tempérament navarrais : on n'y glorifie ni les fleurs ni une Vierge somptueusement parée, mais la seule endurance. Il se pourrait qu'une certaine quantité de sang basque soit indispensable à la célébration d'une fête dont les participants n'ont d'autre but que de boire, de danser et de chanter sans discontinuer durant sept jours, pour enfin, grisés de fatigue et de vin, affronter une charge de taureaux.

L'âpreté de cette fête avait séduit Hemingway, qui lui a conféré une dimension universelle dans *le Soleil se lève aussi*. Les milliers d'étrangers qui débarquent chaque année à Pampelune pour prouver leur courage font désormais partie intégrante de la *fiesta*, au même titre que les outres de vin, les tambourins et les ceintures rouges.

L'ambiance joyeuse et bon enfant est d'ailleurs contagieuse. Néanmoins, il arrive parfois que les Sanfermines donnent lieu à des violences, aussi bien de la part des hommes que des taureaux, et, à la fin de la semaine, l'excitation et les carreaux cassés donneront aux réjouissances un aspect moins innocent.

Les taureaux

Les fêtes de saint Firmin débutent par un bal devant l'hôtel de ville de Pampelune.

« *Cela dura jour et nuit pendant sept jours. La danse continua, la boisson continua, le bruit continua. Ce qui se produisit n'aurait pu se passer nulle part ailleurs que pendant une fiesta. Finalement, tout devint complètement irréel, et on avait l'impression que rien ne tirerait plus jamais à conséquence* », raconte Hemingway. Avant que vous ne vous laissiez envoûter par l'ambiance générale, précisons quand même que le lâcher de taureaux donne lieu chaque année, ou presque, à des éventrations mortelles. Si vous décidez d'y participer, commencez donc par assister à un *encierro* : vous estimerez peut-être que les frissons par procuration ou un taureau furieux chargeant la barricade derrière laquelle vous vous abritez sont suffisamment palpitants. A moins que vous ne préfériez souscrire à la théorie *pamplonica* qui prétend que le grand nombre des survivants de l'*encierro* prouve qu'une prière adressée au bon moment à saint Firmin peut tout arranger.

La campagne du Sud-Ouest

S'étendant des basses Pyrénées orientales aux vignobles des environs de Rioja et aux désertiques Bardenas Reales du nord de Tudela, la province est d'une extrême variété. Comme les pèlerins venant de

France traversent la Navarre pour atteindre Compostelle, les églises romanes abondent. C'est une province où il faut flâner, rouler lentement (à bicyclette de préférence) et consacrer beaucoup de temps aux repas, car la bonne chère est l'une des nombreuses traditions qui font de la Navarre une province basque.

Au nord de Pampelune, **Estella** est particulièrement riche en monuments et fait figure de ville sainte pour les carlistes. Parmi ses splendides églises romanes, citons **Santa María Jus del Castillo** (une ancienne synagogue), **San Pedro** et **San Miguel**, tandis que le **palais royal** du XIIᵉ siècle est un rare exemple d'architecture civile romane.

Au pied du **Montejurra** où les carlistes remportèrent une victoire historique sur les troupes républicaines, en 1873, s'élève le **monastère d'Irache** qui, au XVIᵉ siècle, possédait sa propre université. **Viana**, fondée en 1219 par Sanche le Fort, est un peu plus loin sur la N-111. Les dauphins de Navarre portaient le titre de prince de Viana jusqu'à leur accession au trône. L'**église Santa María** abrite le tombeau de César Borgia, tué dans une embuscade à Pampelune en 1507.

La route C-132 mène à **Tafalla**, dont l'**église Santa María** possède un magnifique retable Renaissance, mais avant d'y parvenir, tournez à gauche pour visiter **Artajona**, une ville fortifiée qui se profile au loin comme un fantôme du Moyen Age.

Olite

Au sud de Tafalla, **Olite** fut la capitale des rois de Navarre à partir du XVᵉ siècle. Leur château — trop restauré, disent certains — est devenu un parador ; en été, il sert de cadre à des festivals de théâtre et de musique. La ville possède également une **église Santa María**, mais de style gothique celle-là.

Au départ d'Olite, deux excursions méritent un détour : **Ujué**, village demeuré miraculeusement intact depuis le Moyen Age, et le **monastère d'Oliva**, fondé en 1134 par le roi García Ramírez et occupé aujourd'hui par des trappistes.

Le parador Principe de Viana, à Olite, en Navarre.

Tudela

Au sud d'Olite, sur l'A-15, **Tudela** fut l'une de ces remarquables cités espagnoles où chrétiens, musulmans et juifs vécurent en bonne intelligence durant des siècles. Elle fut fondée en 802 par les Maures, dont la mosquée a laissé des vestiges à l'intérieur de la **cathédrale**, bel exemple de la transition du roman au gothique ; sur la façade principale, le portail du Jugement dernier présente une vision incroyablement détaillée des récompenses et des punitions que l'au-delà nous réserve.

Situé entre la cathédrale et le confluent du Queiles et de l'Èbre, l'**Aljama** de Tudela est l'un des anciens quartiers juifs les plus connus d'Espagne. Certaines de ses rues possèdent encore des maisons médiévales. Celle que l'on suppose avoir abrité la synagogue a été restaurée récemment, mais sa décoration mudéjare et la galerie destinée aux femmes auraient aussi bien pu appartenir à une mosquée.

En remontant vers le nord, **Sangüesa**, à l'est de Tafalla, est au pied des Pyrénées

Malgré leurs célèbres fiestas, les Navarrais passent pour réservés et conservateurs.

navarraises. C'est encore une ville du XIIᵉ siècle, fondée par Alphonse Iᵉʳ le Batailleur. Les portails romans de son **église Santa María** sont les plus beaux d'Espagne.

Non loin de là, le **château-couvent de Javier**, du nom de saint François Xavier, le célèbre jésuite missionnaire qui y naquit en 1506, est toujours un lieu de pèlerinage. Il abrite un crucifix qui, paraît-il, saigne le jour anniversaire de la mort du saint (1552).

Au nord de Javier, sur la rive opposée du **réservoir de Yesa**, le **monastère de Leyre**, magnifique réalisation de l'architecture romane primitive, était déjà mentionné en 848 par saint Euloge de Cordoue dans une lettre à l'évêque de Pampelune. Il ne fut pourtant consacré qu'en 1057, et presque tout ce que l'on voit aujourd'hui date du XIᵉ siècle, notamment les immenses cryptes peuplées de colonnes. Au Moyen Âge, la renommée du monastère était telle que les évêques de Pampelune étaient presque toujours choisis parmi les moines de Leyre.

Les vallées

Le voyageur pénètre maintenant dans la **vallée de Roncal**, l'une des magnifiques vallées verdoyantes qui s'étendent à l'ouest jusqu'au Guipúzcoa et à l'est jusqu'à Huesca et aux hautes Pyrénées. Leur intérêt réside moins dans leurs monuments (rares en dehors de quelques églises et ermitages romans) que dans leur cadre naturel et leur architecture traditionnelle. **Roncal** et **Isaba** sont les principaux villages de la vallée de Roncal, qui est entourée de sommets qui atteignent ou dépassent 2 000 m.

Plus loin, la **vallée du Salazar** a pour capitale **Ochagavía**. Ces vallées ne sont pas seulement des entités géographiques, elles sont aussi des unités administratives. Au nord d'Ochagavía, la **forêt d'Irati** est l'une des plus denses et des plus vastes d'Europe. On la dit peuplée de sorcières, réputation qui n'a rien d'exceptionnel dans cette partie de la Navarre.

En continuant vers l'ouest, on atteint **Roncevaux**, où les pèlerins venant de France passaient la nuit dans l'une des principales hôtelleries jalonnant les che-

mins de Compostelle ; c'est aujourd'hui un **couvent d'augustins**. Vous verrez aussi à Roncevaux la **collégiale royale**, église gothique exagérément restaurée dont la salle du chapitre abrite l'énorme tombeau de Sanche VII le Fort (1154-1234) et de la reine Clémence.

Contrebandiers et sorcières

La route qui descend de Roncevaux à **Valcarlos** emprunte l'étroit défilé où se produisit la fameuse embuscade : on comprend que les soldats de Charlemagne n'aient eu aucune chance contre les guerriers basques perchés sur ses parois abruptes. C'est un pays de contrebandiers, et beaucoup de familles de Valcarlos ont amassé de petites fortunes en faisant franchir la frontière française à des marchandises prohibées.

La dernière vallée avant le Guipúzcoa est la magnifique **vallée du Baztán**, avec ses 14 villages aux maisons armoriées. Le visiteur remarquera d'ailleurs que les blasons sont beaucoup plus nombreux en Navarre que dans le reste de l'Espagne : on estime que, au temps du royaume, 20 % environ des Navarrais étaient nobles.

Elizondo, la capitale du Baztán, est une station climatique et abrite de nombreux *indianos*, surnom donné aux Basques qui, après être allés faire fortune au Nouveau Monde, sont revenus finir confortablement leurs jours au pays. Au nord d'Elizondo, **Arizcun** est l'un des villages partiellement peuplés de descendants d'*agotes,* ces malheureux qui furent persécutés durant des siècles à cause de leur prétendue ascendance juive, maure, wisigothe ou même albigeoise. Plus au nord, à **Zugarramurdi**, les sorcières se réunissaient dans les grottes pour tenir leurs *akelarres* (sabbats). Ces grottes furent habitées dès l'époque néolithique, mais leur réputation de rendez-vous de sorcières date d'un procès de l'Inquisition qui se déroula à Logroño en 1610. Juste avant d'arriver au Guipúzcoa, vous pouvez visiter **Lesaca**, dont le cidre est excellent et la grand-place ravissante, et **Vera de Bisasoa**, où vécut et écrivit Pío Baroja.

Une des portes fortifiées des remparts de Daroca, en Aragon.

L'Aragon

L'Aragon réunit trois provinces qui offrent au visiteur une extrême diversité géographique et un vivant échantillon du passé médiéval de l'Espagne. Pourtant, pour beaucoup d'Espagnols, ce n'est qu'une région qu'on doit traverser pour se rendre de Madrid à Barcelone, ou encore la patrie de la *jota*, la danse populaire la plus connue du pays. En hiver, les skieurs, pour gagner les pentes pyrénéennes, passent en trombe sur ses routes, sans voir ses églises mudéjares ou romanes, ses villages qui meurent du manque d'attention et ses villes fortifiées recélant les trésors de l'architecture mudéjare.

Les Romains fondèrent *Caesaraugusta,* l'actuelle **Saragosse**, en 25 av. J.-C. Il ne subsiste guère de traces de leur passage.

Comme toute l'Espagne, l'Aragon fut envahi par les Maures en 714. En 1035, Ramire Iᵉʳ, fils bâtard du roi de Navarre Sanche III, fonda le royaume d'Aragon, qui devait durer jusqu'en 1469. A son apogée, il englobait des territoires maintenant français, les îles Baléares, Naples et la Sicile, et s'étendait au sud jusqu'à Murcie.

Saragosse fut reconquise en 1118 par les armées chrétiennes commandées par Alphonse Iᵉʳ, mais cela n'empêcha pas chrétiens et Maures de vivre en bonne intelligence pendant des siècles. Le terme « mudéjar » vient de l'arabe *mudayyan,* qui signifie « sujet », mais il s'appliquait à des sujets privilégiés et considérés ; on estime que, au XVIᵉ siècle, les morisques (musulmans vivant sous domination chrétienne) représentaient 16 % de la population de la région. Mais, en 1525, tous les musulmans furent invités à se convertir ou à quitter le pays, et l'expulsion définitive décrétée en 1611 mit fin à la cohabitation.

Bien qu'aragonais, le roi Ferdinand (dont le mariage, en 1469, avec Isabelle de Castille réalisa l'unification de l'Espagne) n'était pas très sensible aux réalités sociales de son pays natal. Il y imposa l'Inquisition sans tenir compte des protestations de ses barons, ce qui valut à son grand inquisiteur de se faire assassiner dans la Seo, la cathédrale de Saragosse, en 1485. Les épées censées avoir servi à com-

La fiesta d'El Pilar, à Saragosse.

mettre ce crime sont exposées à côté de l'autel.

Géographiquement, l'Aragon est composé de trois régions qui correspondent, en gros, à ses trois provinces : les Pyrénées (Huesca), le bassin de l'Èbre (Saragosse) et les monts Ibériques (Teruel). C'est là la partie la moins peuplée de l'Espagne.

Saragosse

Capitale régionale, **Saragosse** (Zaragoza, 600 000 hab.) conserve peu de souvenirs de sa grandeur passée : le temps, la négligence et les deux terribles sièges subis pendant les guerres du premier Empire (1808-1809) ayant réussi à détruire la plus grande partie de son patrimoine historique.

La ville possède deux cathédrales : la **Seo**, consacrée en 1119 sur l'emplacement de l'ancienne mosquée, et **El Pilar**, édifiée au XVIIe siècle en l'honneur de la sainte patronne de l'Espagne, la Vierge au Pilier qui, selon la tradition, apparut à cet endroit à saint Jacques en l'an 40.

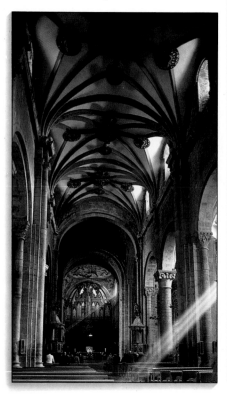

La voûte et les murs mudéjars de la chapelle Parroquieta, le retable gothique et les stalles baroques du chœur sont les éléments les plus marquants de la Seo, dont le musée contient l'une des plus belles collections de tapisseries d'Espagne, des vases liturgiques et quelques peintures.

Tant sur le plan artistique que sur le plan historique, El Pilar est moins intéressante que la Seo. C'est un foisonnement de tours et de dômes, abritant la statue de la Vierge, dont on change la robe chaque jour. L'église contient des fresques de Goya, un retable gothique et plus de stalles qu'aucun autre sanctuaire d'Espagne.

Selon les témoignages de l'époque, l'**Aljaferia**, édifiée en 1030 par le souverain maure, était un palais des Mille et Une Nuits, mais elle a beaucoup souffert : transformée par les Rois Catholiques, qui y établirent leur quartier général, elle fut ensuite utilisée par l'Inquisition et enfin, au XIXe siècle, convertie en caserne. Les parties les mieux conservées sont la salle du trône de Ferdinand et Isabelle, avec son remarquable plafond, et la chapelle mauresque.

Le **musée provincial des Beaux-Arts** possède une petite collection de toiles de Goya, né dans le village de **Fuendetodos**, à 64 km au nord de Saragosse. Sa maison natale est devenue un musée.

On trouve de beaux spécimens d'architecture mudéjare dans toute la province de Saragosse. A 72 km à l'est de la capitale, **Tarazona**, « la ville mudéjare », offre un panorama d'histoire mauresque et séfarade. La **cathédrale** du XIIe siècle, l'ancien **quartier juif**, derrière le **palais épiscopal**, l'**église préromane de la Magdalena** et les rues sinueuses traversées d'arches mudéjares méritent une visite.

Daroca, dans le sud de la province, est tout aussi belle, mais elle a beaucoup souffert du manque d'entretien. Cernée de 13 km de remparts flanqués de plus de cent tours, elle figurait déjà dans les annales des navigateurs grecs.

Toujours dans le sud, le **monastère de Piedra** est une oasis de jardins, de lacs et de cascades entourant une abbaye cistercienne du XIIe siècle.

Non loin de là, **Catalayud** est réputée pour ses tours mudéjares, dont la plus belle s'élève au-dessus de la **Colegiata de Santa María**.

La cathédrale de Jaca, en Aragon, date du XIe siècle.

Les visiteurs qui s'intéressent à l'histoire plus récente de l'Espagne ne manqueront pas de se rendre à **Belchite**, à 40 km au sud-est de Saragosse. L'une des batailles les plus acharnées de la guerre civile s'y déroula, et les ruines de la ville ont été laissées en l'état pour rappeler les horreurs de la guerre.

Huesca

Si le style mudéjar domine l'architecture historique de la province de Saragosse, c'est l'art roman qui jalonnera le parcours du voyageur remontant vers le nord dans la **province de Huesca**. Au Moyen Age, le flot continu des pèlerins de Compostelle suscita, de la Catalogne à la Galice, la construction de nombreuses églises, dont l'une des plus importantes est la **cathédrale de Jaca**. En plus de ses centaines d'exemples bien conservés du style roman, la province de Huesca est un paradis pour les randonneurs, les skieurs et ceux qui veulent simplement admirer les sommets pyrénéens.

A Tarazona, les anciennes arènes ont été converties en logements.

La capitale, **Huesca**, connut son âge d'or au XIII⁰ siècle. L'université, fondée au XIV⁰ siècle par Pierre IV, fut supprimée en 1845, la ville n'étant plus qu'une capitale provinciale secondaire.

La **cathédrale** de Huesca fut édifiée au XIV⁰ et au XV⁰ siècle sur l'emplacement de l'ancienne mosquée ; son retable Renaissance en albâtre, dû à Damián Forment, est de toute beauté. Tout près de là, l'**hôtel de ville** (1577) contient une fresque illustrant l'anecdote de *la Cloche de Huesca*, l'une des légendes les plus macabres de la sanguinaire histoire espagnole : Ramire II, un moine défroqué qui devint roi d'Aragon au XII⁰ siècle, était contrarié que ses vassaux refusent de se soumettre à son autorité. Il convoqua ses barons un par un, les fit décapiter et empila leurs têtes en donnant au tas la forme d'une grosse cloche. Tout rentra dans l'ordre.

Jaca

L'autre grande ville de la province est **Jaca**, dont la **cathédrale** est un chef-d'œu-

vre de l'architecture romane et contient un remarquable ensemble de fresques. La **Ciudadela**, forteresse bâtie par Philippe II, est actuellement occupée par l'armée, mais un guide la fait visiter.

Peu après la création du royaume d'Aragon, le roi Sanche Ier Ramirez fonda le **monastère de San Juan de la Peña**, qui devint le foyer d'inspiration religieuse de la Reconquête. Situé à 27 km au sud-ouest de Jaca, le couvent est bâti entre d'énormes rochers, au pied d'une falaise abrupte. On y visite un extraordinaire cloître roman, une église du xe siècle, le dortoir des moines et le **panthéon des Nobles**.

A l'ouest de Jaca, une série de vallées qui finissent par atteindre la Navarre conservent les anciennes traditions architecturales, linguistiques et culturelles de l'Aragon. Les **maisons de Hecho** et d'**Ansó** sont surmontées de curieuses cheminées dont la forme varie d'un village à l'autre et leurs fenêtres soulignées de blanc tranchent vigoureusement sur la verdeur des collines. Dans chaque village, un musée ethnologique conserve des costumes traditionnels.

Alpinisme

La province de Huesca offre aux excursionnistes toute facilité pour tester leur endurance ou escalader des sommets de plus en plus escarpés. Au nord de Hecho les attend la **réserve nationale de Los Valles**, et au-dessus de Jaca, le **col du Somport**, frontière avec la France et point de départ de randonnées en haute montagne.

Au nord-est de Jaca s'étend la **réserve nationale du Vignemale**. Pour l'atteindre, on traverse les villes de **Sabiñánigo** et de **Biescas**, ainsi qu'une quantité de minuscules bourgades égrenées le long de la route C-136 et qui abritent chacune une église romane. Une bifurcation conduit à la station thermale de **Panticosa** : on y trouve un lac, un hôtel et des boutiques où s'approvisionner et acheter une carte des sentiers de grande randonnée avant de se lancer à l'assaut de la montagne. Les sommets les plus élevés de ce secteur dépassent 3 000 m.

Plus à l'est, le **parc national d'Ordesa**, l'un des plus connus d'Espagne, fait partie

Le monastère de Piedra est une surprenante oasis dans les plaines arides du sud de l'Aragon.

d'un ensemble de réserves naturelles qui peut conduire le randonneur de l'autre côté de la frontière française ou, vers l'est, dans les Pyrénées catalanes. Trois routes permettent d'atteindre Ordesa en voiture : à l'ouest par **Broto** et **Torla** ; à l'est par **Bielsa** ; au sud par **Ainsa**. Toutes ces agglomérations sont charmantes et méritent une visite.

Candanchú et **Canfranc**, sur la route de Jaca au Somport, la ville de **Panticosa** et, un peu plus au nord, celle de **Formigal** sont des stations de sports d'hiver parfaitement équipées, mais les amateurs de ski de fond ont toute une chaîne de montagnes à leur disposition.

Les amants de Teruel

Version moderne des amants de Teruel.

Des trois provinces aragonaises, celle de Teruel est la moins fréquentée, et sa capitale, **Teruel**, la moins peuplée de toutes les capitales provinciales d'Espagne. C'est une province où abonde l'architecture mudéjare, tant dans la capitale que dans des villes à l'écart des sentiers battus.

La **cathédrale** de Teruel est réputée pour sa remarquable voûte en charpente, chef-d'œuvre du XIVe siècle sur lequel la vie quotidienne du Moyen Age est représentée par des centaines de peintures sur bois. Signalons également l'**église San Pedro**, à la lisière de l'ancien quartier juif : la **Plaza Judería** n'est pas loin, et la synagogue se trouvait dans la proche **Calle Comadre**. San Pedro possède un magnifique retable mais doit surtout sa notoriété aux **tombeaux des amants de Teruel**.

D'après la légende, Diego de Marcilla et Isabelle de Segura s'aimaient d'amour tendre, mais leurs parents s'opposaient à leur mariage. Pour fléchir le père de son amante, Diego partit faire fortune au loin. En 1217, il revint au bercail cousu d'or le jour même où sa bien-aimée en épousait un autre. Le cœur brisé, il mourut le lendemain, et Isabelle, toujours vêtue de sa robe de mariée, embrassa le cadavre et rejoignit son Diego dans un monde meilleur.

Le visiteur devrait aussi prendre le temps d'admirer les clochers mudéjars de **San Martín** et d'**El Salvador**, qui sont censés avoir fait l'objet d'un concours entre deux architectes maures amoureux de la même femme : le vainqueur gagna l'amour de la belle, tandis que le perdant (qui avait bâti San Martín) se jetait du haut de la tour.

De tous les villages montagnards de la province, le mieux conservé est **Albarracín**. C'est une bourgade où il fait bon flâner en admirant les remparts, les tours, l'harmonie entre le site et les constructions, le respect témoigné au passé.

Alcañiz, au nord-est de Teruel, est réputée pour son **château**, dont les fresques illustrent l'histoire de l'ordre de Calatrava, et pour sa **Colegiata de Santa María** au magnifique portail baroque. Au nord d'Alcañiz, vers Saragosse, le site d'**Azaila** a été déclaré monument national après la mise au jour de vestiges de constructions romaines et celtes.

En redescendant vers le sud, vous pouvez vous arrêter à **Mora de Rubielos** pour voir son immense **château**, construit du XIIIe au XVe siècle, et, dans la bourgade voisine et presque homonyme, **Rubielos de Mora**. A vrai dire, toutes les routes, ou presque, conduisent à une ville possédant des tours mudéjares, un château, des remparts et une magnifique église.

LES PROVINCES BASQUES

Les Basques semblent avoir été les premiers habitants de leur magnifique pays, qu'ils appellent *Euzkadi*. À l'ouest des Pyrénées, des chaînes montagneuses s'étendent *« tels des os saillant sous la peau »*, comme les a décrites un historien, le long du golfe de Gascogne, isolant du reste de l'Espagne les grasses ondulations du Pays basque. De paisibles vallées verdoyantes, où pâturages, champs et vergers alternent sur fond de montagnes austères, contrastent avec les ports de pêche et les plages animées du littoral.

Un monde à part

Les Basques peuplent les deux versants des Pyrénées, en France dans le département des Pyrénées-Atlantiques, en Espagne dans la Navarre et les trois provinces qui forment, depuis 1980, la Communauté

basque autonome : Guipúzcoa et Biscaye le long de la côte, Alava dans la plaine. En plus de caractères morphologiques qui ont incité certains anthropologues à voir en eux les descendants directs de l'homme de Cro-Magnon, les Basques français et espagnols partagent la même langue, l'*euskara*.

De toutes les langues actuellement parlées en Europe occidentale, l'*euskara* est la seule qui n'appartient pas à la famille indo-européenne. Elle fascine les linguistes depuis le Moyen Age, époque où les humanistes la faisait remonter à Tubal, le petit-fils de Noé censé s'être établi dans la péninsule après le déluge. Plus récemment, des philologues ont envisagé, en comparant les vocables basques *aitzor* (hache) et *aitz* (pierre), la possibilité que cette langue ait pris naissance à une époque où les outils étaient en pierre.

Sous le règne de Franco, le basque s'est surtout conservé dans les familles rurales, et la littérature écrite s'est réduite à peu de chose. Aujourd'hui, il est enseigné parallèlement au castillan dans les écoles basques. Il fait aussi l'objet de cours du soir, bien qu'un adulte moyennement doué ait besoin de cinq cents heures d'étude pour pouvoir soutenir une conversation.

Fiers de leur passé d'indépendance, les Basques se plaisent à dire qu'ils ne se sont jamais soumis à aucun conquérant, pas même aux Romains. Le Guipúzcoa et la Biscaye possèdent quelques grottes et dolmens préhistoriques, mais aucun vestige de l'époque romaine ni des premiers temps de la chrétienté. Il n'empêche que Romains et chrétiens ont construit des routes dans les montagnes et que, depuis lors, les Basques ont toujours été catholiques. Ils sont même considérés comme les plus pieux de tous les Espagnols.

Dans une certaine mesure, ce fut cette piété qui les fit participer aux guerres carlistes du XIXe siècle. Mais l'ironie du sort voulut que les Basques choisissent le camp des vaincus, tant avec les carlistes que pendant la guerre civile.

Les non-Basques qui s'attardent dans l'intérieur de la région sont peu nombreux. La plupart des visiteurs passent l'été sur la douce et brumeuse côte basque, comme la mode le veut depuis le XIXe siècle, époque où les vacances idéales consistaient à se reposer au frais.

La plupart des Basques d'âge mûr ne quittent jamais leur béret.

Le Guipúzcoa

La plus petite province de la péninsule a l'une des populations les plus denses d'Europe. Depuis les temps préhistoriques, le **Guipúzcoa** a entretenu des rapports culturels étroits avec l'autre versant des Pyrénées. Plus récemment, les ports basques fortifiés proches de la frontière furent, en temps de guerre, des objectifs faciles pour les Français.

La ravissante impératrice Eugénie de Montijo, épouse de Napoléon III et fille d'un grand d'Espagne ayant combattu aux côtés des Français, passe pour avoir lancé la mode des vacances estivales sur la côte basque. Aussitôt qu'elle eut amené l'empereur à Biarritz, d'autres souverains, dont la reine Victoria, leur emboîtèrent le pas. A la fin du XIXᵉ siècle, l'aristocratie espagnole et sud-américaine avait fait de **Saint-Sébastien** (San Sebastián) sa station balnéaire préférée.

De cette période datent la **Casa Consistorial** (mairie), ancien casino ; le **palais de Miramar** de la famille royale, de style Tudor, qui sépare les deux longues plages incurvées ; et le **pont Zurriola**, très Belle-Époque, qui enjambe l'**Urumea** canalisé. Le casino se trouve maintenant au proche hôtel Londres y Inglaterra ; l'office du tourisme vous procurera une entrée gratuite.

Bien qu'elle soit maintenant une ville industrielle de près de 200 000 âmes, Saint-Sébastien demeure l'une des villégiatures les plus paisibles d'Europe. Si vous y arrivez le matin, rendez-vous à l'efficace office du tourisme, près du **parc Alderli Eder**, au sud de la Casa Consistorial. Les plages qui s'étendent derrière un coupe-vent de tamaris, le long de l'élégant **Paseo de la Concha**, seront probablement désertes. Il se peut qu'il crachine ou que le ciel fasse redouter pis. Profitez-en pour prendre le funiculaire jusqu'au sommet du **Monte Igueldo**, le plus occidental des promontoires boisés qui dominent la baie dentelée de **la Concha**, l'autre étant le **Monte Urgull**, que couronne une statue du Christ.

Le 31 août, à la fin de l'été, une retraite aux flambeaux commémore dans la **Parte**

La magnifique baie de Saint-Sébastien au crépuscule.

Vieja (vieux quartier), au pied du Monte Urgull, la destruction de Saint-Sébastien pendant la guerre d'Espagne. Parmi les rares vestiges de l'ancien port fortifié, on peut visiter la **basilique de Santa María del Coro** (XVIIIᵉ siècle), dont le porche absidial très profond protège les sculptures contre les rigueurs de l'hiver et où une niche abrite une gracieuse effigie de la sainte patronne de la ville, et le **musée municipal San Telmo** (XVIᵉ siècle), sur la **Plaza de Zuloaga**, ancien couvent dominicain devenu un merveilleux musée basque.

Une partie des collections ethnographiques du musée San Telmo est consacrée à l'histoire des marins basques. La colonisation espagnole de l'Amérique dut beaucoup aux talents des navigateurs et des constructeurs de navires basques, qui avaient l'expérience de la pêche en haute mer. D'autres salles sont réservées à la pelote, le sport national basque, et à la cuisine, au costume et aux traditions. Dans ce pays pluvieux, la salle commune et l'étable attenante, reconstituées ici, étaient les pièces les plus importantes du *caserío*, la ferme en pierre et en bois.

Les joies de la table

Dans les années 1870, la Parte Vieja abritait plusieurs cercles gastronomiques privés réservés aux hommes, les *txokes*. Avec ses légumes frais, ses laitages et les poissons du golfe de Gascogne agrémentés de sauces subtiles, la cuisine basque est considérée comme la meilleure de la péninsule. C'est peut-être à cause de la tradition des cercles gastronomiques que des restaurants réputés sont situés autour de Saint-Sébastien.

La néoclassique **Pescadería** (marché aux poissons), à quelques centaines de mètres au sud de la **Plaza de Zuloaga**, près des arcades de la **Plaza de la Constitución**, est évidemment l'un des bâtiments les plus imposants de la Parte Vieja. Vous trouverez au marché voisin de l'*idiazabel*, le fromage des brebis à longs poils de la race basquaise, et du *txakoli*, le vin blanc léger que l'on boit avec les crustacés. Les bars du vieux quartier sont réputés pour leurs fruits de mer, leurs *tapas*, leur bière glacée et leur *txakoli*.

Lessive et géraniums se partagent les balcons de Pasajes de San Juan.

La côte basque

A l'ouest de Saint-Sébastien, on peut longer en voiture toute la côte vallonnée du Guipúzcoa et de la Biscaye (Vizcaya), en s'arrêtant au gré de sa fantaisie pour visiter l'une des plages familiales ou pour se régaler de poisson frais. Le moindre petit port possède au moins une vieille église au bord de l'eau, plusieurs bons restaurants et une plage de sable. Les routes qui les relient ne sont pas très rapides, mais elles offrent de beaux points de vue sur l'océan et les vallées verdoyantes émaillées de *caseríos* blancs. La plage de **Zarauz** est plus grande que celle de **Guetaria**, mais ces deux localités produisent un *txakoli* également réputé. Cette partie de la côte basque est peut-être le meilleur endroit d'Espagne pour goûter aux *chipirones en su tinta* (seiches dans leur encre).

A Guetaria, ancien port baleinier, s'élève un monument au navigateur Juan Sebastián del Cano, compagnon de Magellan et enfant du pays. L'un des grands couturiers du XXᵉ siècle, Cristóbal

Balenciaga (1895-1972), était également originaire de Guetaria.

Au-delà de Guetaria commence le littoral découpé de la **Cornisa Cantabrica**. Bien qu'il semble proche sur la carte, **Lequeitio**, l'un des ports les plus intéressants de la côte basque, est à une bonne demi-journée de voiture. La villa et l'atelier du peintre Zuloaga, un ancien couvent situé dans la station cossue de **Zumaya**, ont été transformés en musée après la mort de l'artiste. Zuloaga était un grand amateur d'art : les collections du **Museo Zuloaga** contiennent l'une des nombreuses versions du *Saint François recevant les stigmates* du Greco, une toile de Morales le Divin et deux tableaux de Zurbarán, dont la famille était d'origine basque.

L'**église** du XVᵉ siècle de Lequeitio, avec ses contreforts et son clocher baroque, est à quelques mètres d'une belle plage où, le matin, on voit des pêcheurs repeindre leur barque à côté d'enfants prenant des leçons de natation.

De Lequeitio, on n'est qu'à quelques tours de roue de Bermeo à l'ouest ou de Guernica au sud.

râce aux
uies
tivales, la
mpagne
sque reste
rte toute
nnée.

Guernica

Active et commerçante, la moderne **Guernica** est la ville sainte des Basques parce qu'elle est étroitement liée à leur tradition autonomiste. Au moins depuis le début du Moyen Age, leurs représentants s'y réunissaient pour élire un conseil des chefs et faire prêter serment au roi de Biscaye de respecter leurs *fueros*. Un événement d'une importance considérable pour les Basques d'aujourd'hui, l'élection, en 1936, de José Antonio Aguirre à la *Casa de Juntas*, le parlement basque, ressuscita cette tradition. Les membres de son gouvernement prêtèrent serment sous le *Guernikako Arbola*, le chêne symbolique de Guernica.

La proclamation d'un État basque indépendant fut rapidement combattue par les nationalistes du général Mola. Miraculeusement, la Casa de Juntas, le chêne et la proche **église Santa María** (xvᵉ siècle) survécurent à la destruction quasi totale de Guernica le lundi 26 avril 1937. Quant au chêne originel, vieux de plusieurs siècles, il avait été abattu par les Français ; le chêne actuel provient, dit-on, d'un de ses glands.

Tout comme aujourd'hui, le lundi était jour de marché, et les rues étroites étaient encombrées de familles de paysans et de réfugiés. Un tiers de la population fut tué et plus nombreux encore furent les blessés que fit le raid des avions allemands et italiens qui lâchèrent 50 tonnes de bombes, puis mitraillèrent en piqué les Basques qui fuyaient dans la campagne. Des *caserios* des collines furent également bombardés. *« Ils brûlaient dans la nuit comme des chandelles »*, écrivit dans le *Times* un correspondant de guerre. L'indignation internationale, lorsque les faits furent connus, empêcha probablement qu'une telle attaque aérienne se reproduise en Espagne.

« Les avions du général Franco ont brûlé Guernica, et les Basques ne l'oublieront jamais », prédisait le correspondant du *Times*. Le soulèvement des provinces basques dans les années 1970 contribua à saper le régime de Franco, et, le soir de sa mort, on dansa dans les rues de certaines villes basques. En 1979, le statut de Guernica, régularisant les relations entre

L'arbre sacré de Guernica, symbole de l'identité basque, est devenu une relique.

Madrid et le parlement régional de Vitoria, sembla enfin concéder aux Basques une large autonomie.

La ville rebâtie de Guernica n'est pas belle. N'oubliez pas, cependant, de regarder les fresques représentant des scènes pacifiques de Basques au travail, sous l'auvent de la **Casa de Ahorros Municipal de Bilbao**, au coin de la **Gran Vía** et de la **Calle Adolfo Urioste**, entre l'office du tourisme et la Casa de Juntas : sur l'une d'elles figure le **manoir d'Arteaga**, à 5 km au nord de Guernica, où l'impératrice Eugénie passa une partie de sa jeunesse. Le château crénelé d'Eugénie est visible de la route, mais la principale attraction des environs de Guernica sont les **grottes de Santimamiñe** et leurs peintures rupestres, découvertes en 1916.

Bilbao

En l'an 1300, le village de pêcheurs et de forgerons de *Bilbao* reçut de Diego López de Haro le statut de *villa*. La statue de ce dernier se dresse sur un socle parfois drapé de l'*Ikurrina*, le drapeau basque rouge, blanc et vert, au pied de la tour rose et noir du **Banco de Vizcaya**, sur la **Plaza Circular** (anciennement Plaza de España), près du **Puente de la Victoria**, le principal pont joignant le vieux Bilbao, sur la rive droite du **río Nervión**, au nouveau quartier bourgeois édifié au XIXᵉ siècle sur la rive gauche. Une fois repérée la **Gran Vía de López de Haro**, la grande artère courant d'est en ouest entre la Plaza Circular et le vaste **Parque de Doña Casilda Iturriga**, dans l'élégant quartier du musée, on s'oriente facilement dans cette ville commerçante qui est à la fois un important port de mer intérieur et un grand centre d'industrie métallurgique.

On trouve de longues plages de sable à moins de 20 km de là, à **El Abro**, dans l'estuaire du Nervión, et un parc folklorique à l'est, le **Parque de Atracciones de Vizcaya**, près de **Galdacano**.

La ville aurait pris naissance près de l'actuelle **église San Antón** (XVᵉ siècle), dans le quartier d'**Atxuri**, à l'est des **Siete Calles**, les « Sept Rues » du **Casco Viejo** (vieille ville).

Le prospère Casco Viejo fut pillé par les troupes de Napoléon et en grande partie détruit durant les guerres carlistes, mais il en subsiste des rues étroites et quelques constructions antérieures au XIXᵉ siècle. Le **musée d'Archéologie, d'Ethnologie et d'Histoire de la Biscaye** est un ancien couvent de jésuites de la **Calle de Cruz**, autrefois rattaché à la baroque **église de los Santos Juanes** : on y trouve des objets préhistoriques et la copie d'un important témoignage de l'art populaire basque, la croix Kurutziaca de Durango.

On domine le Casco Viejo de la terrasse du **sanctuaire de Nuestra Señora de Bergona**, commencé en 1511, qui est desservi par un ascenseur partant de la **Calle Esperanza Ascoa**, derrière l'**église San Nicolás de Bari** (XVᵉ et XVIIIᵉ siècles), ancêtre du père Noël et patron des enfants, des marins, des prisonniers et des prostituées de Bilbao, église située sur l'**Arenal**, la promenade commençant à l'est du Puente de la Victoria.

Art et industrie

Dans les années 1870, après la deuxième guerre carliste, Bilbao commença à exploiter ses gisements de minerai de fer et à s'industrialiser sur une grande échelle. A la fin du siècle, la moitié de la flotte marchande espagnole sortait des chantiers navals basques, une grande partie de l'industrie métallurgique était concentrée autour de Bilbao, et la puissance financière des banquiers et des industriels basques était considérable. On édifia le **Teatro de Arriaga** (1890) sur le Paseo del Arenal, l'**Ayuntamiento** (1892) sur le coude du fleuve, au nord du Puente de la Victoria, et le **Palacio de la Diputación** (1897). Cette période florissante réveilla la vieille tendance basque à faire cavalier seul et à constituer un État indépendant. Bien que très peu de non-Basques fussent parvenus à s'implanter au Pays basque, Madrid encouragea, après la guerre, à chercher du travail dans les villes industrielles du Nord, espérant diluer ainsi le farouche nationalisme basque.

L'aspect opulent, cosmopolite, de Bilbao se reflète dans le **musée des Beaux-Arts** du **parc Iturriza**, qui possède la plus importante collection de peintures de l'Espagne du Nord. En plus des tableaux flamands, catalans et espagnols classiques, une aile récente abrite quelques œuvres montrant l'influence des divers mouvements internationaux sur la génération d'artistes apparue sous le règne de Franco, notamment sur Isabel Baquenado, Juan José Arqueretta, Andres Nagel et Javier Morras.

La toile de José María Ucelay, *Conversation pour le plaisir*, sur laquelle Hemingway porte son inséparable béret, est également intéressante. Pour le monde entier, le béret basque *(boina)* est typiquement français, alors que la mode ne s'en répandit en France que dans les années 1930, lancée en partie par des Américains tels que Hemingway, et commença à décliner dans les années 1950.

L'énergie libérée par le retour à la démocratie et la violence qui l'accompagne se manifestent dans tous les arts plastiques. Les graffitis et autres formes d'art mural, surtout à Bilbao et à Saint-Sébastien où les jeunes de toutes les classes sociales sont très politisés, furent probablement les plus intéressants d'Europe pendant les années 1980 ; ils s'inspirèrent de pratiquement tous les mouvements anarchistes et contestataires du XXe siècle, tant pour le style que pour les thèmes.

Des éléments du costume basque traditionnel — espadrilles de toile blanche à semelle de corde *(alpargatas)*, ceinture rouge vif et canne-épée *(makila)* — sont à l'honneur dans les nombreuses fêtes basques. Au mois d'août, une semaine de festivités se déroule dans chacune des trois capitales provinciales, la plus importante étant la *Semana Grande* de Bilbao, dont les manifestations, tant culturelles qu'industrielles, vont de la musique folklorique aux traditionnels concours d'endurance et de force auxquels les femmes participent aux côtés des hommes.

Vitoria

La capitale de l'Alava, **Vitoria**, est la ville la plus peuplée et la moins « bascophone » des trois provinces basques tout en étant le siège du gouvernement basque autonome. Son nom ne vient pas de la sanglante victoire remportée en 1813 par Wellington sur le maréchal Jourdan : elle fut baptisée ainsi dès 1180, lorsque Sanche le Sage y fonda une cité fortifiée.

En août, la *Feria de la Virgen Blanca* honore la « Vierge blanche » qui trône dans une niche de jaspe sur la façade de l'**église San Miguel** (XIVe siècle). Protectrice de la ville, elle domine les balcons de l'active **Plaza de la Virgen Blanca** et le monument érigé en 1917 pour commémorer la bataille de Vitoria.

La vieille ville

Les ruelles concentriques de la **vieille ville**, dont certaines doivent leur nom au métier que l'on y exerçait — Zapatería (cordonnerie), Cuchillería (coutellerie), Pintorería, Herrería (forge) —, ont bénéficié de mesures d'urbanisme au milieu du XIXe siècle : on abattit leurs arcades médiévales et on les aéra du mieux que l'on put pour les rendre plus salubres. Pourtant, il émane toujours de ce quartier, de ses trois églises gothiques, de ses hôtels armoriés et de ses porches sculptés, ainsi que des boutiques et des cafés du voisinage, un authentique reflet de la prospère cité commerçante du Moyen Age et de la Renais-

Le port de Lequeito, sur la côte basque.

sance. Les échoppes des artisans, les bureaux des marchands de laine et la *Judería* ont disparu depuis longtemps, mais la vieille ville reste le principal attrait de Vitoria.

Les sculptures gothiques du porche de l'**église San Miguel** sont très belles, et le chœur recèle un retable sculpté dû à Gregorio Fernández, l'un des grands sculpteurs du Siècle d'or ; remarquez en particulier le joueur de cornemuse de son *Adoration des bergers*.

A proximité, la **Plaza del Machete** (le coutelas sur lequel les souverains prêtaient serment de maintenir les *fueros* de la ville) constitue la limite sud de la vieille ville. En remontant vers le nord, arrêtez-vous pour admirer les sculptures du porche et des chapiteaux de la **cathédrale Santa María** avant d'atteindre le **musée Archéologique**. Ce petit musée bien conçu, logé dans l'une des demeures de négociant du XVe siècle de la **Correría**, remarquable par son demi-colombage et ses lignes de brique horizontales, est une intelligente adaptation d'un bâtiment ancien. Ses collections vont du Paléolithique inférieur au Moyen Age.

L'industrie lourde fait du Pays basque l'une des régions les plus prospères d'Espagne.

Art et vin

Le **musée provincial des Beaux-Arts** est situé plus au sud, dans un environnement de grandes maisons bourgeoises, entre les **Jardines de la Florida** et le jardin public du XIXe siècle appelé **El Prado**. Il recèle, entre autres, une *Crucifixion* de José de Ribera et une Vierge du peintre, sculpteur et architecte sévillan Alonso Cano (1601-1667), personnalité truculente de l'art espagnol, qui termina son existence agitée dans un monastère où il dessina la façade de la cathédrale de Grenade.

Une portion assez réduite du vignoble de la Rioja est située dans le Pays basque. Pour la visiter, faites une trentaine de kilomètres dans la **Rioja Alavesa**, jusqu'au village fortifié de **Laguardia**. A lui seul, l'immense panorama du bassin de l'**Èbre** justifie le voyage. Les rues sombres et étroites de Laguardia, parfumées par les relents de fumier et de vin qui s'échappent des caves, donnent une idée de ce que pouvait être autrefois une promenade dans la vieille ville de Vitoria.

CANTABRIA ET ASTURIES

Les régions autonomes de la Cantabria et des Asturies bordent le golfe de Gascogne (ou *Mar Cantábrico*) entre les provinces basques et la Galice. Chacune d'elles est formée d'une seule petite province : celle de Santander et celle des Asturies. Une formidable cordillière, les **monts Cantabriques**, sépare le littoral et son cordon de vallées fertiles de la Meseta.

C'est l'une des plus belles régions d'Espagne. La **Cantabria** compte 72 plages, égrenées d'est en ouest entre Castro de Urdiales et San Vicente de la Barquera. Les 290 km de côtes des Asturies sont festonnés de plages, de rias et de promontoires : on en découvre une bonne partie du haut du **Cabo de Peñas** (90 m), entre Gijón et Avilés.

L'été, les verts et les gris estompés de ce paysage tourmenté sont égayés par les couleurs vives des tentes, des drapeaux et des voitures des campings qui occupent les plus beaux sites. Même au plus fort de l'été, il y a de la neige sur les cimes des **Picos de Europa**, les plus hauts sommets (2 665 m) des monts Cantabriques, dont les massifs (Cornión, Urrieles et Andorra) commencent en Cantabria et couvrent presque toutes les Asturies. Depuis les temps anciens, on appelle *la Montaña* le versant sur lequel prennent naissance les fleuves qui se jettent dans l'océan.

Un peu de (pré) histoire

Pendant la période magdalénienne de l'âge de la pierre, de petits clans de chasseurs nomades ont peint sur les plafonds et les parois des cavernes calcaires de la région les animaux dont ils suivaient les migrations. Certains de ces animaux, tels le mammouth, le renne, le rhinocéros laineux et le bison, ont disparu ou émigré depuis des millénaires. La précision avec laquelle ils sont représentés contribue à la puissance d'évocation de ces peintures.

La similitude de la décoration des cavernes préhistoriques des régions calcaires du sud-ouest de la France et du nord-ouest de l'Espagne a conduit à la détermination d'une zone de culture préhistorique, dite « franco-cantabrique », englobant de très nombreux sites des Asturies et des contreforts pyrénéens du Pays basque.

Castro Urdiales et Laredo

Ancienne colonie romaine de *Flavio Briga*, **Castro Urdiales** est le port le plus occidental et l'un des plus vieux de Cantabria. La **Playa de Brazomar** et la **Playa de Oriñón**, à l'embouchure de l'**Agüera**, sont typiques des longues plages de sable cantabriques, à deux pas des commodités d'une station estivale et des vestiges d'une ville médiévale.

Sur la petite presqu'île fortifiée, les ruines d'une hôtellerie de templiers, le **« château » de Santa Ana**, et l'**église gothique Santa María**, dont les sculptures, les arcs-boutants et les tours inachevées, dus à des Français, rappellent Notre-Dame de Paris, dominent une rade encombrée de bateaux de pêche. Les principaux buts des pèlerinages médiévaux étaient Saint-

À gauche, la Cantabria ; à droite, les sabots de ce fermier de Comillas sont très pratiques pour marcher dans la boue.

Jacques-de-Compostelle et, dans la direction opposée, Rome et Jérusalem. Le puissant ordre militaire des templiers, dont les chevaliers se reconnaissaient à leur robe blanche brodée de la croix rouge des croisés, fut fondé en 1119 pour protéger les pèlerins se rendant en Palestine. A Castro Urdiales, les templiers accueillaient les pèlerins de Compostelle.

A **Laredo**, la **plage de Salvé** attire tellement d'estivants que la population, soit quelque 10 000 âmes, décuple au mois d'août. De nombreuses villas bordent le magnifique croissant de sable.

Durant l'âge d'or castillan qui suivit la Reconquête, cette partie de la côte était le centre administratif de la Cantabria et le seul débouché de la **Vieille-Castille** sur l'océan. L'importance de la flotte cantabrique qui y mouillait s'accrut spectaculairement au xvie siècle. Selon un Vénitien de l'époque, les ports du golfe de Gascogne étaient les joyaux de la couronne impériale : c'était sur eux que reposait la supériorité maritime de l'Espagne. De Saint-Sébastien, de Laredo, de Santander et de La Corogne, des vaisseaux chargés de vin et de laine espagnols cinglaient vers les Flandres et l'Angleterre, ou gagnaient la Méditerranée par le détroit de Gibraltar. Tout le long de la côte, les églises bénéficièrent à la fois de leur situation sur la route des pèlerins et de la formidable campagne de construction des Rois Catholiques. A Laredo, par exemple, on ajouta un porche du xvie siècle au sanctuaire gothique de **Nuestra Señora de la Asunción** (xiiie siècle).

En 1556, Charles Quint, arrivant des Flandres après avoir abdiqué en faveur de son fils Philippe II, débarqua à Laredo pour gagner le monastère de Yuste. L'accompagnaient sa sœur Marie de Hongrie, et les trésors artistiques amassés par ces deux grands collectionneurs. Les musées espagnols ont conservé la plupart des chefs-d'œuvre de l'art flamand qui, de Laredo, rayonnèrent dans toute l'Espagne voilà plus de quatre siècles.

La **baie de Santoña** sépare Laredo de **Santoña**, port et villégiature, qui possède une église commencée au xiiie siècle et plusieurs plages, dont la **Playa de Berria**, longue de près de 2 km.

Un pêcheur de Gijón repeint son bateau.

Santander

Grand port moderne, **Santander** est devenue capitale provinciale au XVIIIe siècle, quand les Français ravagèrent l'est de la côte.

Le centre ville, rebâti après avoir été ravagé par un incendie en 1941, est orienté face à la baie remarquablement abritée. Des quais, par temps clair, on aperçoit les monts Cantabriques.

Avec ses belles plages (el Camello, la Concha, la Primera, la Seconda), **El Sardinero**, le quartier résidentiel et balnéaire le plus ancien, est tourné vers l'océan. On y trouve également le **Gran Casino del Sardinero**, l'**université internationale Melendez Pelayo**, qui dispense des cours estivaux aux étudiants étrangers, et le vieil **hôtel Real** dont le vaste bâtiment Belle Époque n'est ouvert qu'en été. Pour atteindre El Sardinero, suivez le Paseo de Pereda vers le nord-ouest jusqu'à ce qu'il devienne l'**Avenida de la Reina Victoria**. Devant vous, sur la **Península de la Magdalena**, se dresse le palais d'été néogothique de la famille royale d'Espagne, édifié en 1912 pour Alphonse XIII.

Le **musée municipal des Beaux-Arts**, dans la **Calle Rubio**, à l'ouest de la **Plaza Porticada**, cohabite avec la bibliothèque léguée par l'écrivain Marcelino Menendez y Pelayo (1856-1912), dont la statue orne le jardin précédant le bâtiment. Le musée conserve une petite mais intéressante collection de tableaux allant de Zurbarán aux artistes cantabriques contemporains et de vastes galeries réservées à des expositions temporaires. On y trouve les portraits de Ferdinand VII, d'Isabelle II, déposée en 1868 pendant qu'elle passait l'été au Pays basque, et du général Franco. Celui de Ferdinand, dû à Goya, qui peignit à plusieurs reprises ce monarque faible et cruel, passe pour avoir été commandé à l'artiste par la ville de Santander. Il voisine avec quatre célèbres séries d'eaux-fortes de Goya : *les Caprices, les Désastres de la guerre, la Tauromachie* et *les Disparates* ou *Proverbes. Les Caprices* furent interdits par Charles IV, probablement parce qu'ils attaquaient violemment l'Église, et *les Désastres de la guerre* ne furent publiés* in

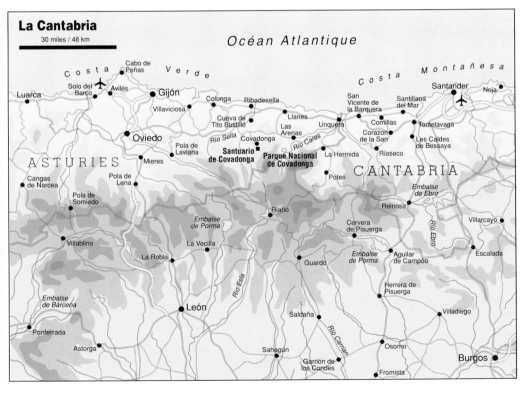

La Cantabria

extenso qu'une cinquantaine d'années après leur achèvement.

Le **musée provincial de Préhistoire et d'Archéologie**, dans la **Diputación Provincial**, près du **Puerto Chico**, où s'amarrent les bateaux de pêche, est une excellente introduction à l'art rupestre magdalénien découvert dans la région.

Les stations balnéaires de **Suanes**, **Santillana del Mar** et **Comillas**, à l'ouest de Santander, sont envahies en été par des Espagnols aisés venus du sud. Cette agréable contrée où alternent plages superbes, jolies fermes dominant la mer, églises médiévales et Renaissance et villas tarabiscotées de la Belle Époque est un peu, pour les Madrilènes, ce que la côte normande est pour les Parisiens.

A Santillane, les rues pavées de galets qui entourent la **collégiale** romane (XIIᵉ-XIIIᵉ siècles), son cloître et ses trois absides ont été classées secteur historique ; l'église abrite les restes de sainte Julie, une vierge martyre du IVᵉ siècle dont le nom latin, *Sancta Juliana*, a donné « Santillana ». Comme beaucoup d'églises inspirées du style roman français, la collégiale fut conçue à l'origine comme un vaste reliquaire auquel on accède par un élégant porche en plein cintre.

En dépit du caractère cosmopolite qu'elle a acquis en une dizaine de siècles, Santillane a conservé son caractère de ville-marché. Le **Parador Nacional Gil Blas**, sur la grand-place, porte le nom du picaresque héros de *Gil Blas de Santillane*, le roman satirique de Le Sage, qui, sous couleur de parler de l'Espagne, s'attaquait, en réalité, aux problèmes français.

A Comillas, suivez les panneaux conduisant à **El Capricho**, villa construite de 1883 à 1885 sur les plans de l'architecte catalan Gaudí, qui y a combiné des références aux massives colonnes romanes, au minaret arabe, au briquetage mudéjar, aux traditionnels balcons de fer forgé espagnols, au rose et néogothique **Sobrellano Palace** contigu et — comble de l'imagination — aux formes et aux couleurs de la campagne et du littoral cantabriques. Plus on contemple cette construction unique, plus les villas environnantes paraissent ternes. Chaque fois que l'on ouvrait l'une de ses fenêtres à guillotine, une clochette dissimulée dans le chambranle tintait.

Art rupestre

Altamira est à moins de 2 km au sud de Santillana del Mar. La « chapelle Sixtine » de l'art rupestre fut la première découverte et reste probablement la plus belle de toutes les grottes connues de l'époque magdalénienne. En 1879, don Marcelino de Sautuola, qui habitait une villa voisine et avait vu l'année précédente, à l'exposition internationale de Paris, de petites gravures paléolithique reconnues comme authentiques, comprit, à cause de leur similitude, que les peintures d'Altamira étaient préhistoriques. On dit que c'est sa fille qui, en jouant, découvrit l'un des animaux de la voûte. Les bisons, les biches, les ours, les chevaux et autres animaux qui ornent le plafond de la grande salle forment le plus grand ensemble connu de « polychromes », c'est-à-dire de peintures pariétales à base de pigments variés : ocres, oxyde de manganèse, charbon de bois, carbonate de fer. Les trois plus importants sites polychromes du monde sont Altamira, Tito Bustillo et Lascaux.

L'authenticité d'Altamira ne fut universellement reconnue qu'à la fin du XIXᵉ siècle, lorsqu'on découvrit d'autres grottes dont l'entrée avait été obstruée, ce qui éliminait toute possibilité de supercherie. La qualité et la minutie de sujets tels que la *Bisonne gravide* avaient été les principaux obstacles à la reconnaissance d'Altamira.

Le modelé était obtenu par des pigments contrastés et par l'utilisation des reliefs naturels de la roche. La peinture la plus connue du plafond d'Altamira, le *Bison couché*, épouse les contours d'une bosse qui donne l'illusion d'une sculpture en bas-relief.

Certaines de ces œuvres raffinées, vieilles de quinze mille ans, ont plus de 2 m de long.

Si vous n'avez pas réussi à vous procurer l'indispensable réservation pour une des visites guidées d'Altamira, vous pourrez néanmoins enrichir vos connaissances au **musée d'Altamira**. Il est inutile de réserver sa place pour la **grotte des Stalactites**. Le ruissellement des eaux souterraines forme des stalactites, qui, en recouvrant les peintures de nombreux sites, les protègent et aident à convaincre les sceptiques de leur ancienneté.

La Costa Verde

San Vicente de la Barquera, à 10 km à l'ouest de **Comillas**, réserve l'une des surprises les plus agréables de la côte cantabrique. Quand on fait route vers l'ouest, les anses où se nichaient jadis les ports s'élargissent, les vallées paraissent plus vertes et les montagnes sont plus hautes. Les remparts, le château et l'**église Santa María de los Angeles** (XIIIᵉ - XVIᵉ siècle), juchés sur un promontoire planté de pins, se mirent dans la crique que franchissent les 28 arches du **Puente de la Maza**, pont de pierre du XVIIᵉ siècle. La plage, **Sable de Merón**, a près de 3 km de long et plus de 100 m de large à marée basse.

Art mozarabe

Abandonnez la côte à San Vicente et prenez la route qui remonte la vallée du Deva jusqu'à **Unquera** et **Panes**, puis escaladez l'extrémité orientale des Picos de Europa en direction du village de **Potes**. Le **Desfiladero de la Hermida**, qui franchit la « frontière » des Asturies, est un défilé fort étroit, qui s'élargit au nord de Potes pour former l'austère cadre montagneux d'un des joyaux de l'architecture mozarabe, l'**église Santa María de Lébena** (ou Liébana). Fondée par Alfonso, comte de Liébana (924-963) et sa femme Justa, qui venaient peut-être d'Andalousie, cette église combine la conception architecturale d'une mosquée avec le style préroman local des églises asturiennes (agglomérat de petits compartiments et voûtes en berceau), qui, depuis le VIIIᵉ siècle, s'étaient implantées au nord des monts Cantabriques en s'inspirant plus ou moins de modèles wisigothiques. Comme les églises asturiennes, Santa María était entièrement voûtée. On a prétendu que l'usage de la voûte par les Asturiens était motivé par le besoin de se protéger contre d'éventuelles incursions de Maures venus du Sud.

Lorsqu'on y entre par une porte latérale, l'église évoque une mosquée, en partie à cause de ses arcs outrepassés. Sa tricolore *Vierge du Bon Lait*, du XVᵉ siècle, est maintenant incorporée à un retable du

L'élégance Belle-Époque du casino d'El Sardinero, à Santander.

XVIII° siècle. Une stèle réemployée par le constructeur du IX° siècle est sculptée de besants wisigoths ; la silhouette humaine figurant dans le coin inférieur gauche serait peinte avec un mélange de sang et de cendre. Les voûtes ornant les corbeaux sculptés qui supportent les avant-toits, également d'origine wisigothique, vous rappelleront celles dont Gaudí a décoré El Capricho. On trouve dans les musées des ornements de ce genre, provenant d'églises où des moulages les remplacent.

A l'époque où fut édifiée Santa María, cette région isolée était, depuis des siècles, un foyer de culture monastique. C'est dans le **couvent de Santo Toribio**, à quelques kilomètres au sud, que le moine Beatus rédigea ses commentaires de l'Apocalypse et du Livre de Daniel. Les *Beatos*, comme on les appela, furent enluminés, au cours des siècles suivants, dans les ateliers de diverses abbayes ; tout comme Santa María, ce sont d'importants témoignages de l'art mozarabe. Santo Toribio possède également une relique qui passe pour le plus gros morceau existant de la sainte Croix.

A l'ouest de Potes, le **Fuente Dé Parador**, situé à la source du Deva et entouré de sommets élevés, est ouvert toute l'année : les alpinistes l'utilisent comme base. Du **Mirador del Cable**, qu'un funiculaire relie toute l'année au Fuente Dé, on découvre Potes, la vallée du Deva, la réserve animalière voisine et les montagnes qui les entourent.

Les Asturies

En rejoignant la côte et en pénétrant dans l'ancien royaume des Asturies, on découvre un littoral de plus en plus accidenté. Ports et plages de sable sont séparés par de hauts promontoires. La jolie **Llanes** possède une promenade en corniche, le **Paseo de San Pedro**, et trente petites plages ; demandez la date de la prochaine exécution d'*el pericote*, la charmante danse folklorique asturienne. A **Vidiago**, toute proche, un menhir porte une gravure anthropomorphe baptisée *Peña Tu*. A **Colombres** se trouve l'une des plus importantes grottes peintes, **El Pindal**.

La fin de l'été dans les Picos de Europa, en Cantabria.

Ribadesella occupe la rive droite de l'estuaire de la **Ría Sella**. Une des principales grottes franco-cantabriques, **Tito Bustillo**, est située à l'ouest du port, au bout du pont qui traverse l'estuaire. L'entrée primitive s'étant perdue, on ignore si les peintures ont été ou non exposées à la lumière du jour. Sur une muraille enduite d'ocre, surplombant le site d'habitation, une vingtaine d'animaux furent peints avec d'autres couleurs, puis gravés à l'aide d'outils en silex. Ces animaux, parfaitement observés, sont de grande dimension : près de 2 m en moyenne. Parmi eux figure au moins un renne, espèce rare dans l'art paléolithique cantabrique. Tito Bustillo est plus facile à visiter qu'Altamira mais n'admet chaque jour qu'un nombre limité de visiteurs.

A Ribadesella, les terrasses des cafés du port offrent un bon point de vue sur les bateaux de pêche et les teintes changeantes des montagnes et de la mer. Dans l'église figure une obsédante fresque des frères Uria Aza, montrant les horreurs de la guerre moderne.

La cuisine asturienne varie d'une ville à l'autre, mais où que vous alliez, vous pourrez commander de la *fadaba*, un plantureux ragoût de haricots blancs, de jambon et de saucisses. Les Asturies sont réputées pour leurs cochonnailles : on y accommode au lard fumé jusqu'aux saumons et aux truites. La *calderata* est une soupe de poissons. Le fromage le plus estimé est un bleu, le *cabrales*.

La boisson traditionnelle des Asturies est le cidre, qui a même inspiré quelques chansons populaires. On l'oxygénise en le versant de très haut dans les verres, et si les visiteurs en répandent sur la table, on ne leur en tient pas rigueur.

Oviedo

Si vous n'avez qu'un temps limité à consacrer à la visite des Asturies, commencez par **Oviedo** (200 000 hab.). La capitale provinciale du royaume des Asturies est située dans une plaine couverte de pâturages, de champs de maïs, de pommeraies et de petites villes commerçantes. Les ports et leurs fêtes folkloriques, toutes les églises préromanes et le **sanctuaire de Covadanga** sont accessibles en voiture.

Le grand jardin public qui occupe le centre de la ville, le **Parque de San Francisco**, vous permettra de vous orienter. Laissant sur votre gauche la haute tour grise de la poste, vous marchez droit devant vous jusqu'au vieux quartier ecclésiastique, très endommagé lors du soulèvement antifasciste des partis ouvriers déclenché par les mineurs en 1934 et par la guerre civile qui le suivit de peu. L'office du tourisme, avec ses maquettes des églises asturiennes, se trouve sur la **Plaza Alfonso II el Casto**, près des ruines de la préromane **église San Tirso** édifiée par le roi du même nom. La **Basilica del Salvador**, cathédrale de style gothique flamboyant, abrite le **panthéon des rois des Asturies** et la **Cámara Santa**, leur chapelle reliquaire. Derrière la cathédrale se trouvent un cimetière de pèlerins de Compostelle et un musée archéologique dans le **couvent de San Vicente**.

Plusieurs des plus beaux monuments préromans des Asturies sont proches du centre d'Oviedo, notamment la **basilique San Julián de los Prados**, avec ses fresques en trompe l'œil. Une excursion au **Monte Naranco** permet de visiter **Santa María de Naranco** et sa voûte en berceau, édifiées au milieu du IXe siècle pour servir de salle du trône à Ramire Ier, et la toute proche **San Miguel de Lillo**, de la même période, qui ne fut jamais terminée.

Paysage de montagne

Une heure de voiture vers le sud vous mènera au **Puerto de Pajares** (1 360 m), un col des Picos à la lisière des Asturies et du León. Vous passerez par **Mieres**, ville où, le 5 octobre 1934, la république socialiste fut proclamée du haut d'un balcon de la mairie. Au-delà de Mieres, mais accessible seulement par **Pola de Lena**, ce qui vous fait revenir sur vos pas, **Santa Cristina**, église préromane à nef unique du début du Xe siècle, est perchée sur un mamelon et visible de la route.

Pajares s'enorgueillit d'un parador récemment remodelé, d'une station de sports d'hiver et d'un panorama incomparable. Pour les pèlerins, les soldats et les réfugiés, franchir les montagnes à cet endroit devait être une expérience mémorable, surtout en hiver.

LA GALICE

Sillonnée par des myriades de rivières et de torrents, la **Galice**, située au nord-ouest de l'Espagne, possède des paysages inoubliables et un littoral déchiqueté ciselé par l'océan. Cette région favorisée par la nature recèle des trésors archéologiques hérités des Celtes, des Romains, des Suèves et des Wisigoths qui l'occupèrent tour à tour. Isolée du reste de l'Espagne par un rempart de montagnes à l'est et au sud, et par le tumultueux Atlantique au nord et à l'ouest, la Galice possède des reliefs rocheux, de longues vallées onduleuses et des *rias* (estuaires envahis par la mer) caractéristiques.

L'altitude est pour la moitié de la région comprise entre 400 et 600 m, pour moins d'un cinquième inférieure à 400 m. L'intérieur est cerné de montagnes qui séparent la Galice des provinces espagnoles des Asturies et du León à l'est, du Portugal au sud. Elle fait figure de « Finisterre », nom que les Romains donnèrent à son cap occidental. En dépit des occasionnelles rafales des tempêtes de l'Atlantique et d'une pluviosité dépassant 1 m, elle a des hivers assez doux pour que les habitants de sa capitale, Saint-Jacques-de-Compostelle, aient surnommé leur ville « *l'endroit où la pluie est un art* ».

Au printemps et en été, une saisissante palette de couleurs — vert profond, jaune, orangé — se répand sur la Galice, attirant des milliers de touristes dans ses villes, dans ses campagnes et sur ses plages. Ses 380 km de côte dentelée sont jalonnés de rias : **Rías Altas** au nord, **Rías Bajas** au sud-ouest.

Des racines celtiques

La Galice et les Galiciens ont conservé de multiples traces du passage des Celtes, qui balayèrent la population autochtone aux alentours de 1000 av. J.-C. et s'installèrent dans ce pays battu par les vents et détrempé par les pluies qu'ils ne devaient abandonner qu'à l'arrivée des Romains, vers 137 av. J.-C. Le nom de la région vient de *Gallaeci*, l'appellation romaine des tribus celtes. Avant l'invasion celtique,

Comme le biniou breton, la « gaita » galicienne fait partie de la tradition celtique.

la population primitive vivait dans des *pallozas*, des huttes de pierres coniques à toit de chaume. Dans les secteurs les plus écartés et les plus pauvres de l'intérieur, notamment ceux de Las Ancares et de Lugo, quelques paysans partagent encore des *pallozas* avec leur bétail. Contrairement aux autres Espagnols, les Galiciens n'ont jamais vécu dans des villes très peuplées ; aujourd'hui encore, une bonne partie des 3 millions de Galiciens habite des hameaux isolés.

Un héritage commun a donné aux Galiciens, comme aux Irlandais, aux Gallois et aux Bretons, les caractéristiques attribuées aux races celtiques. Ils aiment avec passion la poésie et la musique, pour lesquelles ils ont des dons certains, ont une conception mélancolique et pessimiste de l'existence, sont fascinés par la mort et éprouvent un profond amour pour ce qu'ils appellent affectueusement « *Terra Nosa* » (notre pays). Pour l'historien Luís Moure Mariño, « *le sentiment que la terre natale fait partie de la chair et du sang de chacun et une conception panthéiste du monde ont toujours fait partie de l'âme galicienne.* » Comme en Bretagne et en Écosse, la cornemuse, la *gaita*, est l'instrument de musique traditionnel. Des groupes folkloriques formés dans divers villages galiciens exécutent encore des danses qui semblent remonter à l'époque celtique.

Un long isolement

Durant les sept siècles où une bonne partie de l'Espagne fut occupée par les Maures, la Galice subit relativement peu l'influence musulmane, en dépit de raids occasionnels des armées arabes. Ses montagnes, qui l'isolaient du restant de la péninsule, permirent à ses habitants de se constituer et de consolider une identité culturelle originale. L'époque romaine prit fin au milieu du Ve siècle avec l'arrivée des Suèves, Barbares venus du nord de l'Europe qui transformèrent les vestiges de l'administration romaine en royaume indépendant qui dura pendant tout le VIe siècle. Aux VIIIe, IXe et Xe siècles, la Galice fut gouvernée par les monarques des Asturies, puis du León. Les linguistes situent la naissance de la langue galicienne au début du XIe siècle. Deux siècles plus tard, le galicien, que l'on pense être à l'origine du portugais, possédait une florissante tradition de poésie lyrique et était même utilisé par des poètes castillans. La culture galicienne fut plus proche de celle du Portugal que de celle de l'Espagne jusqu'à la séparation définitive des deux pays, en 1668. Ce qui n'empêchait pas la région, à l'époque où elle était soumise à l'autorité des Rois Catholiques (qui établirent la *Junta* du royaume de Galice en 1495), d'avoir de solides liens économiques et religieux avec le royaume central, dus à l'importance de son sanctuaire de **Saint-Jacques-de-Compostelle**.

Des pluies abondantes donnent à la Galice l'aspect d'un paradis bucolique et nourrissent l'épais tapis de verdure qui couvre les flancs des vallées. Pourtant, elles sont moins bénéfiques qu'on ne le croirait. Les précipitations excessives provoquent une grave érosion, et le sol retient mal l'humidité. Un autre obstacle à l'agriculture réside dans la dénivellation des terres, qui rend la motoculture quasi impraticable dans une grande partie de la région. L'émiettement des sols en petites exploitations familiales (*minifundios*) fait avorter toutes les réformes visant à moderniser l'agriculture. En Galice, chacun est farouchement attaché à son lopin de terre. Toutes les tentatives de remembrement effectuées récemment par le gouvernement ont échoué en raison de l'opposition qu'elles soulevaient.

La Corogne

La meilleure base de départ pour la visite des **Rías Altas** est **La Corogne** (La Coruña), à l'extrémité nord-ouest de l'Espagne, un port qui était déjà important quand les Romains l'appelaient *Ardobicum Curonium* et que Jules César y vint de Gaule en 60 av. J.-C. pour rétablir l'autorité romaine dans plusieurs villes rebelles des environs. La **vieille ville** ou **Ciudad Vieja** occupe une petite presqu'île qui s'avance dans l'océan, tandis que la **ville moderne** ou **Pescadería** est bâtie sur la terre ferme et sur l'isthme.

La curiosité locale est la **tour d'Hercule**, le seul phare romain encore utilisé au

Le port de Betanzos, en Galice.

monde, qui se dresse sur la rive nord de l'isthme, à dix minutes de voiture du centre. Il date de l'époque du chef de clan celtique Breogan, qui le fit construire pour commémorer le départ d'une expédition pour l'Irlande, et il fut rebâti en 98, sous le règne de Trajan, l'empereur romain né en Espagne. En raison de sa situation sur la grande route maritime reliant l'Europe du Nord à l'Amérique centrale et du Sud, La Corogne continue à jouer un rôle important et est, après Vigo, le principal port de pêche espagnol. Les caractéristiques balcons vitrés *(miradores)* des jolis petits immeubles blancs de la ville nouvelle permettent à leurs occupants d'admirer la baie sans s'exposer aux vents violents de l'océan. Le caractère accueillant de ses habitants a valu à La Corogne le surnom de « *ville où nul n'est étranger* ».

Pour vous dorer au soleil, traversez la vieille ville jusqu'à la plage de **Riazor** ou regagnez **Santa Cristina**, la plage de l'isthme. Dans la vieille ville, une fois passé les jardins bordant l'**Avenida de la Marina** puis quelques pâtés de maisons, l'on arrive à la **Plaza de María Pita**, l'hé-

roïne qui, en 1589, donna courageusement l'alerte pour signaler à ses concitoyens l'attaque de l'amiral anglais Francis Drake. La vaste place est dominée par l'imposant **Ayuntamiento**, l'hôtel de ville du XIXe siècle. En continuant vers le sud, vous arriverez vite à la **Isla de San Antón**, ancienne prison convertie en musée archéologique.

L'après-midi sera consacré à la visite des églises de la vieille ville : **Santiago** (XIIe siècle), **María del Campo** (XIIIe siècle) et **Santo Domingo** (XVIIIe siècle). Au sud de cette dernière, dominant le port, le **jardin** clos de **San Carlos** abrite le tombeau de granit de sir John Moore, Anglais tué en 1809 en participant à la défense de la ville contre les Français.

La ville natale de Franco

A une heure de voiture de La Corogne, en longeant la côte vers l'est, **El Ferrol** est tapi depuis le Moyen Age au fond de la plus grande des **Rías Altas**. Le vaste estuaire constitue un port en eau profonde presque parfait et abrite, depuis le

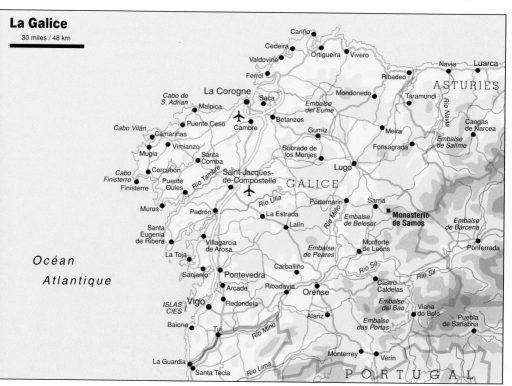

XVIIIe siècle, l'un des principaux ports d'attache de la flotte de guerre espagnole. Ferdinand VI et, plus tard, Charles III ont bâti des forteresses en amont du chenal qui, à l'embouchure de la ria, a 6 km de large. La ville demeure un important centre de construction navale.

C'est ici que naquit et fut élevé le général Francisco Franco Bahamonde, fils d'un munitionnaire de la marine. Durant son règne, la ville fut officiellement rebaptisée *El Ferrol del Caudillo*, et sa statue équestre monumentale domine toujours la **Plaza de España**. On aurait pu penser qu'un Galicien à la tête de l'État userait de ses pouvoirs pour développer l'économie de son pays natal, mais Franco, comme beaucoup de Galiciens qui avaient occupé avant lui des postes importants, s'identifiait davantage à l'Espagne qu'à la Galice. Contrairement aux politiciens basques et catalans, il considérait le patriotisme régional comme anti-espagnol, et il réduisit l'autonomie politique des provinces. Franco interdit également l'enseignement et l'usage du galicien.

En Espagne, les Galiciens ont la réputation d'être conservateurs, prudents, mais surtout rusés. On dit que quand on croise un Galicien dans un escalier, on ne sait jamais s'il monte ou s'il descend. Franco passait pour user de faux-fuyants en matière de politique et pour laisser ses ministres débattre des problèmes avant de faire connaître sa propre opinion.

La ria de **Betanzos** est également facilement accessible à partir de La Corogne (vingt minutes de voiture). La ville qui lui a donné son nom la domine du haut d'une colline abrupte. Elle atteignit son apogée au XIVe et au XVe siècle, quand la proche **vallée de las Marinas** alimentait en blé toute la province. Trois belles petites églises gothiques bien conservées, **Santa María del Azogue** (fin XIVe siècle), **San Francisco** (1387) et **Santiago**, témoignent de l'âge d'or de la ville.

Au cœur du pays

A une heure de voiture de La Corogne par l'A-9, la nouvelle autoroute à péage qui franchit la montagne en douceur, on découvre un panorama de verts pâturages et de massives maisons de granit à la rustique beauté galicienne. Le sentiment qu'on pénètre au cœur du pays est confirmé par la présence des tours baroques jumelles de l'orgueil de la Galice, la **cathédrale de Santiago de Compostela**, qui abrite la tombe de saint Jacques le Majeur, patron de l'Espagne.

D'après la légende, un paysan guidé par une étoile découvrit dans un champ la sépulture de l'apôtre de Jésus. Saint Jacques avait été martyrisé à Jérusalem en 44, mais ses disciples avaient rapporté sa dépouille en Espagne, qu'il était censé avoir évangélisée. Cette découverte, qui eut lieu entre 812 et 814, devint un facteur d'unification pour les chrétiens alors dispersés dans une étroite zone du Nord de l'Espagne. Elle leur donna le courage d'entreprendre la Reconquête, qui devait chasser les Maures de la péninsule Ibérique. Bien que les historiens contemporains doutent que saint Jacques ait jamais mis les pieds en Espagne, l'idée de posséder les reliques du saint ranima la vaillance des chrétiens qui, durant des siècles, s'étaient sentis impuissants devant des Maures apparemment invincibles.

Les historiens ont transmis de nombreux témoignages de guerriers espagnols — des hommes qui, en Méditerranée ou en Amérique, avaient remporté la victoire dans des conditions désespérées — ayant déclaré avoir puisé l'énergie nécessaire pour vaincre dans « *la vision d'un chevalier blanc brandissant une épée menaçante avec une expression vengeresse* ». Au plus fort des batailles, les soldats chrétiens criaient « *Santiago y cierre España !* » (« Saint Jacques et Espagne unie ! ») pour encourager les leurs à écraser les Maures. Les combattants chrétiens donnèrent à leur patron le surnom de *Matamoros* (Tueur de Maures).

La route de Saint-Jacques

Après la découverte, le soutien immédiat du roi des Asturies, puis de ses successeurs et, enfin, des souverains espagnols fit naître, dans une province par ailleurs turbulente, une ville affairée qui devint rapidement une cité cosmopolite, « *la lumière du monde chrétien à l'âge des ténèbres* », selon un chroniqueur. Le roi Alphonse II des Asturies fit édifier au-dessus de la tombe du saint un temple de torchis qui fut remplacé par une église de pierre sous le règne d'Alphonse III. Le pape Léon III annonça l'événement à toute la chrétienté. En 997, la ville fut rasée par Al-Mansur, grand cadi du calife de Cordoue, qui n'épargna que la tombe. En 1078, sur l'ordre d'Alphonse VI, roi de León et de Castille, on entreprit la construction de la **cathédrale.**

L'édifice roman (achevé en 1211) occupe l'extrémité est de la **Plaza del Obradoiro.** Depuis 1750, son entrée est enjolivée par une façade baroque due à Fernando Casa y Novoa : l'opposition entre les courbes et les droites de sa décoration semble culminer en langues de feu au sommet des deux tours élancées, dont la teinte dorée est particulièrement belle au coucher du soleil. Derrière cette façade, le porche tripartite représentant le Jugement dernier, chef-d'œuvre de Maestro Mateo, est considéré comme la plus belle expression qui soit du style roman.

Des milliers de pèlerins, venant de France et du reste de la chrétienté, partirent à pied pour l'Espagne, et l'itinéraire traversant la Navarre et la Galice fut bientôt si fréquenté qu'on l'appela *el Camino de Santiago* (la route de Saint-Jacques). Leur nombre décupla lorsque le pape Calixte II accorda aux visiteurs de Saint-Jacques-de-Compostelle les plus grands privilèges de l'Église et décréta années saintes celles où la Saint-Jacques (25 juillet) tombait un dimanche.

Le sanctuaire devint le plus grand lieu de pèlerinage du Moyen Age après Rome et Jérusalem. La cathédrale inspira les innombrables églises romanes qui jalonnèrent la route de Compostelle. La ville fut l'une des plus brillantes d'Europe et attira peintres, sculpteurs, érudits et orfèvres. Pour l'historien espagnol Americo Castro, *« le culte de l'apôtre de la Galice emplit l'histoire médiévale de l'Espagne et influença profondément celle de l'Europe. L'Espagne chrétienne du IX* siècle, unie sous la bannière de saint Jacques qui symbolisait ses anciennes croyances, émergea du réduit galicien avec une force nouvelle pour combattre les Maures. »*

Aujourd'hui, des milliers de pèlerins visitent la cathédrale, qui présente la particularité unique en Espagne d'être entourée de parvis sur ses quatre côtés. Chaque année, le 25 juillet à minuit, un formidable feu d'artifice inaugure une semaine de festivités.

La cathédrale

A l'intérieur de la **cathédrale,** le maître-autel est dominé par un *Saint Jacques* du XIIIe siècle somptueusement vêtu ; certains pèlerins escaladent les marches, derrière l'autel, pour baiser le bas de son manteau. Sous l'autel, une crypte aménagée dans les fondations de l'église du IXe siècle abrite les restes du saint et de deux de ses disciples, saint Théodore et saint Athanase. Les autres étapes obligatoires sont la **Puerta de las Platerías** (portail des Orfèvreries), un porche roman donnant sur une place jadis bordée d'échoppes d'orfèvre, et la **Puerta Santa** (porte Sainte) ouverte seulement pendant les années saintes. En face des marches de la cathédrale, de l'autre côté de la **Plaza del Obradoiro,** le **palais Rajoy,** demeure sévère et imposante construite au XVIIIe siècle sur les plans de l'architecte français Charles Lemaure, sert de mairie ; l'édifice est couronné d'une sta-

L'Hostal de los Reyes Católicos fut fondé par Ferdinand et Isabelle pour accueillir les pèlerins de Compostelle.

tue en bronze de saint Jacques le Tueur de Maures en tenue de guerrier, chevauchant un fougueux étalon.

Au sud de la place, le **Colegio de San Jerónimo** (XVIIIe siècle) séduit par son portail du XVe siècle. Le nord de la place est occupé par l'**Hostal de los Reyes Católicos**, édifié en 1501 sur l'ordre de Ferdinand et Isabelle pour servir d'auberge et d'hôpital aux pèlerins ; c'est aujourd'hui un parador. Sa façade est ornée d'un portail plateresque, et les fers forgés et les colonnes de la chapelle sont d'une facture exceptionnelle.

Touristes et pèlerins

Quittez la place en passant entre la cathédrale et le Colegio de San Jerónimo et prenez la **Calle del Franco**. Dans ses cafés et ses boutiques se mêlent touristes, pèlerins et étudiants. La rue est bordée de facultés, le **Colegio de Fonseca** (achevé en 1530) méritant un arrêt à cause de son remarquable portail Renaissance. Profitez de ce que vous êtes dans la vieille ville pour visiter le **Colegio de San Clemente** (1601) et le **couvent de San Francisco** qui passe pour avoir été fondé en 1214 par saint François d'Assise, venu là en pèlerinage. Le **monastère de San Martín Pinario**, devenu un séminaire, fut fondé au Xe siècle et rebâti au XVIIe siècle. Pour visiter l'**université**, quittez la Plaza del Obradoiro par l'ouest en descendant de petites rues pavées. L'université fut fondée en 1532, mais le bâtiment actuel date de 1750. Dans les faubourgs, les **églises Santa María Salomé** et **Santa María la Real del Mar** justifient également une visite. Ne quittez pas Compostelle sans avoir fait un tour au **Paseo de la Herradura**, l'ancien champ de foire devenu jardin public, sur une colline boisée proche de l'université : la vue de la cathédrale drapée dans le manteau vert des collines est splendide.

Lugo, à une centaine de kilomètres à l'est de Compostelle, est accessible par une route qui serpente entre des montagnes dentelées. Cette vieille capitale provinciale est entourée de remparts qui sont parmi les mieux conservés qui subsistent. Les massifs murs de schiste, longs de 2 km et hauts de 10 m, datent du IIIe siècle, quand la ville s'appelait *Lucus Augustus*.

Notre-Dame-aux-grands-yeux

La situation de Lugo, sur la route de Compostelle, explique que l'influence française soit très sensible dans les parties romanes de la **cathédrale** commencée au XIIe siècle, continuée à l'époque gothique et agrandie au XVIIIe siècle. La **Capilla de Nuestra Señora de los Ojos Grandes**, une des chapelles absidiales, est une délicieuse rotonde baroque qui contraste avec le portail nord, où un Christ en majesté roman s'abrite sous un porche du XVe siècle. En face du portail nord, sur la ravissante **Plaza de Santa María**, le **palais épiscopal** du XVIIIe siècle est un typique *pazo* (manoir) galicien, avec son étage unique, ses murs de pierre de taille et ses balcons de fer forgé.

Sur la route d'**Orense**, seconde capitale provinciale de l'intérieur, une courte halte s'impose à **Santa Eulália de Bóveda**, monument paléochrétien mis au jour au début du siècle. Sur les murs, de ravissantes fresques d'oiseaux et de fleurs des débuts du christianisme sont intactes.

Saint Jacques attira des milliers de pèlerins et insuffla aux Espagnols le courage de bouter les Maures hors du royaume et de conquérir le Nouveau Monde.

Vestiges médiévaux

Les 110 km de route qui séparent Lugo d'Orense offrent au voyageur un aperçu sur le passé de la Galice. Des vieux au visage buriné labourent avec une paire de bœufs des lopins de terre entourés de murets de pierre sèche. Des vieilles sévèrement vêtues et coiffées du noir d'un deuil perpétuel suivent, une faux sur l'épaule, des charrettes où s'entasse le foin qui nourrira les vaches pendant l'hiver.

Les modes de culture, dans cette partie de la Galice, ont peu changé depuis le Moyen Age. Des *caciques* (patrons) influents exercent toujours un grand ascendant sur les paysans vivant dans des villages si mal desservis qu'ils sont pratiquement coupés de tout.

Orense est censée devoir son nom à l'or que l'on extrayait des mines et des eaux de la **vallée du Miño**, le fleuve qui arrose la ville. Bien qu'elle soit maintenant une active cité commerçante, Orense conserve quelques précieux souvenirs de ses origines romaines, notamment le **pont romain** sur le Miño, rebâti au XIIIᵉ siècle sur les fondations romaines. Son **musée archéologique et des Beaux-Arts**, un ancien évêché, recèle de nombreux témoignages fort intéressants des époques préhistorique, préromaine et romaine.

Un berceau de marins

Les spectaculaires **Rías Bajas** de la côte ouest sont assez commodément accessibles en voiture en partant de **Pontevedra**, une vieille ville située à une centaine de kilomètres à l'ouest d'Orense, au fond de sa ria. D'après la légende, elle fut fondée par Teucros, fils de Télamon et demi-frère d'Ajax. Elle date probablement de l'époque romaine et son nom, dérivé du latin *Pons Vetus* (Vieux Pont), vient des onze arches qui franchissent le **Leréz**. Pontevedra vit naître de nombreux marins, dont Pedro Sarmiento de Gamboa, le hardi navigateur du XVIᵉ siècle qui écrivit un *Voyage au détroit de Magellan* et mourut dans les geôles anglaises. Quelques historiens locaux soutiennent même que Chris-

Psautier enluminé exposé dans la cathédrale de Compostelle.

tophe Colomb serait né à Pontevedra, qui était alors un port de commerce très actif, dans les chantiers duquel fut construite la *Santa María*, la caravelle de Colomb. Mais quand le fond de la ria s'envase, le nouveau port édifié à **Marín** détrôna Pontevedra.

La ville nouvelle de Pontevedra a conservé le charme de l'ancienne, dans un quartier proche du fleuve et du **Puente del Burgo**, où les citadins vivent dans de curieuses maisons de pierre de taille dont les hautes fenêtres en encorbellement surplombent le Leréz. Les jeunes gens de la ville font la tournée de ses vieilles tavernes pour boire le célèbre *ribeiro* blanc d'Orense. L'église platéresque **Santa María la Mayor**, nichée parmi les ruelles et les jardinets du quartier des pêcheurs, fut élevée à la fin du XVᵉ siècle par la guilde des marins ; l'intérieur est un mélange d'ogives gothiques, de colonnes torses isabellines et de voûtes nervurées de style Renaissance. Deux autres églises, **la Vírgen Peregrina** (la Vierge du Pèlerinage y est vénérée depuis le XVIIᵉ siècle) et **San Francisco**, sont à quelques pas de là.

Envoûtés et miraculés

Dans toute l'Espagne, les Galiciens passent pour superstitieux. La fête de *Nuestra Señora de Corpiño*, célébrée à la fin juin à **Corpiño**, dans le centre de la province de Pontevedra, confirme cette réputation. A cette occasion, ceux qui se croient possédés du démon se réunissent devant la petite église de la ville et crient, hurlent et blasphèment jusqu'à ce qu'ils soient libérés de leur envoûtement. D'autres, pour complaire à leur sainte patronne, font vingt fois le tour de l'église sur les genoux. A **Nieves**, dans le sud de la province de Pontevedra, le 29 juillet de chaque année, tous ceux qui ont échappé à la mort d'une manière ou d'une autre au cours de l'année écoulée s'assemblent pour remercier sainte Marthe de son intervention. Au cours de cette surprenante démonstration de la fascination exercée par la mort, les « miraculés » se couchent, en toilette mortuaire, dans un cercueil auquel les membres de leur famille font faire le tour de **l'église de Ribarteme**.

La cathédrale de Saint-Jacques-de-Compostelle.

Eau et vin

Au nord de Pontevedra, la sinueuse route côtière C-550 offre au voyageur maints aperçus sur de splendides anses rocheuses et sur les traditionnelles villages de pêcheurs de **Moaña** et de **Sangenjo**, sur la Ría de Pontevedra. Chaque matin à la criée, sur le débarcadère, une infinie variété de poissons et de crustacés y change de main ; d'excellents restaurants de fruits de mer jalonnent la côte. Au détour d'un cap, sur la rive sud de la **Ría de Arosa**, l'extraordinaire plage de **La Lanzada** accueille chaque année des centaines de campeurs sur son long ruban de sable. **L'île de la Toja** est plus au nord ; un âne malade, que son propriétaire avait abandonné sur l'île et qu'on retrouva guéri, fut la première créature à bénéficier des bienfaits de sa source ; c'est aujourd'hui une charmante station.

Cambados coupera agréablement cette randonnée automobile. Vous y savourerez le robuste vin blanc d'Albariño, produit dans les environs : il accompagne fort bien le poisson. Une église du XVIIᵉ siècle, le **Fenfiñanes Pazo**, hôtel particulier contigu, et une rangée de maisons à arcades forment la séduisante **Plaza de Fenfiñanes**, à la sortie nord de la ville. Un peu plus loin sur la route, dans le village de pêcheurs de **Villagarcía de Arosa**, une ravissante promenade bordée de jardins longe la baie. Le **couvent de Vista Alegre** (XVIIᵉ siècle) est situé entre Villagarcía et **Padrón**.

Rosalia de Castro

C'est, dit-on, à Padrón qu'accosta le bateau transportant le corps de saint Jacques. La pierre à laquelle on l'amarra est exposée sous l'autel de l'église locale dominée par le pont qui enjambe le **Sar**. La plus célèbre poétesse de Galice, Rosalía de Castro (1837-1885), vécut de longues années dans une maison en pierre de taille donnant sur le Sar ; c'est maintenant un musée. Avec son mari, l'historien Manuel Muguía, elle constitua le noyau d'un groupe de poètes et d'écrivains qui déclencha un *Rexurdimento* (renaissance)

Juché sur ses pilotis, l'« horreo » (grange) galicien ne craint pas les rongeurs.

de la littérature galicienne. Ses *Cantares gallegos* (*Chansons galiciennes*, 1863) sont un des sommets de la littérature espagnole. Le *Rexurdimento* réveilla un nationalisme latent et, au début du siècle, plusieurs mouvements nationalistes avaient vu le jour.

Si Rosalía de Castro se reconnut dans les tribulations des pauvres campagnards galiciens, c'est parce que sa vie fut une succession d'infortunes. Fille naturelle d'un prêtre, rejetée par sa famille, elle fut longtemps malheureuse en ménage et mourut torturée par un cancer. Son livre de poèmes, *Follas novas* (*Feuilles nouvelles*, 1880), est l'écho de sa profonde tristesse personnelle. Les Galiciens éprouvent pour elle des sentiments filiaux et la vénèrent pour le soutien qu'elle a apporté à leur langue.

Le joyau de la Galice

Sur la rive nord de la Ría de Arosa, la ville fleurie de **Puebla de Caramiñal** se signale par ses maisons anciennes admirablement entretenues et par son somptueux panorama sur la ria.

Le joyau des **Rías Bajas** est la **Ría de Vigo**, sur la rive sud de laquelle est située **Vigo**, l'une des villes les plus peuplées et les plus industrialisées de la Galice. Bien que datant de l'époque romaine, elle n'a conservé aucun souvenir de l'Antiquité. Son principal monument est le **Castillo del Castro**, qui la domine du haut d'une colline sur laquelle vous vous régalerez de fruits de mer locaux au **Restaurante El Castro** avant de faire le tour des murailles du château pour admirer le magnifique panorama de la baie.

Vigo devint un port opulent lorsque Charles Quint, en 1529, l'autorisa à commercer avec l'Amérique. Au XVe et au XVIe siècle, elle subit à maintes reprises des raids de pirates anglais.

En 1589, une flotte anglaise commandée par sir Francis Drake mit la ville à sac ; la reine Élisabeth Ire avait envoyé Drake attaquer l'Espagne et le Portugal avec 30 navires et 15 000 hommes dans l'espoir d'asseoir sur le trône le prétendant portugais, dom Antonio. En 1701, des corsaires

Les eaux abritées des Rías Bajas de la Galice.

français et anglais ouvrirent le feu contre des vaisseaux rapportant à Philippe V d'Espagne, petit-fils de Louis XIV, des richesses provenant de ses colonies. En 1702, un convoi de vaisseaux regagnant l'Espagne fut intercepté par une flotte anglo-hollandaise. Les galions furent coulés alors qu'ils cherchaient à se réfugier dans la baie de Vigo. Depuis ce jour, on est convaincu que des tonnes d'or dorment au fond de la baie dans les cales des galions, mais ceux-ci n'ont jamais été localisés. Dorez-vous au soleil sur l'une des nombreuses plages scintillantes, notamment Samil, Alcabre et Canido, ou prenez le ferry dans le port pour gagner le charmant village de pêcheurs de Cangas, sur la rive nord de la ria, ou les Ilas Cíes, des îlots situés à son embouchure. Les Cíes font office de brise-lames et assurent à la baie des eaux toujours calmes. Pendant la Seconde Guerre mondiale, des sous-marins allemands vinrent se réfugier et se ravitailler dans la baie. Vigo est le premier port de pêche d'Espagne. Il abrite la moitié de la quatrième flotte de pêche du monde. Ses marins-pêcheurs partent en

expédition jusqu'en Irlande du Nord, en Afrique, en Amérique du Sud, voire jusqu'au nord de l'Australie.

Tous les produits de la mer sont abondants, bon marché et délicieux. Les spécialités locales sont le poulpe frit, la seiche farcie cuite dans son encre, les crevettes frites aux gousses d'ail, la langouste bouillie et les palourdes farcies.

Pour voir le port où la *Pinta* accosta en 1493, apportant à l'Europe la nouvelle de la découverte du Nouveau Monde, prenez la route côtière C-550 vers le sud : une heure de voiture vous mènera à **Bayona**. Étape obligatoire et plaisante : **Monte Real**, promontoire rocheux sur lequel une forteresse massive, ceinturée de remparts, fut édifiée vers 1500. C'est aujourd'hui le **Parador Conde de Gondomar**, entouré de pins et d'eucalyptus. Faites le tour des remparts qui surplombent les eaux de la baie et admirez le panorama sur l'Atlantique, le **Monteferro**, les **îles Estelas**, et la côte sud jusqu'au **cap Silleiro**.

Une terre d'émigration

C'est aussi à Vigo que s'embarquaient les Galiciens espérant trouver de meilleures conditions de vie en Amérique du Sud. Le sous-emploi dans le secteur agricole et les bas salaires furent les causes déterminantes de l'exode des Galiciens. Les historiens estiment que, au cours des cinq cents dernières années, un Galicien mâle sur trois a quitté sa terre natale. Au milieu du XVIIIe siècle, l'Espagne supprima le contingentement de l'émigration en Amérique du Sud. La plupart des Galiciens partirent pour l'Argentine, Cuba, l'Uruguay et le Venezuela, mais les autres se fixèrent dans presque tous les pays restants du continent sud-américain, ce qui explique que dans une grande partie de l'Amérique latine, tous les immigrants espagnols, d'où qu'ils viennent, soient appelés *gallegos* (Galiciens). L'émigration fut particulièrement forte entre 1911 et 1965, période durant laquelle près d'un million de Galiciens s'expatrièrent en Amérique. L'un des plus célèbres fils d'émigrant est le président cubain Fidel Castro, dont le père était un ancien soldat de la guerre hispano-américaine devenu un prospère planteur de canne à sucre.

Sardines de toutes tailles sur un marché au poisson galicien.

LA TAUROMACHIE

La tauromachie est peu connue en-dehors de l'Espagne et du Sud de la France, et tous les touristes, fascinés, qui décident pour la première fois d'assister à une corrida, ne peuvent s'empêcher d'éprouver une certaine appréhension en entrant dans l'arène.

Assis sur les gradins, en train d'attendre le début du spectacle, ils savent déjà que ce qui va se dérouler est bien plus qu'une simple manifestation sportive. D'ailleurs, c'est dans la rubrique « spectacles » que les journaux espagnols

ornent les parois des célèbres grottes d'Altamira pour s'en persuader.

Dans l'Antiquité, Égyptiens, Mésopotamiens et Crétois vénéraient les taureaux ; de nombreuses religions païennes avaient même élevé cet animal au rang de divinité généralement associée au rituel de la fertilité. Le mithracisme (culte du dieu solaire Mithra, qui s'était répandu dans tout l'Empire romain) fut sans doute la plus célèbre de ces croyances. Les prêtres de Mithra sacrifiait un taureau dans une enceinte sacrée, le *taurobolium*, et arrosaient les fidèles du sang de la bête égorgée, afin de leur transmettre la force, la fertilité, voire l'immortalité.

classent la *corrida de toros* ; et tous les amateurs — les *aficionados* — vous diront que la tauromachie est avant tout une forme d'art. Opinion difficilement réfutable si l'on pense à l'importance de ces combats entre l'homme et le taureau dans la peinture, la sculpture, la musique, la danse et la littérature, et pas seulement en Espagne même.

Depuis les temps immémoriaux, l'homme s'est mesuré au taureau, et, dans bien des cas, ce n'était pas seulement pour se procurer la chair et le cuir nécessaires à sa subsistance. Ainsi, lorsqu'il dessine la mise à mort d'un taureau ou d'un buffle, l'homme néolithique nous parle plus de rituel et de mystère que de nourriture : il suffit de regarder les peintures qui

Le taureau que l'on peut voir aujourd'hui dans les arènes espagnoles n'est pas un animal ordinaire. Il appartient à une race parfaitement pure, sélectionnée depuis des siècles pour son caractère sauvage et inflexible : c'est un taureau « de corrida ».

Personne ne le dresse à attaquer ; seul l'instinct pousse cet herbivore à se battre pour affirmer sa supériorité et à charger tout ce qui bouge. Si, contrairement aux idées reçues, la couleur rouge ne l'excite pas (ce qui est bien naturel puisqu'il voit le monde en noir et blanc), le mouvement l'insupporte, et on a déjà vu plus d'un taureau égaré charger un train ! Mais si la sélection rend le taureau de corrida agressif et dangereux (pour les autres comme pour lui-même d'ailleurs), elle lui permet aussi d'échapper au sort qui attend tous ses congénères : l'abattoir, et de mener une existence presque agréable. Choyé comme un véritable pur-sang, le *toro bravo* passe quatre ou cinq belles années dans un pré bien gras, avant d'affronter son destin dans l'arène.

Un spectacle d'aristocrates

La tauromachie existe depuis des siècles, voire des millénaires, et on rapporte que Jules César lui-même aurait combattu un taureau sur son cheval. Du couronnement d'Alphonse VII à celui de Philippe V, toutes les chroniques

Tout au long de la période la plus glorieuse de l'histoire espagnole, la tauromachie a tenu un rôle important dans la vie de l'aristocratie : pendant six siècles, les nobles ont sélectionné et élevé des taureaux dans le seul but d'affirmer leur courage devant le roi et la cour.

Pourtant, cette pratique prit fin au XVIIIᵉ siècle, avec l'arrivée d'un Bourbon, Philippe V d'Anjou, sur le trône d'Espagne. Le nouveau monarque, élevé dans les raffinements de Versailles, interdit immédiatement à tous les membres de sa cour de risquer inutilement leur vie dans un spectacle qu'il jugeait stupide.

Cette décision fut à l'origine du plus grand tournant de l'histoire de la tauromachie ; elle

royales relatant un mariage, un baptême ou la signature d'un traité de paix, mentionnent parmi les festivités les *cañas de toros*. Plusieurs personnages illustres comme Hernán Cortéz, Francisco Pizarro ou le duc de Medina Sidonia, ont été décrits en train d'affronter ces bêtes sauvages sur leurs terres. Déjà au XIᵉ siècle, le Cid aurait décidé de fêter sa victoire sur les Maures en combattant en public un taureau en furie.

Pages précédentes : la Plaza de Toros à Madrid ; à gauche, les matadors font leur entrée au rythme à la fanfare ; à droite, un taureau de cinq ans arborant les rubans aux couleurs de son élevage.

quitta les sphères aristocratiques pour devenir un divertissement populaire. Le premier à faire des combats de taureaux un véritable métier fut Francisco Romero, un charpentier de Ronda ; mais c'est son petit-fils, Pedro Romero, qui est aujourd'hui considéré comme le père de la tauromachie moderne.

Armé d'une *muleta* (étoffe rouge fixée sur un bâton d'environ 60 cm) dans la main gauche et d'une épée dans la main droite, il manœuvrait l'animal jusqu'au moment fatal où il pouvait le transpercer de son arme. Il tua ainsi plus de 5 600 taureaux entre 1771 et 1779, sans jamais recevoir plus qu'une simple égratignure. Aucun matador n'a d'ailleurs jamais renouvelé cet exploit depuis.

A l'origine, le combat était très rudimentaire, le plus important étant de tuer le taureau. Mais aujourd'hui, le spectacle du *toreo* s'est enrichi ; le matador se sert de sa cape et de sa muleta pour effectuer des figures complexes, et il n'est plus un simple *matador* (tueur), mais un artiste qui, à travers le combat pour dominer un animal sauvage, cherche à exprimer sa personnalité et ses sentiments.

Derrière l'apparat et le chatoiement des couleurs se révèle un univers dangereux, empreint de beauté, mais aussi de sang et de peur, dont le torero est à la fois le créateur et l'un des deux principaux acteurs. Si certains considèrent la corrida comme un pratique gratuite et cruelle,

jamais en retard, et la sonnerie de trompette, ou *clarin*, qui annonce le début du spectacle n'attend personne.

Dès que la trompette se tait commence un paso doble rapide, au son duquel le *paseillo* (la parade), ouvert par les *alguacilillos* (cavaliers de la police montée portant des costumes du XVIe siècle), défile dans l'arène (ou *ruedo*). Les alguacilillos sont suivis par les matadors et leurs trois *cuadrillas* (équipes) respectives. Chaque matador est assisté par trois *banderilleros* qui dévient les charges du taureau grâce à leurs capes et plantent les banderilles (bâtons pointus décorés de crépon multicolore) dans le cou de l'animal.

d'autres voient dans ce combat un ballet noble et tragique dans lequel l'homme, intelligent et courageux, fait face à la bête, indomptable et brutale.

L'après-midi de la corrida

Trois est le nombre clef de la tauromachie moderne : ils sont en effet trois matadors à combattre successivement six taureaux, préalablement divisés en trois groupes de deux lors du *sorteo* (le tirage au sort du matin).

Si la ponctualité ne semble pas être un des points forts de l'Espagne, que ce soit pour le départ des trains ou pour les représentations théâtrales, une corrida, elle, ne commence

Même s'ils aspirent tous à être un jour matadors, les banderilleros ne seront que quelques-uns à participer à l'*alternativa*, cérémonie officielle au cours de laquelle le matador vétéran remet au novice les deux objets symboliques, la muleta et l'épée, qui lui donnent le droit de tuer des taureaux adultes et lui confèrent le titre de *matador de toros*. Après les trois rangs de banderilleros entrent les picadors à cheval. Chaque matador est assisté de deux picadors, qui combattent chacun un de ses taureaux.

Le paseillo est fermé par les autres employés de l'arène : les *monosabios*, qui guident les chevaux des picadors, les *mulilleros*, qui conduisent l'attelage de mules chargées d'emporter le taureau mort, et les *areneros*, qui nettoient le sable. Tous, malgré leur rôle secondaire, sont vêtus de costumes chatoyants et défilent en grand apparat au rythme entraînant de la musique.

Lorsque chacun a rejoint son poste, le président de la corrida sort de sa poche un mouchoir blanc, annonçant ainsi l'entrée du premier taureau. Débute alors le premier *tercio* de ce drame en trois actes.

La porte, ou *toril*, qui communique avec les *chiqueros* (les stalles individuelles dans lesquelles les taureaux sont enfermés depuis le tirage au sort du matin) s'ouvre, et le taureau fait irruption dans l'arène où l'attend un banderillero ou un matador.

Dès que le matador connaît mieux son adversaire, il réalise un enchaînement de *verónicas* — la plus classique des passes de cape — destiné à attirer le taureau au centre de l'arène. La série se termine par une *media verónica* qui fait faire un demi-tour au taureau et donne au torero le temps de s'éloigner.

C'est alors que commence la partie la plus passionnante du combat : les picadors, qui ont pour tâche de préparer l'animal pour la phase finale de la corrida, la *faena*, entrent en scène. Armés de leurs piques, ils ralentissent le taureau pour qu'il suive les mouvements de cape du torero, lui font baisser la tête, et surveillent sa façon de charger, prêts à intervenir dès que

A ce moment, le torero effectue quelques passes avec sa cape rose et or, ou attaque directement l'animal afin d'observer ses réactions et d'évaluer son comportement : la corne dont il se sert le plus souvent, la partie de l'arène vers laquelle il tend à se diriger, la rapidité et la force de ses charges, sa vue, sa nervosité, sa combativité, etc. Autant de détails qui l'inspireront et lui permettront de déterminer sa façon de combattre et sa « chorégraphie ».

A gauche, le taureau, surgissant à l'ouverture des portes du toril, rencontre un banderillero ; à droite, un picador sur son cheval lourdement caparaçonné.

l'attitude du matador le met en trop grand danger.

Les picadors ont aussi un autre rôle, moins facile, qui consiste à exciter le taureau jusqu'à ce qu'il charge leur cheval (dont le corps est entièrement protégé par un caparaçon), le forçant ainsi à manifester son courage devant le public, lequel attend de lui comme du torero la meilleure performance possible. Selon le code de la tauromachie, le taureau ne devrait pas recevoir plus de trois coups de pique, ou *puyazo*, au cours du combat ; mais en fait, le nombre de ces coups dépend de la résistance dont il fait preuve.

Pendant ce premier tercio, les trois matadors se retrouvent en compétition dans l'arène.

après avoir éloigné le taureau du cheval grâce à des mouvements de cape appelés *quites*, ils l'attirent vers eux dans le but de réaliser le plus grand nombre de passes différentes : *verónicas*, *chicuelinas*, *gaoneras*, *navarras*, *delantales*, etc., et de dévoiler le meilleur de leur savoir-faire.

Lorsqu'il juge que le taureau a reçu suffisamment de coups de pique, le président agite de nouveau son mouchoir blanc pour indiquer le commencement du second tercio : les *banderilles*. Certains matadors placent eux-mêmes leurs banderilles, mais la plupart du temps, ce sont leurs aides qui s'en chargent.

Ce second tercio permet au taureau de reprendre quelques forces après ses attaques

appris les règles du jeu, est plus dangereux qu'à son entrée, mais en outre, la nouvelle muleta du matador est deux fois plus petite que son ancienne cape.

Les deux principales passes de muleta sont le *derechazo*, ou passe à droite, dans lequel l'épée est glissée dans les plis de l'étoffe afin de l'élargir et de lui donner une plus grande rigidité, et le *natural*, qui s'effectue du côté gauche. Pour le natural, la passe la plus difficile et la plus pure des deux, le matador se sert de la muleta sans l'étendre et tient son épée de la main droite. Une série de naturales se termine généralement une passe par le haut : il s'agit du *pase de pecho* (passe de poitrine), qui refait passer le

épuisantes contre l'épais caparaçon du cheval du picador. Bien entendu, les banderilles se comptent aussi par trois.

La minute de vérité

Les trompettes annoncent le troisième et dernier acte du drame. Armé de son épée et de sa muleta, le matador vient saluer le président, auquel il demande le droit de tuer le taureau. Ensuite, il dédie la mort de l'animal à l'un de ses proches, à l'un des dignitaires assis dans l'arène ou à l'assistance en général.

La partie devient alors beaucoup plus difficile ; c'est le face-à-face final entre l'homme et l'animal. Non seulement le taureau, qui a

taureau devant le matador avant de l'écarter sur la droite.

Le matador dispose d'un quart d'heure pour accomplir son œuvre maîtresse : la *faena*, durant laquelle il déploiera tout son talent.

Vient enfin le moment fatal : la mise à mort. Le matador s'élance l'épée haute puis, avec sa muleta, il dirige le taureau vers la droite en le forçant à détourner la tête — et les cornes — de son corps, puis il vise entre les omoplates et l'épine dorsale, au sommet du garrot de l'animal, et il y enfonce son arme de toutes ses forces.

Si l'estocade manque sa cible ou qu'elle ne suffise pas à tuer le taureau, le matador utilise alors un *descabello* (épée plus courte, munie d'une lame transversale près de la pointe) qu'il plante dans la nuque de l'animal afin de lui trancher la moelle épinière. Dès que le taureau s'effondre sur le sol, les *puntilleros* accourent avec une *puntilla* (poignard), pour lui administrer le coup de grâce et mettre un terme à ses souffrances.

C'est alors que le public donne son avis sur le combat. S'ils sont satisfaits, les spectateurs agitent leurs mouchoirs pour réclamer une oreille du taureau pour le matador. Cette étrange coutume remonte au XIXe siècle, à l'époque où les héros de la Fiesta Nacional ne recevaient pour seul salaire que le cadavre de l'animal qu'ils venaient de tuer. C'est l'oreille

Quant au taureau, qui partage la vedette avec le matador, il est lui aussi applaudi au moment où les mules l'emportent hors de l'arène ; il arrive même qu'on lui fasse faire un tour de poste avant de l'emporter, ou, dans des cas exceptionnels, qu'on lui accorde le pardon. En revanche, un animal peureux, qui a refusé d'attaquer ou a fait montre de couardise dans ses charges, sort sous les huées du public. La trompette résonne de nouveau ; le deuxième taureau quitte l'ombre de sa stalle pour s'élancer dans l'arène écrasée de soleil. Le matador le plus ancien affronte les premier et quatrième taureaux, le deuxième combat le second et le cinquième, et le dernier, le troisième et le

qui leur servait de preuve lorsqu'ils venaient réclamer la carcasse chez le boucher.

Aujourd'hui, seuls les matadors qui ont réalisé une excellente prestation reçoivent les oreilles (une ou deux) et la queue comme trophées. Ceux qui se sont montrés brillants pendant tout le combat mais ont rencontré des difficultés lors de la phase finale sont cependant applaudis et invités à faire une *vuelta* (un tour d'honneur dans l'arène).

A gauche, le torero Jose Lara plante l'une des trois paires de banderilles ; à droite, Jose Lara demande l'autorisation de mettre l'animal à mort lors de la faena finale.

sixième. Bien évidemment, aucun combat ne ressemble à un autre. Chaque matador possède un art de toréer qui lui est propre, et l'inspiration de l'artiste autant que le caractère du taureau qu'il affronte déterminent la qualité de ce ballet, de cette œuvre fugitive.

La saison de la corrida

Officiellement, la saison des corridas débute le 19 mars (jour de la Saint-Joseph) et se termine le 12 octobre (fête nationale espagnole). Néanmoins, de nombreux combats ont lieu avant et après ces dates, notamment les jours de fêtes. Lors de ces corridas non officielles, les *festiva-les*, les toreros combattent gratuitement ; les gains sont généralement reversés à des œuvres de charité. Les cornes des taureaux sont coupées ou limées, et les participants troquent les paillettes des *trajes de luces* (habits de lumière) contre un simple costume. Les combats commencent entre 17 h et 19 h.

Toutes les villes, même les plus petites, organisent une fois par an des festivités en hommage à leur saint patron ; bien sûr, la corrida en fait toujours partie. Madrid, qui célèbre San Isidro le 15 mai, organise à cette occasion la fête la plus longue du pays : 23 jours consécutifs de corridas. Parmi les autres grandes fêtes, on trouve les Fallas de Valence en mars, la Feria de Séville en avril, les cérémonies du Cor-

La tauromachie aujourd'hui

Même si l'on continue à la désigner comme la Fiesta Nacional, la tauromachie n'est plus le seul passe-temps des Espagnols. Le football est lui aussi devenu très populaire et, le dimanche après-midi, les stades sont aussi combles que les arènes. Pourtant, en dépit de cette évolution, une vraie fête de *pueblo* (village) ne se conçoit pas sans corrida.

Mais les taureaux ont changé. Des années de sélection ont transformé le bovin capricieux et fier des débuts de la corrida en un animal plus noble, d'humeur plus égale, mais aussi d'une

pus Christi à grenade en juin, la fête de San Fermines (immortalisée par Ernest Hemingway) à Pampelune en juillet, la foire d'été de Valence et la Semana Grande de Bilbao en août. Le mois de septembre est le plus chargé, avec les foires de Salamanque et de Valladolid, et la fête des vendanges de Jérez et Logroño. La saison se termine à la mi-octobre par les festivités d'El Pilar à Saragosse.

Les gradins sont divisés en trois parties : une partie *sombra* (à l'ombre), qui est à la fois la plus chère et la plus confortable ; une partie *sol* (au soleil), nettement moins chère, mais où les spectateurs peuvent être exposés en plein soleil pendant toute la durée du combat ; enfin une partie *sol y sombra*.

constitution moins robuste que celle de ses ancêtres.

En outre, l'économie espagnole s'est profondément modifiée au cours du siècle dernier : les grandes propriétés terriennes ont été morcelées, la taille des prairies réduites, et les animaux, qui ne disposent plus d'autant de place pour s'ébattre, sont devenus moins vigoureux, moins combattifs qu'autrefois. Sélectionner et élever des taureaux de combat pendant quatre ou cinq ans revient très cher, et la rentabilisation de ces dépenses, ajoutée aux lourdes taxes qui frappent le *festejo*, a entraîné une hausse considérable du prix des places.

La seule chose qui n'ait pas changé, c'est l'essence même de la corrida, c'est-à-dire le danger mortel encouru par les participants. Entre la fin de l'été 1984 et l'automne 1985, deux des plus grands matadors ont trouvé la mort dans l'arène : Francisco Rivera, le célèbre « Paquirri », fut tué par le taureau Avispado (du ranch Ayalero y Bandrés à Cordoue), le 26 septembre 1984 ; et le jeune José Cubero, dit « Yiyo », reçut un coup de corne en plein cœur en affrontant le taureau Burlero (du ranch Marcos Nuñez), le 30 août 1985, dans l'arène de Colmenar Viejo.

Le pays fut profondément affecté par la mort de ces deux matadors. En effet, plus que n'importe quelle personnalité, le torero représente pour les Espagnols un être unique, un artiste quer leur vie pour sortir de leur condition. La plupart viennent des classes moyennes, et les fils ou petits-fils de toreros sont de plus en plus nombreux à souhaiter embrasser la profession de leur père. Grâce à l'héritage du savoir-faire au sein d'une même dynastie de matadors et aux nombreuses *escuelas de tauromaquia* qui se multiplient dans le pays, les nouveaux toreros savent déjà comment affronter le taureau et se protéger lorsqu'ils entrent pour la première fois dans l'arène. Progrès important si l'on pense qu'il y a seulement vingt ans, les débutants n'avaient rien d'autre que les petites *capeas* (corridas non réglementées se déroulant dans la rue ou sur la place publique des villages, pour

romantique et un peu fou qui symbolise à la fois le courage, la grâce, l'élégance, l'habileté et l'agilité. Sans en être conscient, le torero développe une religion ou une philosophie qui lui sont propres et lui permettent d'affronter régulièrement la mort avec sérénité. « *Le matador n'oublie jamais que, vivant à cinq heures de l'après-midi, il sera peut-être mort une demi-heure plus tard* », explique un célèbre torero.

Aujourd'hui, les matadors ne sont plus uniquement issus de familles pauvres, prêts à ris-

A gauche, le torero Espartaco exécute une passe de cape dite « derechazo » ; à droite, il termine une superbe passe « natural ».

lesquelles les taureaux ne font pas l'objet d'une véritable sélection préalable) pour apprendre le métier.

La tauromachie est un art. Elle est l'expression même de l'âme espagnole ; et c'est en ce sens qu'elle a été source d'inspiration pour des artistes aussi différents que Picasso, Dalí, Goya, Hemingway, Lorca, Mérimée, Bizet, Gautier, Ortega y Gasset... Federico Garcia Lorca parlait des taureaux comme du « *plus grand trésor vital et poétique d'Espagne* ». Malgré les nombreuses prédictions qui n'ont cessé d'annoncer la fin de la tauromachie, ce spectacle ne montre aucun signe de faiblesse et les *aficionados* passionnés ne doutent pas que l'art taurin durera aussi longtemps que l'Espagne.

LA PEINTURE ESPAGNOLE

Autrefois la plupart des œuvres d'art espagnoles, généralement commandées par l'Église, la cour et l'aristocratie, n'avaient que quatre grandes sources d'inspiration : la Passion du Christ, la vie des saints, les gens de la noblesse et, surtout, l'Église catholique. Les artistes ne travaillaient que pour une toute petite minorité qui, seule, avait le privilège d'admirer leurs œuvres. D'ailleurs, il y a seulement 150 ans, personne n'aurait pensé que la peinture espagnole occuperait un jour une place d'honneur dans les grandes collections du monde entier.

Ce n'est qu'à la fin du XIXᵉ et au début du XXᵉ siècle que les Espagnols eux-mêmes, puis les Européens et les Américains, purent découvrir les milliers de chefs-d'œuvre réalisés depuis des siècles par les peintres, les sculpteurs et les architectes espagnols ou sud-américains. Ces œuvres, que l'on peut aujourd'hui admirer dans tous les livres d'art, ont commencé à sortir de leurs cachettes après l'invasion française, sous l'influence des voyageurs et des collectionneurs, de plus en plus nombreux à traverser les Pyrénées (et le Rio Grande) pour partir à la recherche des trésors de l'art hispanique.

Jusqu'à la fin du XIXᵉ siècle, si les touristes n'hésitaient pas à se rendre en Italie pour admirer les réalisations des grands maîtres, ils étaient cependant peu tentés par les conditions difficiles d'un voyage en Espagne. Ainsi, au XVIIᵉ siècle (l'âge d'or de la peinture espagnole), José de Ribera, surnommé *lo Spagnoletto* (le petit espagnol), et Bartolomé Esteban Murillo, dont on retrouve le style dans certains portraits des peintres anglais Reynolds et Gainsborough, étaient les seuls peintres espagnols connus à l'extérieur de leur pays.

C'est par la France que l'art hispanique commença son expansion en Europe. Pendant la campagne d'Espagne de 1810, une importante collection d'œuvres de Murillo et d'autres peintres espagnols fut dérobée et expédiée vers Paris. Parmi ces toiles se trouvait la *Vierge* de Murillo, représentée debout sur un croissant de lune et entourée d'anges. Le thème de l'Imma-

Pages précédentes : un matador blessé est emporté hors de l'arène ; « la Marquise de Santa Cruz » par Goya ; à gauche, « le Chevalier à la main sur la poitrine » par le Greco, portrait noble et fascinant.

culée Conception était particulièrement populaire à Séville (ville natale de Murillo), où les tableaux la représentant étaient exposés devant les portes des églises à l'occasion de toutes les grandes fêtes religieuses. (La *Vierge* de Murillo est au Prado depuis 1940.)

Par la suite, le roi Louis-Philippe fit venir à Paris d'autres toiles qu'il réunit dans la galerie espagnole. En 1840, Paris possédait le plus grand nombre d'œuvres hispaniques jamais réunies hors d'Espagne. Cette période marqua le début d'une meilleure compréhension de la peinture espagnole, malgré la présence de mauvaises copies parmi les œuvres exposées ainsi que d'attributions erronées — notamment à Ribera — et d'originaux de mauvaise qualité, qui donnèrent parfois un faux aperçu de l'école espagnole. Néanmoins, les thèmes qui évoquaient l'ambiance inquiétante des cloîtres et les souffrances des martyrs ne pouvaient que séduire et exciter l'imagination des Parisiens du XIXᵉ siècle.

Amnistie sur l'art

Cent ans plus tard. à la fin des années 1940, l'écrivain anglais Rose Macaulay, de retour d'Espagne, résuma ainsi ses impressions : « *Dans ce pays, les bâtiments romains, les basiliques et les églises du Xᵉ siècle poussent comme des figues sauvages ; ils sont laissés dans l'abandon le plus complet, et personne n'a même jamais tenté de les répertorier, réservant aux touristes le soin de les découvrir par eux-mêmes* ». Heureusement, les temps ont changé et l'Espagne protège aujourd'hui son patrimoine artistique : on trouve des musées presque partout, et les églises sont mentionnées sur les cartes.

Cependant, même si les objets d'art espagnols sont désormais très appréciés, un grand nombre d'entre eux demeurent inconnus, cachés dans des collections privées. Ainsi, lorsqu'en 1986 le gouvernement décida de diminuer les taxes qui frappaient les œuvres d'art et d'amnistier les propriétaires qui n'avaient pas encore déclaré les leurs, pas moins de 30 000 peintures réapparurent au grand jour, dont 80 de Goya, inconnues jusqu'alors. Très prolifique, Goya réalisa des centaines de portraits entre la fin du XVIIIᵉ et le début du XIXᵉ, et un grand nombre appartiennent toujours aux familles qui les avaient commandés.

Il reste à savoir combien de ces toiles « amnistiées », parmi lesquelles on trouve des œuvres attribuées au Greco et à quelques peintres surréalistes aussi célèbres que Juan Miró et Salvador Dalí, seront authentifiées par les experts. Selon les termes de l'amnistie, les propriétaires autorisent le gouvernement à leur emprunter leurs toiles un mois sur douze et s'engagent à ne pas les vendre hors du pays. Ces dispositions ont permis, au cours des dernières années, d'organiser plusieurs grandes expositions internationales à Madrid, Londres, Lugano, Bruxelles, Dallas, etc., et d'offrir au public une vision plus complète de l'art pictural espagnol, en réunissant des œuvres aussi diverses que celles de Ribera, Murillo, le Greco, Goya, Vélasquez, etc. Longtemps isolés du reste de l'Europe, les artistes espagnols et leurs

C'est seulement au siècle dernier que furent redécouvertes des peintures rupestres préhistoriques et des peintures murales du haut Moyen Age, jusque-là cachées sous la chaux.

Les dessins qui couvrent les parois des grottes semblent correspondre à un système primitif de symbolisation et représentent généralement des animaux. Plusieurs pierres ou os gravés trouvés sur ces lieux sont désormais exposés dans les musées archéologiques du pays. Il est généralement admis que l'art animalier préhistorique avait une fonction magique, visant avant tout à garantir une bonne chasse à la tribu. La force, la spontanéité et le sentiment de spiritualité qui imprègnent ces

mécènes ont contribué au développement d'une peinture originale, dont l'invitation à la contemplation, la description minutieuse de la vie dans sa vérité la plus crue et l'authenticité de l'expression sont les caractéristiques essentielles.

La peinture espagnole attire aujourd'hui des milliers d'admirateurs dans les galeries du Prado, de l'Escurial et de nombreux autres musées.

Peintures rupestres

Les premières œuvres picturales espagnoles ont été les dernières à apparaître au grand jour.

œuvres préhistoriques et les premières peintures murales chrétiennes ont influencé plusieurs artistes du XXe siècle, parmi lesquels Miró et Picasso.

A ses débuts, l'art espagnol a subi plusieurs influences. Au Moyen Age, marchands et pèlerins qui traversaient l'Espagne apportaient avec eux des œuvres de France, d'Italie, de Hollande, mais aussi d'Afrique de l'Est et du Nord. Elles circulèrent dans les innombrables établissements catholiques du pays et ne tardèrent pas à influencer tous les artistes qui travaillaient pour l'Église. Ainsi retrouve-t-on dans les enluminures des manuscrits des bibliothèques des cathédrales espagnoles (notamment celle de León et de l'Escurial), ces mêmes personnages très colorés aux contours épais qui caractérisent les peintures murales médiévales. Beaucoup plus tard, au XXᵉ siècle, ces enluminures — principalement celles qui datent du haut Moyen Age — inspireront à leur tour les peintres modernes.

Bâtie au IXᵉ siècle, l'église pré-romane **Santullano** (ou San Julián de los Prados) d'Oviedo possède une des plus étonnantes fresques murales du haut Moyen Age. Des mosaïques de villas romaines ont été retrouvées aux alentours de la ville, et il ne fait aucun doute que ce sont des peintures murales similaires à celles de Pompéi qui ont inspiré la décoration en trompe l'œil de cette église des Asturies.

nage de Saint-Jacques-de-Compostelle, il est possible que ce soit des artistes français qui aient peint le Christ en majesté, de style assez naturaliste, et quelques-unes des scènes du Nouveau Testament qui ornent le mur. Cependant, celle de ces scènes dans laquelle l'ange apparaît aux bergers est souvent citée comme un exemple typique du réalisme espagnol. Certains détails très ordinaires, comme un berger en train de nourrir son chien, sont coutumiers d'autres écoles européennes, mais ils apparaissent beaucoup plus fréquemment dans l'art sacré hispanique, et la vérité avec laquelle ils sont traités reflète l'importance que les Espagnols accordent à la vie quotidienne.

A deux heures d'Oviedo, le **Panteon de los Reyes de León**, crypte royale bâtie au XIᵉ siècle près de la Colegiata de San Isidro, renferme une peinture murale de 1175, incroyablement bien préservée. Son toit en forme de voûte, orné d'une grande fresque, est soutenu par des colonnes surmontées de beaux chapiteaux romans agrémentés de sculptures dont les décorations peintes ont aujourd'hui disparu. León étant située sur une des routes du pèlerinage

A gauche, fresque du XIIᵉ siècle de Maruleo, à Ségovie ; à droite, « le Rêve du patricien », par Murillo, bel exemple de l'association d'une inspiration religieuse et de détails de la vie quotidienne.

L'**Ermita de San Baudelio de Berlanga**, dans le village de Castilla de Berlanga, date du XIᵉ siècle et abrite plusieurs fresques du XIIᵉ. Son architecture et ses peintures murales constituent un merveilleux exemple d'art mudéjar. Semblable à un palmier, son pilier central se ramifie en plusieurs branches qui forment autant de voûtes. Elles étaient autrefois toutes recouvertes de peintures illustrant des passages de la Bible et représentant des animaux exotiques et des scènes de chasse.

Classé en 1917, cet édifice a cependant été la proie des trafiquants d'art qui, grâce à l'aide de plusieurs villageois, ont réussi à détacher les fresques murales et à les monter sur châssis pour les revendre à l'étranger. Cette opération endommagea encore plus les peintures, déjà très abîmées par un séjour prolongé sous la chaux.

Finalement, 22 fragments de fresques aboutirent aux États-Unis et furent dispersés dans plusieurs musées. Les sections exposées au Prado ont été prêtées par le Metropolitan Museum de New York. Également au Prado, les fresques du XIIᵉ siècle de l'abside de l'**Ermita de Santa Cruz** à Maderuelo (province de Ségovie), semblent avoir été peintes par l'un des deux artistes anonymes qui décorèrent San Baudelio. Les fresques médiévales de Léon, San Baudelio et Maderuelo font partie des plus belles d'Europe.

pas la seule influence orientale de l'Espagne, et les motifs byzantins, qui traversèrent la Méditerranée et l'Italie avant d'atteindre la péninsule Ibérique, jouèrent eux aussi un rôle important dans l'évolution de l'art hispanique. Le style roman catalan en particulier montre bien l'influence byzantine sur l'art espagnol : les personnages représentés n'expriment aucune émotion particulière, et même lorsqu'il s'agit de martyrs (comme ceux peints au XIIIᵉsiècle sur le parement en bois de l'autel de l'**Ermita de Santa Julita de Duero**, Lérida, à Barcelone) leurs visages ne portent aucune trace de souffrance. Si le modèle byzantin est également perceptible dans les fresques de Tahull, on trouve aussi

L'art roman catalan

Les historiens de l'art ont également retrouvé des similitudes de style entre les fresques de Maderuelo et celles réalisées en 1123 dans l'abside de la petite église pyrénéenne **Sant Climint de Tahull** (province de Lérida), que l'on peut admirer aujourd'hui, avec d'autres primitifs catalans, au **Museo de Arte de Cataluña** de Barcelone.

En envahissant l'Espagne, les Maures introduisirent leur art dans le pays et renforcèrent encore le goût des artistes de ce pays pour les représentations stylisées, très colorées, aux contours épais. Mais les Maures ne constituent

dans ces peintures certains détails anecdotiques typiquement espagnols, comme cette scène charmante dans laquelle Lazare, appuyé sur son bâton, se fait lécher les pieds par un petit chien.

Les écoles régionales

A mesure que la Reconquête progresse, de nouvelles écoles de peinture régionales se développent. Les œuvres qu'elles produisent sont souvent naïves, parfois même grossières, mais certaines innovations commencent cependant à apparaître sous l'influence de quelques artistes de retour des Flandres ou d'Italie. D'ailleurs, au cours des XIVe et XVe siècles — c'est-à-dire la fin du Moyen Age et le début de la Renaissance — le réalisme des écoles d'Europe et d'Italie du Nord se répandra sur tout le continent.

Au début du XIVe siècle le Florentin Giotto di Bondone rompt avec la tradition italo-byzantine ; profondément original, il campe des personnages solides, à l'expression impassible, dans un vaste paysage, et donne à ses œuvres une intensité dramatique inconnue jusqu'alors. Giotto fut sans doute l'un des premiers peintres antérieurs à la Renaissance à avoir été reconnu comme un génie par ses contemporains. A cette époque, personne ne s'intéressait à la biographie des peintres, et il est par conséquent difficile de savoir combien d'artistes espagnols sont allés étudier en Flandre ou en Italie. Ferrer Bassa, peintre catalan du XIVe siècle, semble pourtant avoir été l'un de ceux-là, et son voyage italien lui aurait inspiré les personnages trapus et le réalisme parfois saisissant de ses toiles, le classent parmi les *giotteschi* (imitateurs de Giotto). Mais on trouve également dans ses œuvres des thèmes typiquement espagnols, comme cette représentation de Marie soulevant tendrement le suaire du Christ.

Vers la fin du XIVe siècle, un style nouveau, encore profondément gothique, se répand dans toute l'Europe à partir du duché de Bourgogne et du royaume de France. Ce style gothique international, dans lequel on retrouve la finesse des détails des œuvres flamandes et l'amour italo-byzantin des formes et des couleurs, se caractérise par son élégance courtoise et un intérêt nouveau pour la personnalité du sujet. Réalisé vers 1435, le retable *la Déposition* du peintre flamand Roger Van der Weyden (exposé au Prado) est sans doute l'un des plus beaux exemples de ce mélange des styles qui marque les débuts du XVe siècle. Le retable de Santa Clara à Barcelone, exécuté vers 1412 par Lluís Borrassá, offre une version catalane du style gothique. L'époque de la Reconquête marque la disparition des fresques murales, de plus en plus souvent remplacées par d'imposants retables dont les panneaux envahissent presque toute la nef de l'église. Réalisé par un artiste aragonais anonyme de la première moitié du XVe siècle, surnommé le maître d'Arguis, le retable de *la Légende de saint Michel*

A gauche, la mansuétude envers le vaincu célébrée par Vélasquez dans « la Reddition de Breda » à droite, « la Vieille Fileuse », de Bartholomé Murillo.

(dont plusieurs panneaux sont exposés au Prado) reflète à la fois la sincérité de la peinture espagnole et l'élégance décorative du style gothique.

L'art hispano-flamand

Lluis Dalmau, peintre catalan du XV siècle, étudia à Bruges avant de revenir à Barcelone, où il réalisa un merveilleux retable : *la Vierge des Conseillers*, qui représente une Vierge à l'Enfant, assise sur un trône de style gothique, devant un magnifique paysage flamand. Également exposé au musée de Barcelone, un pan-

neau de Jaime Huguet, élève de Dalmau, foisonne de détails anecdotiques typiquement espagnols, comme les ex-voto suspendus au-dessus de saint Vincent ou le minuscule démon s'échappant de la bouche d'un des malades.

C'est sous le règne de Ferdinand et d'Isabelle, monarques esthètes et centralisateurs, que l'art hispano-flamand connut son apogée. Des peintres flamands, ou formés à l'école flamande, réalisèrent de nombreux portraits royaux, visibles aujourd'hui au château de Windsor et au Palais royal de Madrid. L'artiste castillan Fernando Gallego (dont on peut voir la *Pietà* au Prado) est connu pour ses œuvres qui allient l'élégance du style gothique et la solennité des tableaux de Giotto. Austère, l'Espagne ne fut pratiquement pas touchée par la Renaissance italienne. Les thèmes mythologiques et la nudité des personnages des tableaux d'inspiration classique furent désapprouvés, dans un pays où les représentations de nus avaient d'ailleurs toujours été très rares. C'est sans doute pour cette raison que la *Maja* de Goya parut si choquante ! Quant à la perspective chère aux peintres de la Renaissance italienne, elle ne rencontra que peu d'adeptes chez les artistes espagnols. Toujours dessinée de façon empirique aux XVIIe et XVIIIe siècles, elle confère aujourd'hui un caractère étrangement moderne à leurs tableaux. Les artistes formés en Italie et les nombreuses commandes des Habsbourg, commencées par Charles V, contribuèrent à ouvrir la peinture espagnole vers d'autres horizons, sans lui faire perdre pour autant son caractère propre. Ainsi peut-on voir parmi les détails du *Saint François visité par un ange* de Francisco Ribalta (1554-1628), exposé au Prado, un charmant petit mouton en train de grimper sur le lit du saint ; scène typique du naturalisme espagnol.

Le réalisme

Vers la fin du XVIe siècle, les artistes italiens et espagnols créèrent le maniérisme en réaction au style Renaissance. Le plus célèbre peintre maniériste, Domenikos Theotokopoulos, dit le Greco, se rendit à la cour d'Espagne dans l'espoir de travailler pour Philippe II à l'Escurial ; mais ses compositions irréelles et ses personnages mystiques nimbés d'une lumière étrange ne séduisirent pas le monarque, qui attendait autre chose de la part d'un élève de Titien, le génie de la Renaissance vénitienne tant apprécié par son père.

Cependant, spécialisé dans le portrait et les sujets religieux, le Greco ne tarda pas à voir les commandes affluer. C'est à travers ses portraits que s'exprime le mieux le réalisme de sa peinture : dans *l'Homme avec une main sur la poitrine*, la couleur sombre utilisée pour le fond souligne l'expression du visage du sujet et la noblesse de sa main aux doigts effilés. Les œuvres religieuses du Greco traduisent un sentiment souvent plus proche de l'exaltation mystique que de la piété traditionnelle. Le Greco fut très populaire parmi ses contemporains, dont beaucoup cherchèrent à l'imiter.

Commencé sous le règne de Ferdinand et d'Isabelle, l'âge d'or de la peinture espagnole se termine avec la mort de Philippe IV, dernier grand mécène Habsbourg, et celle de son ami

artiste et artiste préféré, Vélasquez. Diego Rodríguez de Silva y Velázquez s'est surtout spécialisé dans la réalisation d'œuvres profanes, dans lesquelles il exprime toute la noblesse du caractère espagnol. On retrouve dans sa vie et dans son art l'influence du grand maître Rubens, sans doute le dernier artiste flamand à avoir inspiré un peintre espagnol. Exposée au Prado, la *Reddition de Breda*, peinte pour Philippe IV, commémore la magnanimité dont le monarque fit preuve à la fin du siège de cette ville, située à quelques kilomètres de l'atelier de Rubens à Anvers. Également au Prado, *les Ménines* ont été réalisées lors d'une visite de la famille royale à l'atelier du peintre, à l'Alcázar. La virtuosité de l'exécution, la profondeur donnée par le reflet des personnages dans le miroir et surtout la puissance qui se dégage du portrait royal ont fait de ce tableau l'une des grandes œuvres de tous les temps. Ribera, peintre espagnol établi à Naples, et les trois sévillans Vélasquez, Murillo et Francisco de Zurbarán ont fréquemment introduit dans leurs tableaux de petits *bodegones*, ou natures mortes de style espagnol, qui devaient bientôt devenir un genre à part entière.

À titre posthume, après avoir subi pendant des siècles l'influence des Hollandais et des Italiens, les peintres espagnols ont à leur tour servi de modèles au XIXe siècle. Les impressionnistes français furent émerveillés par le réalisme et l'expressionnisme des œuvres de Vélasquez et de Goya. Ce dernier, l'un des artistes les plus originaux qui aient vu le jour, est souvent considéré comme le premier des peintres « modernes », notamment pour ses représentations de cauchemars. « *Il a peint son crachat sur chaque visage* », a déclaré Hemingway à propos de son tableau *la Famille de Charles IV* (au Prado). Comme beaucoup d'artistes espagnols, Picasso (*Guernica*, au Buen Retiro) était à la fois peintre et sculpteur. Selon les mots de Gertrude Stein, « *en plus de la peinture espagnole, il avait en lui le cubisme espagnol, qui reflète la vie quotidienne de ce pays*». Apparus bien après la fin de l'âge d'or, ces deux artistes sont toujours restés en étroite communion avec les peintres du passé et, à l'instar de Goya, Picasso se considérait avant tout comme un réaliste espagnol.

Ci-contre, « la Bouteille de vin », de Juan Miró, comme la plupart des œuvres du XXe siècle espagnol, fait référence aux maîtres du passé.

LE FLAMENCO

La nuit tombe sur les collines d'Andalousie. Réunis autour d'un feu de bois, sept hommes discutent avec animation tout en partageant un repas et quelques *botas* de vin. Alors que la nuit les enveloppe peu à peu, ils parlent de la difficulté de la vie, de la rudesse de leur terre, de la trahison d'une femme ou encore de la mort tragique d'un des leurs. Bientôt l'émotion dépasse les simples paroles ; pour vider son cœur, un des hommes commence à chanter un *soleares*, une complainte sur la solitude et le désespoir.

> « *Parfois j'aimerais*
> *Être fou et ne plus rien sentir,*
> *Car être fou protège de la douleur,*
> *Cette douleur qui ne connaît pas de fin.*
> *La mort a approché ma couche*
> *Mais elle a refusé de me prendre,*
> *Car mon destin était inachevé ;*
> *J'ai pleuré sur son départ,*
> *Je vis dans un monde sans espoir,*
> *Nul besoin de m'enterrer*
> *Car je suis enterré vivant.* »

Ému par le chant de son compagnon, un des hommes prend sa guitare et joue. Le temps de reconnaître le rythme et les harmonies d'une *siguiriya*, et le chanteur recommence. La chanson devient alors un dialogue entre l'instrument et les paroles, chanteur et guitariste laissant libre cours à leurs émotions profondes et se répondant suivant des règles connues de chacun pour créer une musique particulière.

Le flamenco, musique et danse, est l'héritage de l'important brassage culturel qui a marqué l'Espagne. On retrouve dans ses origines l'influence de la musique arabe, que sept siècles de domination maure ont profondément ancrée dans le pays, mais aussi celle du rituel catholique byzantin adopté au XIᵉ siècle, et des chants liturgiques de la communauté juive de l'Espagne médiévale. Pourtant ce n'est qu'au XVᵉ siècle, avec l'arrivée dans la péninsule de réfugiés tziganes, que ce style de musique a vraiment commencé à prendre forme. Venus d'Inde, d'où ils avaient fui les persécutions mongoles, les tziganes apportaient avec eux leurs propres traditions musicales, auxquelles ils ont intégré peu à peu celles de l'Espagne.

Ci-contre, même lorsqu'il se montre vivace et coloré, le flamenco tire son inspiration de la tristesse et de la douleur dont est empreinte l'âme andalouse.

Bien qu'il se soit surtout développé en Andalousie, le flamenco est progressivement entré dans le folklore de plusieurs provinces du nord du pays, au point d'être aujourd'hui un symbole de l'Espagne tout entière, au même titre que la corrida.

Le comportement flamenco

L'origine exacte du mot « flamenco » se perd dans la nuit des temps. Selon certains ce terme, qui en espagnol signifie « flamand », aurait été inventé par les Castillans pour qualifier le comportement grossier et tapageur de la cour qui accompagnait Charles V à son arrivée dans la capitale espagnole en 1517. Par la suite, ce mot aurait servi à désigner une attitude peu raffinée en général. D'après une autre version, le mot *flamingo* serait une déformation de l'expression arabe *felag mengu*, signifiant littéralement « paysan réfugié », et qui aurait ensuite été associée à la musique des gitans. D'autres théories associent ce mot à la raideur et à l'air hautain des musiciens gitans (comparés à des flamants roses) ou en font un dérivé de l'allemand *flammen* (flamboyer) qui désignerait l'intensité du regard et de l'expression des musiciens.

Quelle que soit son origine véritable, il est à peu près certain que le terme flamenco a servi à désigner un type de comportement particulier, avant d'être appliqué à un style spécifique de musique et de danse.

Mais la musique n'est qu'un mode d'expression parmi d'autres et c'est avant tout à son attitude envers la vie que se reconnaît un véritable flamenco. Si la bonne société le considère comme un individu au tempérament passionné qui vit essentiellement dans le présent et se situe souvent en marge de la légalité, le flamenco, lui, voit dans cette appellation un terme honorifique, désignant une personne qui préfère la vérité et la violence des sentiments à la routine, et pour qui la liberté est plus importante que la propriété.

C'est au milieu du XVIIIᵉ siècle que le terme flamenco apparaît pour la première fois dans son sens musical actuel. A cette époque, les théâtres avaient l'habitude de proposer de petits spectacles de danses et de chansons traditionnelles pendant l'entracte des opéras. Les gitans étaient si nombreux à s'y produire que leur nom devint bientôt synonyme de flamenco ; et même si ce peuple n'était pas le seul créateur de ce style de musique, c'est lui qui lui a donné ses meilleurs interprètes et en est resté le principal dépositaire jusqu'en 1930.

Racines musicales

La chanson (*cante*) est au cœur du flamenco. En elle sont conservées toutes les influences orientales de cet art espagnol. Même s'il est souvent difficile de déterminer le rôle exact de chacune, les musiques arabe, juive, byzantine et hindoue possèdent toutes quelques traits en commun.

Deux suites mélodiques fondamentales caractérisent le flamenco : dans la première, reconnaître sans hésiter l'influence des musiques arabe et indienne.

La voix des chanteurs doit être plus expressive que réellement belle, et plus la chanson est triste ou amère, plus la voix de l'interprète devra être profonde et grave afin de faire passer dans ses intonations toute la douleur et le tourment contenus dans le texte.

La chanson profonde

Sérieux, cynique ou ironique, le flamenco sert à exprimer toutes les émotions humaines, depuis l'amour et la joie jusqu'à la haine et le déses-

l'interprète chante plusieurs fois de suite la même note, produisant ainsi une sorte d'incantation rituelle ; tandis que dans la seconde, il fait vibrer sa voix autour d'une note centrale, comme autant d'inflexions autour du mot primordial d'un texte. Les notes utilisées sont souvent si différentes de celles qui sont chantées dans les mélodies occidentales qu'il serait vain d'essayer de les reproduire au piano. D'ailleurs, comme toutes les musiques populaires, le flamenco fait partie de la tradition orale, et il n'existe aucune partition permettant de le jouer.

Il est donc impossible de déterminer avec certitude les différentes sources du flamenco, mais il suffit d'écouter quelques morceaux pour poir. Mais ce sont les chansons les plus torturées, celles qui parlent de la douleur de vivre, qui sont considérées comme la manifestation la plus significative de cet art. Ces chansons, appelées *cante jondo* ou « chansons profondes », se divisent en deux groupes : les *soleares* et les *siguiriyas*. Le *solear* est parfois surnommé « la mère du chant » en raison de son rôle important dans l'évolution du flamenco aux XIXᵉ et XXᵉ siècles. Son nom correspond à la prononciation gitane du mot espagnol *soledad*, qui signifie solitude et abandon. Les soleares sont apparus au XIXᵉ siècle à Triana, le quartier gitan de Séville, où ils se sont développés à partir de chants flamencos encore plus anciens : les *polos* et les *cañas*.

Amour et trahison

Considéré comme le plus difficile à interpréter, le *siguiriya* constitue le chant le plus profond et le plus émouvant du répertoire flamenco. Ses paroles sont un cri passionné, une expression de l'âme qui se lamente et rage contre les persécutions, l'emprisonnement, la fragilité de l'amour et l'éternel compagne de l'homme : la mort. Comme les soleares, les siguiriyas sont également dérivés d'anciens chants flamencos : les *playeras*.

Siguiriyias et soleares se chantent avec des inflexions rythmiques précises (les *compás*) que l'accompagnateur doit connaître parfaitement

afin de mettre en valeur certaines paroles du texte au moment voulu. Au cours des XVIIIᵉ et XIXᵉ siècles, la guitare s'est imposée comme l'instrument d'accompagnement le plus populaire ; mais auparavant (et parfois encore aujourd'hui) les compás étaient marquées en frappant dans les mains, en tapant du pied, ou encore en cognant des baguettes.

Cependant, tous les *cantes jondos* n'ont pas ces rythmes fixes ou compás, et la *saeta* (littéralement « flèche de chanson ») se chante avec

A gauche, le « cante » est au cœur du flamenco ; ci-dessus, des gitans vus par Gustave Doré.

des inflexions libres. Ce type de chant est une lamentation sur l'agonie de Jésus.

Pendant la semaine pascale, des milliers de fidèles descendent dans les rues des villes et villages espagnols, où ils défilent au son d'une marche religieuse en portant des représentations du Christ et de la Vierge. Parfois une voix s'élève, et chacun s'arrête pour écouter la *saeta* qui s'élance vers le ciel. On dit qu'à Séville, la procession repart avant la fin du chant si elle juge l'interprète médiocre. Proche des chants lithurgiques des juifs d'Espagne, la saeta, contrairement à la plupart des *cantes jondos*, n'est pas associée aux gitans.

Un cante jondo perd toute sa raison d'être si son interprète ne ressent pas avec force ce qu'il chante. Ce dernier doit s'oublier totalement pour plonger sans aucune retenue au plus profond du désespoir. Plus qu'une simple performance, le chant est un témoignage que l'homme se doit de transmettre dans toute sa pureté.

« Duende » et « juerga »

Cette puissance d'expression qui donne toute sa valeur au flamenco est déterminée par le concept du *duende*. Littéralement, duende signifie esprit ou démon. En fait, ce terme décrit le moment où l'artiste, proche de la transe, n'agit plus selon sa propre volonté mais se laisse guider par l'inspiration. Le calcul est l'ennemi du duende ; l'artiste ne doit pas penser, mais exprimer ce qu'il ressent avec le plus de vérité possible.

L'authentique flamenco n'est pas l'expression de quelques hommes mais de la communauté entière. C'est au cours de la *juerga*, sorte de fête spontanée qui, selon le désir et la vitalité des participants, peut durer plusieurs heures ou plusieurs jours, que les membres de la tribu se réunissent pour un flamenco durant lequel ils seront tour à tour acteurs et spectateurs. Les cris d'encouragement et les applaudissements de chacun sont une composante essentielle de la fête. Les juergas offrent des similitudes avec les cérémonies religieuses musulmanes qui avaient lieu autrefois en Andalousie. Ainsi, la fameuse exclamation espagnole « Olé ! », qui accompagne un mouvement du danseur de jondo, est un dérivé du nom d'Allah, régulièrement crié par les musiciens et danseurs arabes au cours de ces anciennes cérémonies. La juerga n'est pas seulement une occasion de réjouissances mais, plus fondamentalement, elle est une sorte de rite destiné à établir l'ambiance propice au duende.

On réduit souvent le flamenco au seul cante jondo alors que ce dernier ne représente qu'un style de chansons bien particulier — le plus important symboliquement, il est vrai — du chant flamenco. Selon la classification actuelle. le chant se divise en trois groupes : le *cante grande*, le *cante intermedio* et le *cante chico*.

Le cante grande comprend toutes les formes du cante jondo — la famille de chansons la plus étroitement associée aux gitans. Moins désespérés que ceux du cante grande, les chants du cante intermedio, les préférés des chanteurs andalous, restent souvent assez émouvants,

tandis que ceux du cante chico se caractérisent par des airs rapides et rythmés et des paroles drôles ou moqueuses.

Dans le répertoire flamenco on trouve environ 70 chansons, dont beaucoup ne sont que l'adaptation régionale d'une même forme commune. Le fandango est peut-être l'exemple le plus typique des nombreuses altérations que peut subir une chanson en s'éloignant de son lieu d'origine. Classé dans le cante intermedio, le *fandango grande* est généralement considéré comme un dérivé arabe de la *jota*, danse traditionnelle de la province septentrionale d'Aragon. En se répandant dans toute l'Andalousie au XVIIIe siècle, il fut l'objet de nombreuses adaptations locales, qui donnèrent chaque fois

naissance à un nouveau chant. Ainsi devint-il *rondena* dans la ville de Ronda, *malagueña* à Málaga, et *granadina* à Grenade. On trouve encore une autre variante chantée par les mineurs de la région du Levant, connue sous le nom de *taranta*. Les *bulerías* (de l'espagnol *burlar*, se moquer ou plaisanter) appartiennent au groupe du cante chico. Leur rythme endiablé et leur gaieté en font des airs particulièrement appréciés pour la danse.

La danse

La danse flamenco (*baile*) sert à exprimer par le mouvement toute l'émotion des chants. Là, les gestes n'ont aucune signification symbolique, ils ne cherchent pas à raconter une histoire, mais servent essentiellement à révéler les sentiments et la sensibilité du danseur.

Le baile flamenco est très différent des autres danses européennes. Alors que la plupart des chorégraphies occidentales cherchent à arracher le danseur aux forces de la gravitation et à marquer l'indépendance des membres, la danse flamenco, elle, lie fortement le danseur à la terre et ramène tous les mouvements de ses bras et de ses jambes vers le centre de son corps.

Au XIXe siècle, hommes et femmes ne dansaient pas le même flamenco. Alors que les premiers se servaient des talons et de la pointe de leurs pieds pour marquer le rythme en martelant le sol de coups secs et rapides (les *zapateados*), les secondes exprimaient avant tout la grâce et la féminité par les gestes fluides des bras et des mains. Bien sûr, les deux techniques se chevauchaient quelquefois. Aujourd'hui, les femmes ont intégré le zapateado et il n'existe quasiment plus de différence entre le flamenco qu'elles dansent et celui des hommes.

Les compás sont marqués par le martèlement des pieds sur le sol, mais aussi par des claquements de doigts (les *pitos*) et de mains (les *palmas*). Les castagnettes, qui entravent la liberté de mouvement des mains, ne sont jamais utilisées dans le véritable flamenco.

Un soutien populaire

Plus que tout autre pays d'Europe, l'Espagne a encouragé les spectacles populaires ; d'abord en proposant des thèmes traditionnels et des tableaux de la vie rustique pendant l'entracte des spectacles d'opéra, puis en créant une forme d'opéra national : la *zarzuela*, dans laquelle les acteurs chantent en patois. Avec la montée des mouvements d'unification nationale en Europe et la démocratisation de la vie politique est apparu un nouvel intérêt pour le peuple, dépositaire de l'identité nationale. Coutumes et cultures traditionnelles ont alors bénéficié d'un regain de popularité ; certaines, comme le flamenco, se faisant même connaître à l'extérieur de l'Espagne.

Bien sûr, cette célébrité, tout en lui redonnant une nouvelle vitalité, ne pouvait que menacer l'authenticité du flamenco. C'est au XIXe siècle, que ce style musical connut son âge d'or ; les spectacles gitans faisaient alors partie des distractions favorites des tavernes locales,

estrade. Au cours de la soirée, chaque membre de ces groupes se produit comme soliste, tandis que les autres l'accompagnent.

La guitare flamenco

Avant le développement des cafés cantantes, le guitariste ne servait qu'à accompagner le chanteur. Avec l'apparition des cuadros, il commença à se produire en solo, et si l'accompagnement reste sa fonction principale, les introductions et les passages instrumentaux entre les couplets tendent à devenir de plus en plus longs et complexes. Le terme *El Toque*

et toutes les fêtes étaient l'occasion de récitals ou de danses flamencos. En 1840, des *cafés cantantes* (sortes de cabarets) commencent à ouvrir à Séville, Cadix, Jérez de la Frontera et quelques autres villes d'Andalousie ; c'est là, dans une atmosphère rappelant celle des juergas villageoises, que se retrouvent les *aficionados* du flamenco.

Avec les cafés cantantes, apparaissent les premiers *cuadros flamenco*, ensembles musicaux composés de guitaristes, de chanteurs et de danseurs, installés en demi-cercle sur une

A gauche, une toute jeune danseuse de duende ; à droite, la durée d'une juerga dépend entièrement de l'humeur et de l'enthousiasme des participants.

désigne tout ce qui est relatif à l'art de jouer de la guitare en général. Avec un « t » minuscule, ce mot fait simplement référence au style d'interprétation d'un artiste, à la façon de jouer dans une région particulière ou encore, plus communément, à la technique d'accompagnement d'un style de chansons spécifique comme, par exemple, le « *toque des soleares* ».

Le son typique de la guitare flamenco est produit grâce à la technique du *rasgueado* : les cordes sont grattées avec la main droite. Le rasgueado est effectué suivant un ensemble de modèles de positions et de mouvements de doigts permettant de réaliser des rythmes très différents. Le rasgueado alterne avec des passages plus mélodiques : les *falsetas*.

La guitare flamenco a bénéficié de la renaissance de la guitare classique en Espagne dans les années 1870 et 1880, en incorporant à sa technique celles de l'*arpeggio* et du *tremolo*. Mais ces innovations n'ont en rien retiré à la guitare flamenco la spécificité de ses sons, qui sont une réponse instrumentale à la voix du chanteur et au mouvement du danseur. Placées très près du manche, les cordes produisent, lorsqu'elles sont pincées, un son discordant qui rappelle la voix éraillée du chanteur.

Le guitariste reproduit également les zapateados du danseur, en frappant la caisse de son instrument avec les extrémités et les articulations de ses doigts, selon une technique appelée *golpe*. Il existe également une étonnante similitude entre le rasgueado du guitariste et la précision des mouvements de mains rythmés des danseurs.

Du fond du cœur

Le début des cafés cantantes fut marqué par une période de créativité et de perfectionnement technique qui n'a jamais été égalée durant toute l'histoire de l'art flamenco.

Auparavant, le flamenco était joué par les bergers, les maréchaux-ferrants, les mineurs, les mères de famille, les villageois ou les vagabonds ; chacun le considérait comme partie intégrante de sa vie quotidienne, et l'on se mettait à chanter ou à danser spontanément, sans se préoccuper du lieu ni de l'heure. C'était un don offert sans contrepartie, et donc inestimable. Avec les cafés cantantes et leurs nombreuses représentations apparurent pour la première fois des professionnels de ce style de musique et de danse.

En devenant un métier, le flamenco se transforma de façon définitive. Puisqu'on leur permettait de vivre de leur art, les musiciens et les danseurs purent dès lors consacrer une grande partie de leur temps à en améliorer la technique et à en explorer toutes les ressources. Bien sûr, il y eut aussi des effets néfastes : les cafés cantantes étant moins nombreux que les artistes, la compétition qui opposait ces derniers les incita souvent à introduire dans leurs spectacles des innovations tape-à-l'œil, en contradiction avec la vraie nature du flamenco, et uniquement destinées à attirer le public. En outre, les propriétaires des cafés, qui devaient assurer une représentation tous les soirs, préféraient les employés sérieux aux artistes sublimes mais imprévisibles.

« El Show »

En devenant un divertissement recherché et « à heures fixes », le flamenco entra dans la routine et se mit à perdre ses deux caractéristiques fondamentales : la spontanéité de la création et la sincérité de l'émotion de l'interprète. Le duende était en danger.

Au tournant du siècle commença alors une période de décadence. La danse perdit sa force et sa spontanéité premières, et les chansons furent ridiculement déformées. Malheureusement, il arrive encore de nos jours de trouver ce genre de représentations dénaturées.

Dans les années 1920, un groupe d'artistes célèbres, parmi lesquels le compositeur Manuel de Falla et le poète Federico García Lorca, organisa à Grenade un concours de flamenco classique afin de réaffirmer l'importance des techniques traditionnelles de chant et de danse, et de retrouver la vitalité et la sincérité originelles de cet art. L'entreprise ne fut qu'un demi-succès, puisqu'on trouve aujourd'hui deux sortes de flamencos : celui du duende et celui des dollars.

Le flamenco est en constante évolution. Alors que les autres traditions populaires sont souvent figées, le flamenco apparaît comme le résultat d'assimilations musicales successives, et rien n'indique que ce mouvement puissamment créatif pourrait prendre fin. Pour les traditionalistes, le vrai flamenco est celui de l'âge d'or des cafés cantantes, celui qu'on retrouve encore dans les interprétations des artistes ruraux, à l'écart des circuits commerciaux. Mais pour beaucoup de jeunes créateurs, ce style de flamenco, s'il mérite toujours le respect, doit s'adapter et intégrer de nouvelles influences, comme il l'a toujours fait auparavant. En ce sens, le flamenco est un art capable d'évoluer éternellement, sans jamais renier son passé, mais toujours conscient des apports du présent. Et la mode de la musique espagnole qui s'est récemment répandue en France est plutôt le signe d'une richesse musicale qu'un danger d'appauvrissement.

Tant qu'existeront l'amour et le désespoir, l'honneur et la trahison, ainsi que la beauté du geste face à la mort, le flamenco ne pourra pas mourir.

Ci-contre, les spectacles de flamenco organisés à l'avance ont altéré le caractère spontané de cette forme musicale.

L'ESPAGNE SAUVAGE

Lorsqu'on parle de paysage sauvage, on pense plus aux entrailles luxuriantes et enchevêtrées de la jungle amazonienne ou aux vastes plaines inhabitées d'Afrique, qu'aux terres espagnoles. Pourtant, même si elle ne ressemble guère à l'Amazonie, l'Espagne aussi possède d'immenses étendues désertiques où les marques de la civilisation sont invisibles. Plus d'un tiers de la population réside dans les sept plus grandes villes d'Espagne, et s'il s'en éloigne, le promeneur aura souvent l'étrange impression de traverser un pays vide d'habitants.

Au sud, dans la province de Huelva, le **Parque Nacional Doñana** semble la réplique parfaite d'un site africain ; Lawrence d'Arabie ne serait pas dépaysé dans la province d'Almería ; et la région montagneuse de Las Alpujarras est un lieu idéal pour s'isoler du monde.

Au nord, la silhouette déchiquetée des **Picos de Europa** domine des vallées riches et verdoyantes, tandis que les **pallozas de Cebrero** rappellent l'ancienne présence des Celtes en Galice. Et sur tout le territoire, on trouve des châteaux sans âge et des moulins à vent abandonnés que le temps transforme peu à peu en ruines mélancoliques.

Le Parque Nacional Doñana

Situé à 96 kilomètres au sud-ouest de Séville, le Parque Nacional Doñana est l'un des plus importants domaines naturels qui existe en Europe.

Depuis le littoral de l'Atlantique, il s'étend à l'intérieur des terres sur plus de 70 000 hectares de plages, de lagons, de marais et de dunes, et abrite des centaines d'espèces animales (dont le lynx, le sanglier, la belette, le putois, le renard, la fouine, le chat sauvage, le loir, une dizaine d'espèces de serpents et plusieurs races de daims), 125 variétés d'oiseaux (aigles royaux, milans royaux, crécerelles, pies-grièches, cigognes, etc.), ainsi que 125 espèces d'oiseaux migrateurs qui traversent le parc où s'y installent pour l'hiver, comme le courlis, le chat-huant ou l'engoulevent.

Comment imaginer, lorsqu'on est perdu dans Séville, que la vie sauvage nous attend à moins d'une heure de route ? A la sortie de l'autoroute, la petite route qui mène au parc traverse un paysage plat, sec et dénudé, dont seuls les villages de **Bollullos del Condado**, d'**Almonte** et de **El Rocío** rompent la monotonie.

A quelques kilomètres d'El Rocío, sur la droite, se trouve le bureau d'information du parc. Là vous seront données douze minutes d'explication sur l'histoire géologique de Doñana et l'évolution actuelle de ses marais, récifs, dunes et forêts méditerranéennes. Les photographies et illustrations qui l'accompagnent sont nombreuses pour que l'on puisse saisir l'essentiel.

Très peu de routes traversent le parc (à superficie égale, ce site possède le réseau routier le plus restreint de toute l'Europe occidentale) et les visiteurs ne sont pas autorisés à s'y déplacer seuls. Des safaris de quatre heures sont organisés deux fois par jour (à 8 h 30 et 16 h 30). Ils partent de la réception (située à 11 kilomètres du bureau d'information) et couvrent 88 kilomètres.

Les réservations doivent être faites à l'avance auprès de l'**Institut de protection de la nature**, 1, Plaza del Punto, à Huelva. Tél. (55) 24 93 09.

La visite commence le long de la plage, où l'on voit souvent des hommes en train de ramasser des coques pour les restaurants de **Matalascañas**, petite station balnéaire des environs.

En s'enfonçant dans les terres, on traverse en quelques heures des écosystèmes d'une variété étonnante. Après les forêts sableuses de la côte viennent celles où poussent des genévriers, des pins et parfois même des chênes-lièges, puis les lagons peuplés de flamants roses et enfin, sans que rien le laisse présager, un paysage digne du grand désert saharien. A perte de vue, les dunes dorées forment des courbes gracieuses entre lesquelles se détachent parfois des silhouettes d'arbres moribonds qui semblent s'accrocher désespérément au sol.

Au cours de l'excursion, les visiteurs pourront admirer des sangliers, des flamants roses, des cerfs et un nombre impressionnant d'oiseaux exotiques (il paraît qu'un ornithologue aurait dénombré 1 891 oiseaux de 35 espèces différentes en l'espace d'un seul après-midi). Avant d'être proclamé parc national en 1969, Doñana constituait une importante réserve de chasse pour les membres de la noblesse et de la haute bourgeoisie.

Pages précédentes : une route déserte mais engageante dans les Alpujarras d'Andalousie.

Désormais, la chasse est interdite, y compris sur les derniers domaines privés que comprend le parc. D'ailleurs, le gouvernement fait pression sur les propriétaires afin qu'ils lui vendent leurs terres. Il faut cependant noter que ces derniers, parmi lesquels on trouve la célèbre famille Byass, n'ont pas l'intention de céder ni de quitter Doñana.

En plus des résidences secondaires de la petite noblesse, le parc contient quelques chaumières qui lui confèrent un petit air africain. Leurs occupants, qui font partie des plus anciens habitants du parc, gagnent leur vie en travaillant comme passeurs, en ramassant des pommes de pin, en produisant du miel ou du charbon de bois, ou encore en surveillant les forêts pendant l'été.

Le parc se métamorphose au gré des saisons : l'hiver, il ressemble aux régions nordiques, tandis que l'été il se transforme en terre brûlée que la chaleur craquelle. Les pluies tombent principalement entre novembre et mars, les mois de décembre et janvier étant les plus humides. La meilleure période pour visiter Doñada s'étend du 1er mars au 15 juin. Elle correspond à l'époque de la reproduction, pendant laquelle presque toutes les espèces animales de la région semblent s'être données rendez-vous dans le parc. En décembre et janvier, les marais inondés attirent de nombreux oiseaux de mer en route vers le sud.

Almería

La province d'Almería comblera les amateurs de paysages arides. Le long d'une splendide côte rocailleuse s'étendent des terres quasiment inhabitées, dignes d'un décor de western. D'ailleurs, c'est là, dans ces dunes désertiques et ces prairies jaunies par le soleil, qu'ont été tournés des centaines de films de cow-boys, ainsi que quelques grands classiques comme *Lawrence d'Arabie*, *Patton* ou *les Centurions*. Les nombreux réalisateurs qui ont choisi ces lieux n'ont pas été seulement attirés par la puissance du paysage, mais aussi par la merveilleuse lumière qui se réverbère sur les plateaux calcaires écrasés de soleil.

Quelques « forts » et « villes fantômes » oubliés sur les plaines Tabernas servent aujourd'hui d'attractions touristiques.

Une toute petite route (à laquelle on n'a même pas jugé utile d'attribuer un numéro) serpente depuis la grand-route d'Almería jusqu'au village de Nijar, réputé pour ses poteries.

Elle traverse un paysage lunaire de rochers gris, duquel surgissent de temps à autre les ruines d'une maison abandonnée qui semble s'être desséchée sous le soleil.

Turillas, à la fin de la route, a son « troubadour » local, que l'on trouve généralement au café du village, parmi les nombreux clients qui jouent bruyamment aux cartes. Ce petit homme malicieux ne laisse jamais passer l'occasion d'une rime ironique, et il connaît un nombre impressionnant de couplets qu'il sait réciter au moment opportun.

La Calahorra

Au nord de Las Alpujarras, près de la frontière qui sépare les provinces d'Almería et de Grenade, un spectacle saisissant attend le voyageur.

Afin de l'apprécier pleinement, suivez la route au nord de **Berja** jusqu'au **col de Puerto de la Ragua**, à 1 980 mètres. Le long des collines dénudées part une route qui pénètre soudain dans une épaisse forêt de pins odoriférants ; le paysage aride devient subitement vert et luxuriant.

A peine a-t-on le temps d'admirer cette transformation qu'apparaît, au détour d'un virage, un panorama à vous couper le souffle : plusieurs centaines de mètres en contrebas, une plaine immense s'étire entre les deux chaînes montagneuses de la **Sierra Nevada** et de la **Sierra de los Filabres**.

Sur la gauche se dresse une mesa isolée tandis que, juste en face, deux petits monticules, l'un rouge et l'autre brun, s'élèvent au-dessus de la plaine. Le rouge, surmonté d'un château du xvie siècle, semble tout droit sorti d'un conte de fées ; il domine le charmant village de **La Calahorra**.

Pour visiter le château, adressez-vous au gardien, qui réside dans le village. Du haut du château, on aperçoit au loin (juste derrière le clocher de l'église) les sommets enneigés de la Sierra Nevada.

Las Alpujarras

Entre la Sierra Nevada et la Méditerranée, Las Alpujarras forment une région montagneuse qui s'étend de **Cabo Sacratif** à l'ouest, à **Punta Entinas** à l'est, à cheval sur les deux provinces de Grenade et d'Almería. Les cultures vivrières de base sont le seul moyen de subsistance des habitants de la région. Victimes depuis toujours de leur isolement, ils doivent en outre faire face aujourd'hui à un nouveau danger : l'avancée rapide du désert.

En fait, la beauté du paysage, la chaleur et le sourire des habitants sont les véritables atouts de Las Alpujarras. C'est ce qu'a compris le Conseil du tourisme, du commerce et des transports d'Andalousie qui, récemment, a fait construire la **Villa Turistica de Bubion** — 43 maisons de style *alpujarreño* — afin de développer le tourisme dans la région. Les routes sont parfois tortueuses, mais quel plaisir de se promener tranquillement de village en village sur ces étroits lacets qui grimpent à flanc de coteau, et où ânes et chevaux déambulent en liberté !

Trevélez est un village *alpujarreño* typique. Renommé pour ses sorcières et pour ses viandes séchées (que l'on fait effectivement sécher en plein air), c'est le plus haut *pueblo* d'Espagne (1 700 mètres d'altitude).

Les charmants villages de **Capileira**, **Pampaneira** et **Orgiva** méritent également une visite et offrent de très belles excursions dans les alentours.

L'Espagne en train

Bien évidemment, les sites sauvages se trouvent à l'écart des grandes voies de circulation. Cependant, deux trains traversent régulièrement l'Espagne rurale, offrant ainsi au touriste la possibilité de découvrir facilement ces terres oubliées.

Al Andalus Expreso traverse le sud du pays. Conçu dans le même esprit que le célèbre Orient-Express, c'est un véritable hôtel cinq étoiles sur roues. Tout est prévu pour l'agrément et le plus grand confort des passagers : un salon 1920, un bar, plusieurs voitures-restaurants et des couchettes avec douches. Quatre ou cinq jours de trajet permettent au voyageur d'admirer la campagne du sud de l'Espagne — collines semées d'oliviers, vignes et plantations d'orangers — et s'arrêtent dans les principales villes méridionales : Séville, Cordoue, Grenade, Málaga et Jérez de la Frontera.

El Transcantabricó parcourt 1 005 kilomètres dans le nord du pays, entre León et Ferrol. Construite à l'origine pour transporter le minerai de fer des montagnes de León jusqu'aux aciéries basques, cette ligne (la plus longue voie étroite d'Europe) permet de découvrir le nord du pays, souvent mal connu, et notamment les

Picos de Europa, la ville de **Santander**, plusieurs villages de pêcheurs des Asturies et de Galice, ainsi que la très belle cité médiévale de **Santillana del Mar**. Grimpant à l'assaut de collines escarpées, El Transcantabricó offre une vision magnifique des paysages cantabriques, de la campagne verdoyante traversée de rivières tumultueuses et des cités florissantes de la côte.

Tout comme le train Al Andalus, le Transcantabricó prend soin de ses passagers. Les voitures-salons datent également des années vingt et chaque voiture-couchette est équipée d'une douche et de toilettes individuelles. De nombreuses distractions sont proposées, parmi lesquelles un service de bar, des projections de films et des soirées musicales ou dansantes.

Les Picos de Europa

L'extrême est des monts cantabriques, entre Oviedo et Santander, évoque plus les Alpes que les Pyrénées. Alors qu'ils ne sont qu'à 32 kilomètres de la mer, certains de ces pics s'élèvent à près de 2 740 mètres d'altitude. Leurs flancs, presque totalement dépourvus de routes, abritent des chamois, des chats sauvages, des loups, des buses, des aigles royaux et de nombreux autres animaux sauvages que l'on rencontre rarement dans les autres pays d'Europe. C'est le domaine des neiges éternelles, des à-pics terrifiants et des torrents poissonneux qui coulent au fond de gorges encaissées.

Mais les Picos de Europa sont aussi parcourus de petits chemins rocailleux et escarpés qui conduisent à de vastes prairies couvertes de fleurs, où paissent des poneys sauvages. Sur ce territoire, le bucolique côtoie le grandiose. Les villages pittoresques de **Potes**, dans la vallée de Liébana et de **Las Arenas de Cabrales**, dans la haute région de Cabrales, méritent un détour. Le second est réputé pour son fromage bleu de brebis, auquel il a donné son nom.

A 25 kilomètres de Potes se trouve **Fuente Dé**, point de départ vers les plus hauts sommets. A côté du parador, un télésiège permet de rejoindre le **Mirador del Cable**, à 1 829 mètres d'altitude, d'où l'on bénéficie d'un magnifique panorama sur la haute vallée de Deva, sur le village de Potes et, bien entendu, sur les montagnes alentour.

De là, un sentier conduisant au **refuge d'Aliva** (ouvert de mai à octobre) permet de découvrir quelques plateaux rocheux entrecoupés de dépressions, surprenant résultat de l'érosion des roches calcaires.

Cebrero

Les **pics de Cebrero** et le **col de Piderafita** sont les derniers obstacles que doivent franchir les pèlerins de Saint-Jacques-de-Compostelle, avant d'atteindre les paisibles vallées de la Galice.

Un hameau de *pallozas*, huttes rondes recouvertes de chaume, témoigne encore d'une ancienne présence celtique dans cette zone

ler l'hydromel, faite à base de lait chaud, de miel et de cognac, idéale pour oublier le froid de la nuit. Les clients prennent leurs repas en commun autour des deux longues tables en bois, tout en profitant de la douce chaleur d'un grand feu de cheminée.

La petite église du Xe siècle qui se dresse à côté de l'auberge doit sa réputation au miracle qui s'y serait produit en 1300. Cette année-là, le prêtre chargé de la célébration du culte dans ce lieu saint aurait été saisi de doute quant à la transsubstantiation du pain et du vin pendant la consécration. Une nuit, alors qu'il achevait, seul, la cérémonie de l'Eucharistie dans son église, le plus fervent de ses paroissiens entra

inhospitalière, balayée par le blizzard l'hiver et noyée dans la brume l'été. Au début de l'été, ces cabanes servent d'abri aux pèlerins venus rendre hommage à l'apôtre saint Jacques le Majeur, dont la fête se célèbre le 25 juillet.

Ceux qui préfèrent un vrai lit à une litière de paille, peuvent descendre à l'**Hospedería San Giralda de Aurillac** (juste à côté des *pallozas*). Cette auberge, qui ne possède que six chambres, propose de très bon plats rustiques et une spécialité de boisson qui n'est pas sans rappel-

Un plongeon spectaculaire du haut des Picos de Europa ; page suivante : le piment sur un étal du marché de Plasencia.

dans une bourrasque de neige. En le voyant ainsi à demi mort de froid, le prêtre ne put s'empêcher de plaindre ce pauvre homme venu de si loin par un si mauvais temps, juste pour s'incliner devant un morceau de pain et un peu de vin.

A cet instant, le pain posé sur la patène se transforma en un morceau de chair fraîche et le vin contenu dans le calice s'épaissit, dégageant l'odeur caractéristique du sang. Devant le sang et le corps du Christ, le prêtre incrédule tomba à genoux, puis s'effondra au bas des marches de l'autel. Avant que le fidèle n'ait pu le rejoindre, il avait trouvé la mort. Les reliques de ce miracle sont toujours exposées à l'intérieur de l'église.

INFORMATIONS
PRATIQUES

PRÉPARATIFS ET FORMALITÉS DE DÉPART

Passeport et visa

Les touristes venant des pays du Marché commun n'ont besoin que d'une carte nationale d'identité en cours de validité pour se rendre en Espagne. Les Canadiens doivent avoir un passeport en cours de validité.

Climat

L'Espagne est le pays le plus montagneux d'Europe après la Suisse. Cette particularité fait que le climat et les paysages varient grandement d'une région à l'autre.

Les régions du Nord, délimitées par les Pyrénées et les monts Cantabriques à l'ouest, aux paysages verdoyants, bénéficient d'un climat frais et de pluies abondantes ; les étés y sont tempérés et les hivers doux.

Les diverses chaînes de montagnes qui entourent la Meseta empêchent les vents marins d'adoucir le climat. C'est une région désséchée et couverte de broussailles, souvent décrite comme l'« Espagne aride », où les hivers sont longs et rigoureux et les étés torrides. (« Neuf mois d'hiver, trois mois d'enfer », dit le proverbe.)

Inversement, les mêmes montagnes protègent les régions côtières de l'Est et du Sud du froid intense et des vents venant de la Meseta. Ces régions côtières bénéficient ainsi d'un climat méditerranéen modéré et doux, d'une flore exotique et de températures relativement douces tout au long de l'année.

Vêtements à emporter

Les Espagnols aiment s'habiller correctement pour sortir en ville le soir ou se promener. En été, il est préférable de porter des vêtements légers, mais prévoyez un pullover pour la soirée dans les régions du nord de la péninsule Ibérique. En hiver, couvrez-vous chaudement si vous visitez les régions du Nord et la Meseta. Les régions côtières du Sud et les îles ayant un climat doux tout au long de l'année, il n'est pas nécessaire de prévoir des vêtements chauds, même en hiver.

Costume et cravate ne sont exigés que dans les endroits les plus distingués. N'oubliez pas également que la visite des cathédrales et de nombreux édifices religieux est interdite — et d'ailleurs serait déplacée — en short et avec les épaules nues.

ALLER EN ESPAGNE

Par avion

● Compagnies

Iberia est la grande compagnie aérienne qui dessert toute l'Espagne. Vous pouvez bénéficier de réductions : « vols vacances », jeunes de moins de 25 ans et réductions « couple ».
Renseignements : **Iberia**, *31, avenue Montaigne, 75008 Paris. Tél. : (1) 47 23 00 23.*
En Suisse : **Talacker,** *42 81 01. Zurich.*
En Belgique : **Louizalaan,** *54, avenue Louise, 1050 Bruxelles.*
Au Québec : *2020, University street, 1070 Montréal.*
   D'autres compagnies aériennes proposent des vols charters à des prix intéressants :
– **Nouvelles Frontières :** *87, boulevard de Grenelle, 75001 Paris. Tél. : 42 73 10 64.*
– **La Voyagerie :** *2, boulevard Saint-Marcel, 75005 Paris. Tél. : 43 37 85 36.*
– **Go Voyages :** *22, rue de l'Arcade, 75008 Paris. Tél. : 42.66.18.18.*

● Transports depuis l'aéroport

Il y a trois principaux aéroports internationaux en Espagne, à partir desquels des vols sont assurés pour se rendre dans les principales villes. L'aéroport de Barajas, à 15 km de Madrid, reçoit la majorité du trafic aérien. L'aéroport est doté de magasins hors-taxe. Toutes les vingt minutes, de 6 h à 2 h du matin, un service d'autobus effectue la liaison aller et retour entre l'aéroport et la Plaza de Colón, au centre ville, pour 150 pesetas. De la Plaza de Colón, la correspondance pour le métro ou les lignes d'autobus est facile. Le transport en taxi de l'aéroport au centre ville vous coûtera un peu plus de 1 00 pesetas.

L'aéroport de Barcelone est à 15 km du centre ville. Les navettes ou le train vous emmènent à la gare Central Sants d'où vous pourrez prendre des correspondances pour le RENFE, le métro ou les lignes d'autobus.

L'aéroport international et l'aéroport national de Málaga, distants l'un de l'autre de 1 km, se trouvent à environ 8 km de la ville. Des vols réguliers et des charters venant du monde entier arrivent à l'aéroport international tandis que l'aéroport national assure les liaisons avec Madrid et Barcelone. Toutes les vingt minutes, de 6 h à 23 h, des trains et des autobus partent des deux aéroports pour la ville. Le transport coûte 75 pesetas.

Par bateau

L'Espagne profite pleinement de son aspect péninsulaire. Quarante-six compagnies exploitent cinquante-deux lignes régulières, transportant des passagers sur les mers du monde entier.

En ce qui concerne la France, la compagnie **Trasmediterranea** assure la liaison maritime entre les deux pays. Renseignements : **Trasmed**, *14, rue du Gaillon, 75002 Paris. Tél. : (1) 47 42 60 01 ou 6, boulevard Victor-Hugo, 06000 Nice. Tél. : 93 87 98 58.*

Par le train

Vous pouvez aussi vous rendre en Espagne en train. De Paris-Austerlitz, il y a des trains quotidiens :

Le Talgo est un train rapide et confortable (wagons-lits avec petit-déjeuner : 1 279 F les jours bleus pour Paris-Madrid, aller-retour, et 1 023 F pour Paris-Barcelone dans les mêmes conditions).

Le Puerto del Sol est un train moins rapide mais aussi moins cher (de 929 F aller-retour à 1 106 F aller-retour pour Paris-Madrid).

Vous pouvez bénéficier des réductions :
– Carte jeune + vignette spéciale.
– Billets BIGE (pour les étudiants de moins de 26 ans).
– Carte famille internationale.
– Carte Vermeil internationale.
Renseignements : SNCF-Paris Austerlitz.

Si vous n'avez pas pris le Talgo, prévoyez une longue attente à la frontière, car les voyageurs doivent changer de train à cause des gabarits différents des voies ferrées.

En autobus

Les autobus Eurolines assurent la liaison Paris-Madrid tous les mardis et samedis pendant toute l'année. (Pour les moins de 26 ans, un aller-retour coûte 900 F.)

Renseignements : **Eurolines**, *7, avenue de la Porte-de-la-Villette, 75019 Paris. Tél. : (1) 40 38 93 93.*

En voiture

Si vous voyagez en voiture, vérifiez que vous avez bien les papiers suivants : permis de conduire international (ou permis national rose à trois volets en France), carte grise et carte verte (extension internationale de votre assurance) que vous pouvez obtenir chez votre assureur ou à la frontière. Il est également recommandé de prendre une assurance touristique spéciale pour couvrir tous les risques.

A L'ARRIVÉE

Douanes

Les touristes sont autorisés à importer en franchise les articles suivants : effets personnels, bijoux et vêtements nécessaires au voyage ; 200 cigarettes ou 50 cigares ; 2 litres de vin ou 1 litre d'alcool ; 1/4 de litre

d'eau de Cologne ; 2 appareils photos à usage personnel et 10 films par appareil ; 1 caméra 16 mm et 10 films ; 1 radio, 1 machine à écrire, des lunettes, 1 bicyclette, 1 instrument de musique, 1 magnétophone, 1 calculatrice de poche, 1 magnétophone à cassette. Il est interdit d'importer de la nourriture et des plantes.

● **Contrôle des changes**
Les touristes peuvent emporter une quantité illimitée d'argent étranger ou de traveller's chèques, mais seulement 50 000 pesetas. En revanche, ils ne peuvent quitter le pays avec plus de 20 000 pesetas.

Monnaie

L'unité monétaire est la peseta. Il existe des pièces de 1, 5, 10, 25, 50, 100 et 200 pesetas et des billets de 200, 500, 1 000 et 5 000 pesetas. Le taux de change varie tous les jours. Vérifiez-les dans une banque ou dans les journaux. Les banques offrent le meilleur taux de change mais vous pouvez également changer de l'argent dans les diverses stations de transport, au bureau de l'American Express, dans les hôtels et dans les grands magasins.

Fuseaux horaires

L'heure est la même partout en Espagne, avec une heure d'avance sur le méridien de Greenwich, excepté aux Canaries où l'heure est celle de Greenwich. Comme en France, au printemps, l'Espagne avance ses horloges d'une heure et les retarde d'une heure en automne de façon à profiter au maximum de la lumière du jour en hiver.

A SAVOIR
UNE FOIS SUR PLACE

L'Espagne vient juste d'entamer sa deuxième décennie en tant que monarchie constitutionnelle. Le parlement est composé de deux chambres, le Congrès et le Sénat. Le gouvernement, à l'heure actuelle socialiste, est dirigé par un premier ministre. Tous les ministères sont à Madrid. Le roi Juan Carlos Ier représente le pays dans les cérémonies protocolaires et joue également un rôle lors des élections. L'Espagne a une économie de type occidental et, avec le Portugal, elle est le dernier pays à être entré dans la Communauté européenne.

Heures d'ouverture

A l'exception des supermarchés et des grands magasins, les boutiques ferment à midi. Elles sont ouvertes le matin de 10 h à 14 h et de 16 h à 20 h l'après-midi. En été, les heures d'ouverture sont légèrement différentes : de 9 h à 13 h et de 17 h à 21 h. La plupart des magasins sont fermés le samedi après-midi et le dimanche, bien que l'on puisse toujours trouver une *panaderiá* (boulangerie) ouverte et bien approvisionnée pour les denrées essentielles.

Banques

Toutes les banques changent l'argent étranger. Elles sont ouvertes de 9 h à 14 h du lundi au vendredi et de 9 h à 13 h le samedi. Elles sont fermées le dimanche et les jours fériés.

Jours fériés

Banques et magasins sont fermés les jours fériés répertoriés ci-dessous.

1er janvier : nouvel an, *Año Nuevo*.
6 janvier : Épiphanie, *Reyes Magos*.
1er mai : fête du Travail, *Dia de Trabajo*.
25 juillet : Saint-Jacques, *Fiesta de Santiago*.
15 août : Assomption, *La Asunción*.
1er novembre : Toussaint, *Todos los Santos*.
8 décembre : jour de la Constitution, *Dia de la Constitución*.
25 décembre : Noël, *Navidad*.

En outre, chaque province et chaque ville organise ses propres fêtes patronales ainsi que différentes manifestations.

Postes et télécommunications

Les bureaux de poste sont ouverts de 9 h à 14 h du lundi au vendredi et de 9 h à 13 h le samedi. Ils sont fermés le dimanche et les jours fériés. On peut acheter des timbres dans les bureaux de tabac. Il est possible de faire peser son courrier afin de déterminer le prix à payer. Le coût du courrier envoyé en « Express » est légèrement plus onéreux.

● **Télégramme et télex**
L'un ou l'autre de ces services est à votre disposition dans n'importe quel bureau de poste.

● **Téléphone**
Des téléphones publics à partir desquels vous pourrez avoir des communications nationales ou internationales sont installés un peu partout dans les rues, les bars et les restaurants. Les instructions sont écrites en anglais. Un appel local coûte au minimum 10 pesetas. Pour les communications internationales, il est préférable d'utiliser les services de la Telefónica, qui établira la communication que vous ne paierez qu'à la fin. Les bureaux de la Telefónica se trouvent dans les principales villes aux adresses indiquées ci-dessous.

Madrid, *Fuencarral, 3 ou Plaza Recoletos, 39.*
Barcelone, *Fontanella, 2.*
Séville, *Plaza Nueva, 3.*
Málaga, *Molina Larios, II.*
Valence, *Plaza del Pais Valenciano, 25.*
Palma de Majorque, *Constitución, 2.*

Pourboires

D'une manière générale, l'usage du pourboire est le même qu'en France ; le service n'est pas inclus dans les notes d'hôtel et de restaurant.

Les commerçants espagnols, ainsi que les hôteliers, sont agréables ; un réel effort est fait pour comprendre le touriste et l'aider.

Voici un vocabulaire succinct pour faire vos courses ou commander :
Bonjour : *Hola*
S'il vous plaît : *Por favor*
Merci : *Gracias*
De rien : *De nada*
Au revoir : *Adios.*

Précautions sanitaires

Les touristes venant de pays d'où le choléra, la variole ou la fièvre jaune n'ont pas été éliminés doivent avoir des certificats de vaccination. Les enfants de moins un an en sont exemptés.

L'eau des régions intérieures d'Espagne est délicieuse car elle provient directement des sources situées dans la Sierra. Cependant, sur la côte méditerranéenne l'eau est légèrement saumâtre et il est préférable de boire de l'eau minérale en bouteille.

Les touristes doivent savoir qu'en été le soleil chauffe très fort. Il faut prendre certaines précautions pour ne pas s'exposer excessivement au soleil et faire attention à la déshydratation.

Medias

● **Journaux**
El Pais, ABC et *Ya* sont les trois journaux nationaux espagnols. De plus, chaque province et chaque ville a son propre journal local. De telles publications sont utiles pour trouver des renseignements sur les événements culturels, les films, et les différentes possibilités d'activités. On trouve la plupart des journaux étrangers dans les principales grandes villes.

● **Télévision**
Il y a deux chaînes principales de télévision : National et VHF. Mais dix-neuf régions ont leurs propres chaînes qui diffusent exclusivement des programmes dans la langue provinciale. Par exemple, la Catalogne possède une chaîne qui diffuse des spectacles en catalan, Guipuzcoa et Bilbao en euskara (basque), etc.

● **Radio**
Dans certaines régions d'Espagne, vous pourrez capter les ondes françaises si vous avez un bon récepteur. On peut aussi capter des ondes espagnoles qui diffusent des programmes anglais.

● **Photographie**
On trouve toutes les marques et les tailles de pellicules en Espagne, mais elles sont généralement assez chères. L'Espagne produit ses propres marques de pellicules, Negra et Valca, de bonnes qualités et moins chères que les marques étrangères. Les prix du

développement sont compétitifs et les magasins offrent des services en 24 ou 48 heures aussi bien pour le noir et blanc que pour la couleur.

Il faut noter qu'il est interdit de photographier dans certaines églises et dans certains musées, aussi renseignez-vous avant de prendre des photos. Les magasins de photos vendent de petits sacs en plastique enduit de plomb bien utiles pour protéger les pellicules lors des contrôles de sécurité dans les aéroports.

Santé et urgences

● **Pharmacies**

Il y a de nombreuses pharmacies signalées par *Farmacia* et une croix verte. Elles sont ouvertes de 9 h à 14 h et de 16 h à 20 h du lundi au vendredi, et de 9 h à 14 h le samedi. Après les heures d'ouverture, les pharmacies de garde la nuit et le dimanche sont indiquées sur la porte et dans les journaux. Vous ne pourrez obtenir de médicaments que si la prescription est faite par un docteur espagnol. Si vous suivez un traitement, il est préférable d'emporter vos médicaments.

Avant de vous rendre en Espagne, vérifiez bien que votre assurance vous couvre pendant votre voyage. Si ce n'est pas le cas, renseignez-vous auprès de la compagnie d'assurance espagnole Astes, qui couvre les frais de docteur et d'hospitalisation en cas d'accident ou de maladie.

Dans toutes les grandes villes il y a des hôpitaux où un service d'urgence est assuré 24 h sur 24, ainsi que des dispensaires et des médecins qui peuvent administrer les premiers soins.

● **Numéros d'urgence**
Police : 091
Pompiers : 232 3232
Ambulance : 252 3264.

Sécurité et criminalité

Le taux de criminalité est peu élevé et il y a très peu d'endroits à éviter à tout prix. Néanmoins, méfiez-vous des voleurs à l'arraché et des pickpockets, particulièrement dans la foule dense et dans les endroits touristiques. Évitez de vous promener seul la nuit. Ne gardez pas d'objets précieux dans les chambres d'hôtel, mais déposez-les dans le coffre mis à la disposition des clients. Évitez d'avoir sur vous une grosse quantité d'argent liquide, utilisez plutôt des cartes de crédit et des traveller's chèques dont vous aurez d'abord soigneusement relevé les numéros.

Où se renseigner

● **Offices de tourisme**
L'Office national espagnol de tourisme a des antennes dans le monde entier et partout en Espagne. Même la plus petite ville possède son bureau, marqué *Turismo*.

Paris : *43 ter, avenue Pierre-1ᵉʳ-de-Serbie, 75381 Paris, Cedex 08. Tél. : 47.20.90.54.*
Madrid : *Princesa, 1, Torre de Madrid. Tél. : 241 2325.*
Barcelone : *Gran Vía, 658. Tél. : 222 1135 ou 221 1208.*
Séville : *Avenida de la Constitución, 21. Tél. : 22 1404.*
Málaga : *Marqués de Lavios, 5. Tél. : 21 3445.*
Valence : *Avenida Navarro Reverter, 2. Tél. : 373 3311.*
Palma de Majorque : *Avenida Jaime III, 10. Tél. : 21 2216.*

● **Chambres de commerce**
Chambre de Commerce et d'Industrie espagnole, *Claudio Coello 19, Madrid. Tél. : 275 3400.*

● **Associations automobiles**
Real Automobile Club de España (RACE), *General Sanjurjo 10, Madrid. Tél. : 447 3200.*
Automobile club touristique espagnol, *Marqués de Riscal II, Madrid. Tél. : 207 0702.*

COMMENT SE DÉPLACER

Lignes aériennes intérieures

Iberia assure les liaisons intérieures entre les principales villes. C'est un moyen de transport onéreux comparé à l'autocar et au train mais le temps est peut-être un facteur important pour vous. Pour obtenir tous les renseignements sur les vols et les horaires, contactez Iberia à Madrid, *tél. : 411 2545.*

Par le train

La **RENFE**, la compagnie nationale des chemins de fer espagnols, exploite inégalement son réseau ferroviaire intérieur : la Galice est mal desservie, en revanche, toute la côte de Port-Bou à Carthagène l'est très bien. (Les grandes lignes sont aussi très bien reliées).

Pour les voyages à longue distance, les réservations sont obligatoires. Mais elles peuvent être refusées cinq minutes avant le départ, en fonction des places disponibles.

Le *Talgo* est recommandé pour les longs voyages, tandis que l'Express, plus lent, permet de découvrir le pays.

Il y a peu de différence entre la 1ʳᵉ et la 2ᵉ classe.

Vous pouvez utiliser les cartes de train (citées *supra*), ainsi que la carte Eurorail, Interrail. Deux autres solutions vous sont encore proposées :
– la carte touristique : c'est une nouvelle formule qui vous permet de circuler librement dans toute l'Espagne (prix : 510 F par semaine ; renseignements : SNCF, Paris-Austerlitz) ;

– le trajet kilométrique : c'est un billet qui s'achète dans toutes les gares espagnoles et qui donne droit à 20 % de réduction en période bleue (*dias azules*).

Pour obtenir des renseignements, appelez la **RENFE** dans les villes suivantes :

Madrid : *205 8544*
Barcelone : *250 4235*
Séville : *22 2693*
Málaga : *21 3122 ou 21 4127*
Valence : *351 0634*
Palma de Majorque : *72 4163*.

En autocar

Même si le prix des trains est raisonnable, s'ils sont ponctuels et confortables, le plaisir ne peut être comparé avec celui que procure un voyage en autocar. Le voyage en autocar coûte moins cher et il est plus rapide qu'en train. De plus, des films vidéo sont présentés durant le voyage et des arrêts sont prévus toutes les deux ou trois heures.

Parmi les nombreuses lignes qui desservent les différentes villes du pays, nous vous proposons les itinéraires suivantes.

De Madrid à Barcelone : le voyage dure neuf heures et est assuré par la RENFE. Le billet aller-retour coûte 4 425 pesetas. Des autocars partent quotidiennement de la station Sur. C'est la grande station terminale de Madrid d'où partent des autocars toutes les dix minutes, dans toutes les directions. Station Sur. *Calle Canarias*. Tél. : *468 4200*.

De Madrid à Séville : le voyage dure huit heures, et il faut changer à Mérida. Le billet aller-retour coûte 4 800 pesetas. Des autocars partent tous les jours de la station Auto Res, *Plaza Conde Casal*. Tél. : *251 6644*.

De Madrid à Málaga : le voyage dure neuf heures. Le prix du billet aller-retour est de 4 870 pesetas. Des autocars partent quotidiennement de la station Sur.

De Madrid à Valence : le voyage dure cinq heures et le billet aller-retour coûte 3 193 pesetas. Des autocars partent tous les jours de la station Auto Res.

De Madrid à La Corogne : le voyage dure neuf heures et un billet aller-retour coûte 6 720 pesetas. Des autocars partent quotidiennement de la station Sur.

Par bateau

Plusieurs compagnies maritimes assurent des liaisons fréquentes avec les îles Baléares, les Canaries et les antennes africaines. La compagnie Transmediterranea (*tél. : 431 0700*) propose des traversées pour les Baléares et les Canaries à partir de Barcelone, Valence, Bilbao et La Corogne, ainsi que pour Melilla et Ceuta à partir de Almería et Málaga. La compagnie Ybarra (*tél. : 222 9170*) propose aussi des traversées pour les îles Baléares.

Les traversées en bateau sont souvent longues et si le temps vous est compté, il est préférable de prendre l'avion.

Location de voitures

Il y a de nombreuses agences de location en Espagne. Bien qu'il y ait de légères différences d'une agence à l'autre en ce qui concerne l'âge et le paiement, les conditions de location sont en général les suivantes : toute personne louant un véhicule doit avoir au moins dix-neuf ans et un an d'expérience ; un permis de conduire international n'est pas nécessaire, le permis valide du pays d'origine étant accepté.

Il y a des frais par jour de location, par kilomètre et une assurance à payer par journée de location. Les taxes ne sont pas comprises dans ces frais. On peut payer avec une carte American Express, Visa ou Mastercard et parfois en liquide ou en traveller's chèques.

Voici le numéro de téléphone de quelques agences aux alentours de Madrid.
Avis : 248 4205
Hertz : 248 5805
Marsans : 262 2734
Atésa : 279 9288.

● **Règles de la circulation**
Soyez vigilant lors de la traversée des petits villages car les routes ne sont pas souvent conçues pour la circulation automobile, et il n'est pas rare de rencontrer des mules ou des charrettes tirées par des chevaux. La vitesse est limitée à 120 km/h sur les voies rapides, 100 km/h sur les autres routes et 60 km/h dans les agglomérations.

Chaque voiture étrangère doit avoir un autocollant à l'arrière en indiquant la nationalité. Le port de la ceinture de sécurité est obligatoire, ainsi que la possession d'une boîte d'ampoules de rechange pour les feux. En cas de panne sur les voies rapides, il est nécessaire d'avoir un triangle de signalisation. Le port du casque est obligatoire pour les motocyclistes et leurs passagers.

Si vous avez une contravention, on peut exiger de votre part le paiement immédiat.

En cas de panne sur l'autoroute, utilisez les bornes téléphoniques. En présence d'un accident, appelez le numéro d'urgence de la police, le 092.

Taxis

Les taxis offrent une alternative raisonnable aux transports en commun. Ils sont nombreux et les prix acceptables. Un compteur indique le prix de la course, mais il faut parfois payer un supplément. Un chauffeur de taxi vous demandera 50 pesetas supplémentaires pour une course de nuit (de 23 h à 6 h du matin), 50 pesetas les jours fériés, 150 pesetas pour aller à l'aéroport, et des suppléments divers pour des courses hors des limites de la ville. En cas de désaccord sur le prix à payer, demandez un reçu, notez le point de départ et d'arrivée, la durée approximative de la course et le numéro de téléphone de la compagnie de taxis, normalement indiqué sur le siège arrière, ainsi que le numéro d'immatriculation du véhicule.

Métro et autobus

● **Madrid**

Madrid est doté d'un métro qui fonctionne tous les jours de 6 h à 1 h 30 du matin. Pour 50 pesetas, les touristes peuvent se rendre n'importe où en empruntant une de ses 13 lignes. Cherchez les stations signalées par un « M » à l'intérieur d'un diamant et une fois à l'intérieur, achetez votre ticket et demandez *un plan del Metro, por favor*. Ce plan, en surimpression sur une carte de la ville, vous indiquera toutes les stations et les lignes du métro.

Le réseau d'autobus est aussi performant que celui du métro et l'air y est plus frais. L'itinéraire emprunté par l'autobus est indiqué à chaque arrêt et l'on peut obtenir un plan dans les offices de tourisme. Un voyage coûte 50 pesetas, ou 60 pesetas en microbus — un autobus plus petit et plus confortable. Dans certaines stations ou dans les banques, vous pouvez également acheter un bonobus pour 310 pesetas, qui vous permettra d'effectuer dix voyages.

● **Barcelone**

A Barcelone, le métro circule de 5 h à 23 h du lundi au vendredi, et jusqu'à 1 h du matin les samedis, dimanches et jours fériés. Des plans sont affichés aux entrées et des cartes de poche sont disponibles à l'intérieur. Le prix du ticket est de 50 pesetas mais l'on peut également acheter des tickets spéciaux valables pour dix voyages dans le métro ou l'autobus.

● **Séville**

Séville a commencé la construction d'un métro il y a quelques années, mais le projet n'a jamais abouti et n'est apparemment pas près de l'être. La ville s'en remet donc à son efficace réseau d'autobus. Les arrêts sont fréquents et bien indiqués, et l'on peut se procurer un plan du réseau à l'office de tourisme. Les autobus circulent de 6 h 30 à 23 h 30 et le prix du ticket est de 50 pesetas. Pour 310 pesetas, un bonobus vous permettra d'effectuer dix voyages.

ACTIVITÉS CULTURELLES

Musées

● **Madrid**

Il y a plus de trente musées à Madrid, et nombre d'entre eux sont exceptionnels. Vous obtiendrez une liste détaillée à l'office de tourisme. Voici quelques-uns des principaux musées.

Musée espagnol d'Art contemporain, *Avenida Juan De Herrera*. Ouvert de 10 h à 18 h du mardi au samedi et de 10 h à 14 h les dimanches et jours fériés.

Cáson del Buen Retiro, *13, avenida Felipe IV*. Ouvert de 9 h à 19 h du mardi au vendredi et de 9 h à 14 h les dimanches et fêtes. Il abrite le célèbre *Guernica* de Pablo Picasso.

Palais royal, *Plaza de Oriente*. Ouvert de 15 h 30 à 17 h 15.

Musée du Prado, *Paseo del Prado*. Un des plus prestigieux du monde. Ouvert du mardi au samedi de 10 h à 18 h en hiver, de 10 h à 17 h en été, et de 10 h à 14 h les dimanches et jours fériés.

● **Barcelone**

Les musées de Barcelone étant extrêmement diversifiés, du musée Ethnologique à l'Aquarium, il est préférable de demander une liste complète à l'office de tourisme. Les principaux musées sont :

Musée d'Art de Catalogne, *Palacio Nacional de Montjuic*. Il renferme les collections catalanes d'art roman et d'art gothique. Ouvert de 9 h à 14 h, sauf les lundis et jours fériés.

Musée d'Archéologie, *Parc de Montjuic*. Ouvert de 9 h 30 à 13 h et de 16 h à 19 h du mardi au samedi et de 9 h à 14 h les dimanches et fêtes.

Musée d'Art moderne, *Parc Cuidadela*. Ouvert de 9 h à 19 h, sauf le lundi matin et de 9 h à 14 h les dimanches et fêtes.

Musée Picasso, *Carrer de Montcada, 15*. Ouvert de 9 h à 14 h et de 16 h à 20 h du mardi au samedi et de 9 h à 14 h les dimanches et fêtes.

Musée Gaudí, *Parc Güell, 8*. Il se trouve dans la maison de l'architecte Antonio Gaudí. Ouvert de 10 h à 14 h et de 16 h à 18 h les dimanches et jours fériés.

● **Séville**

La ville compte une douzaine de musées dont les plus importants sont :

Musée d'Archéologie de Séville, *Plaza de America*, dans le très beau palais Renaissance. On peut y admirer l'héritage hispano-romain (bijoux anciens, trésor « *El Carambo* », mosaïques romaines, statues, etc.).

Musée des Beaux-Arts, *Plaza del Muséo, 9*, conserve des peintures du XVIᵉ siècle au XXᵉ siècle.

Cependant, ce qui attire le plus de touristes est incontestablement la célèbre cathédrale. Construite au XVᵉ siècle, elle est l'une des trois plus grandes cathédrales d'Europe, et l'une des dernières à avoir été construites dans le style gothique. On peut y voir la tombe de Christophe Colomb et des œuvres de Murillo, Jordaens et Valdes Leal.

● **Grenade**

Grenade, comme Séville, possède une construction d'importance culturelle et historique : l'Alhambra, qui est peut-être la forteresse la plus remarquable jamais construite. De magnifiques jardins, des patios variés et le palais de l'empereur Charles Quint sont inclus dans l'édifice. Au rez-de-chaussée du palais se trouve le musée d'Art hispano-musulman, et au premier étage le musée des Beaux-Arts, tous deux ouverts de 10 h à 14 h, sauf le lundi.

L'Alhambra est ouvert de 9 h à 19 h en été, et de 10 h à 18 h en hiver. Des visites guidées sont proposées durant la journée.

Bibliothèques et librairies

● **Madrid**
On trouve des livres anciens et des premières éditions au Rastro et dans les nombreuses boutiques situées le long de San Bernardo, Libreros et Calle del Prado.
Bibliothèque nationale, *Paseo de Recoletos, 20.*
Washington Irving American Library, *Marqués de Villa Magna, 8.*
British Council Library, *Almagro, 5.*

● **Barcelone**
Bibliothèque catalane, *Carmen, 47.*
Bibliothèque Athenaeum, *Camida, 6.*
Bibliothèque Francescalia, *Cambios Nuevos, 1.*
Bibliothèque Balmesiana, *Duran y Bar, 9.*

Cinémas

Il y a deux grands cinémas à Madrid où les films sont présentés en version originale.
Alphaville, *Martion de los Heroes 14.*
Cine Renoir, *Martin de los Heroes 12.*

A noter également, la **Filmoteca Española,** *Princesa 1,* qui présente de vieux films, et assez souvent des films en anglais.

Concerts et ballets

● **Madrid**
Des concerts sont donnés toute l'année au Théâtre royal, *Plaza de Oriente,* par l'Orchestre national espagnol et d'autres orchestres invités. Il y a aussi des représentations saisonnières de la Fondation Juan March *Castello 77,* celles du Centre culturel municipal *Aforo 776* et dans le parc du Retiro en été. Au théâtre Zarzuela, *Jovellanos 4,* on peut voir des ballets en hiver et au printemps et des opéras au printemps. Les *zarzuelas,* opéra populaire typiquement espagnol, se tiennent d'octobre à décembre au théâtre Zarzuela et en juillet et août au Centre culturel municipal.

● **Barcelone**
On peut assister à des concerts toute l'année au Palais de la Musique, *Ortigosa de Trafalgar,* ainsi qu'à des opéras et des ballets au Gran Teatre d'Opera del Liceu, *Rambla dels Caputxins.*

LOISIRS ET SPECTACLES

Festivals

La vie en Espagne est marquée par une multitude de réjouissances. Voici une liste des principaux événements.

Les fallas de San José (fête de saint Joseph) à Valence, du 12 au 19 mars. Journées et nuits inoubliables passées à manger la paella, à aller à la corrida, à voir des feux d'artifice. Les Valenciens construisent à cette occasion des *fallas* (une par quartier), monuments de bois, de cire et de carton, qui sont brûlés dans la nuit du 19 au 20.

La Semana Santa (la semaine sainte) est célébrée avec ferveur dans toute l'Espagne. Des processions nocturnes ont lieu dans la plupart des villes et les plus célèbres sont celles de Séville, Grenade, Murcia et Jérez.

Festival de printemps à Séville. Une célébration grandiose pour accueillir le printemps. Défilés de chars et de Valenciens en costume traditionnel ainsi que fête foraine et corridas.

Córdoba en mai. Durant tout le mois, décoration florale des patios, balcons et jardins. Des prix sont décernés aux plus méritants. Simplement magnifique.

Fête de San Isidro à Madrid. Pendant les deuxième et troisième semaines de juillet, Madrid célèbre son saint patron avec une multitude de spectacles et de distractions. On peut voir des gens déguisés aller aux concerts de rock, assister à des compétitions de danse traditionnelle et à des feux d'artifice. Des corridas ont lieu durant ces deux semaines.

Fête de San Fermín à Pampelune. La deuxième semaine de juillet trouve Pampelune bondée de gens attendant le lâcher dans les rues des taureaux qui seront combattus l'après-midi. Les festivités durent jour et nuit, mais faites vos réservations à l'avance car, lorsque les taureaux ne courent pas dans les rues, ce sont les touristes qui y dorment.

Festival international de la Musique et de la Danse à Santander. Tout au long du mois d'août, cette capitale du Nord offre un riche éventail d'activités culturelles : concerts d'instrumentistes et de chanteurs de réputation internationale et spectacles de ballet à la Plaza Porticada.

Les fêtes des vendanges à Jérez de la Frontera, du 21 au 25 septembre, sont les plus réputées d'Espagne. Une reine du vin règne sur les festivités qui incluent des compétitions littéraires, des foires aux bestiaux, des ventes aux enchères de chevaux et des concerts de flamenco.

Vie nocturne

L'Espagne offre un nombre incalculable de possibilités pour les sorties nocturnes. De nombreux bars à la mode, des discothèques clinquantes et des boîtes luxueuses permettent de se distraire tard dans la nuit et assez souvent jusqu'au petit matin. En outre, il y a toujours des manifestations culturelles : festivals de cinéma et de jazz, concerts, représentations théâtrales, *zarzuelas* et ballets. Si vous êtes submergé par toutes les merveilles vues, ou fatigué après une randonnée dans les rues de Tolède, vous pouvez toujours vous reposer à une terrasse de café. Quel que soit votre projet de sortie, commencez votre soirée un peu plus tard que d'habitude, et ne soyez pas surpris si celle-ci se termine par un petit déjeuner traditionnel de *chocolate y churros*.

Voici une liste des lieux de sortie les plus populaires dans quelques villes.

● **Madrid**

Café Central, *Plaza del Angel, 10.* Vieux café à l'ambiance agréable. Spectacle de jazz en soirée. Ouvert de 13 h à 1 h 30 et jusqu'à 2 h 30 les week-ends.
Sky Garden, *Plaza de España, Edificio España, 26ᵉ* étage. Bar, discothèque et piscine. L'une des plus belles vues de Madrid. Le bar est ouvert de 20 h à 23 h et la discothèque de 23 h à l'aube. La piscine est ouverte de 11 h à 20 h.
Tetería de la Abuela, *Espiritu Santo, 19.* Café à la mode dans le quartier de Malasaña qui propose différents thés pour tous les maux. Les pâtisseries et les crêpes sont délicieuses. Ouvert de 19 h à 1 h 30.
La Fiesta, *Puente de Segovia.* Discothèque populaire et animée. Les jus de fruits naturels sont la spécialité du bar. Ouvert de 23 h à l'aube.
Oh, Madrid ! *A 8,7 km sur l'autoroute en direction de La Corogne.* Discothèque chic avec piscine. Ouvert l'après-midi et le soir jusqu'à l'aube.
Titanic, *Atocha, 125.* Discothèque impressionnante aménagée dans un théâtre, qui propose trois pistes de danse diffusant chacune une musique différente, un café avec des spectacles audiovisuels fantaisistes et un bar où l'on peut se restaurer. Ouvert les jeudis, vendredis et samedis de 18 h à 23 h, puis de minuit à l'aube ; les dimanches et jours fériés de 18 h à 23 h et les veilles de vacances à minuit.
Xenon, *Plaza Callao.* Music-hall excentrique qui ressemble à ceux de Las Vegas. Danse, orchestre et un grand spectacle de variétés. Ouvert à partir de 23 h 30. Pour réserver, appelez le 231 9794.
Arco de Cuchilleros, *Arco de Cuchilleros, 7.* Spectacle flamenco en soirée. Ouvert de 10 h 30 à 2 h 30.

● **Barcelone**

Up and Down, *Numancia, 179.* Une discothèque populaire pour les gens les plus sophistiqués de Barcelone.
Studio 54. *Vila-Vila, 99.* Mélange de music-hall et de théâtre de boulevard, *El Molino* maintient la tradition barcelonnaise du spectacle.

La Bodege Bohemia, *Lancaster, 2.* Un hall de café-concert à la décoration exceptionnelle où des chanteurs connus se produisent parfois spontanément.
Los Tarantos, *Plaza Real, 17.* Danse flamenco en soirée.
Zeleste, *Reiegenteria, 65.* Un bar original où l'on peut aussi bien entendre de la musique classique que du jazz et du rock.

● **Séville**

Bestiario, *Zaragoza, près de la Plaza Nueva.* Une discothèque populaire à l'ambiance moderne où ont lieu fréquemment des expositions d'art d'avant-garde.
Piruetas, *Asunción, 3.* Installée dans un vieux cinéma, cette discothèque propose de la bonne musique, une ambiance jeune et une piste pour faire du patinage à roulettes. De temps à autre, des groupes viennent y donner des concerts.
Blue-Moon, *Roldana, 5.* Le nouveau club de jazz de Séville. Des groupes y jouent tous les soirs.
Tablao El Arenal, *Rodo, 7.* Spectacle de flamenco en soirée à 21 h 30 et 23 h 30.

● **Saint Sébastien**

Zorongo, *San Martin, 66.* Une discothèque à la mode. Ouvert de 23 h 30 à l'aube.
Bataplan, *Paseo de la Concha.* Une autre discothèque populaire, avec des recoins intimes sur la terrasse. Ouvert de 23 h 30 à l'aube.

● **Málaga**

Pigalle, *Puerto Maritimo, 29.* Boîte de nuit.
Maxs, *San Lorenzo, 20.* Discothèque.
Rafael, *Miraflores de El Palo.* Discothèque.

Sports

L'hippodrome de Madrid, les arènes et le stade Bernabeu, siège de l'équipe de football du Real Madrid, sont trois endroits très populaires. Partout en Espagne on peut assister à des matchs de football et de basketball — ce dernier ayant acquis une immense popularité en quelques années –, à des corridas ainsi qu'à des courses de motos et d'automobiles. On peut se procurer un calendrier de toutes les manifestations à l'office de tourisme.

La plupart des grandes villes sont dotées de complexes sportifs que les touristes peuvent utiliser pour un prix d'entrée modéré. Les installations comprennent en général une piscine couverte et découverte, des courts de tennis, des pistes d'athlétisme et, parfois, des équipements nautiques. Il y a également de nombreux clubs de santé, mais attention, ceux-ci peuvent exiger une inscription au mois.

La campagne espagnole est idéale dans beaucoup d'endroits pour les sports de plein air. Les terrains de golf du Nord, près de Saragosse et Santander par exemple, sont luxuriants, et il y en a d'autres un peu partout dans le pays. Les skieurs trouveront de bonnes conditions dans les Pyrénées, la Sierra Nevada près de Grenade et dans la Sierra aux portes de Madrid. Dans les région côtières et les îles, on peut louer un bateau ou partir en excursion pour pêcher ou faire de la plongée sous-marine. Les installations pour le camping et les randonnées à pied sont nombreuses et recommandées, surtout dans les régions montagneuses. Des permis sont obligatoires pour la chasse et la pêche. De nombreuses fermes en dehors des grandes villes, et tout spécialement dans le Sud, proposent des randonnées à cheval. Pour connaître toutes les possibilités, consultez les offices de tourisme.

SHOPPING

● **Madrid**

On trouve dans les boutiques de Madrid tous les articles fabriqués en Espagne, des châles de Séville aux poteries des îles Baléares. Malasaña, un vieux quartier aux rues tortueuses, a un nombre incalculable de petites échoppes où l'on vend des céramiques, de la broderie et des objets artisanaux en bois. La Gran Vía se fait une spécialité des boutiques de souvenirs. Artespaña, une agréable exception, propose des objets artisanaux venant de toutes les provinces. Dans le quartier situé derrière la rue Alonso Martinez, légèrement à l'écart, on trouve de petites boutiques à la mode tandis que les magasins sont plus grands et plus clinquants dans les rues plus larges comme Serranon Goya et Orense. Pour celui qui veut se contenter d'un seul magasin, il y a le Corte Inglés, où l'on trouve absolument tout.

Enfin, pour les fanatiques des marchés aux puces, ceux qui aiment marchander et trouver de bonnes affaires, Madrid a son propre bazar, le Rastro, qui se tient tous les dimanches matins à La Latina. Vous trouverez de bonnes occasions, allant des vêtements neufs aux meubles anciens, du taureau miniature au chiot vivant, pour des prix toujours à débattre.

● **Barcelone**

Il y a de nombreux centres commerciaux à Barcelone qui proposent une grande variété de marchandises. Els Ecants est un marché de plein air, ouvert les lundis, mercredis, vendredis et samedis où l'on vend des articles d'occasion et des antiquités. Le dimanche matin, il y a le marché philatélique et numismatique sur la place Reial, ainsi que le populaire marché de fruits et légumes de Sant Antoni où l'on trouve également des livres, des timbres, des cassettes et bien d'autres choses encore. Près de la place Paulan, entre les rues Cristina et Lauder, des vendeurs proposent du matériel électrique, des montres et des appareils photos. Les grands magasins sont localisés place Catalunya et dans l'avenue Portal del Angel. On trouve des échoppes plus petites et plus traditionnelles à Pelai, place de l'Universitat, Ronda de Sant Antoni et Ronda de Sant Pau. Les foires les plus importantes se tiennent dans le quartier historique de Montjuic, de la présentation de la mode en mars à la foire des appareils ménagers en septembre.

● **Palma de Majorque**

Palma est l'exemple type de la ville touristique avec ses boutiques innombrables dans lesquelles les articles produits dans ses îles sont mis en évidence : céramiques et poteries typiques de Manacor, objets en verre et en fer forgé, broderie, feuilles en alfa, et bien entendu les perles de culture. En outre, il y a de nombreux marchés de plein air. Le samedi, il y a un grand marché aux puces sur l'avenue Mexico, rue Puerto Rico et rue Callao, et les lundis, vendredis et samedis un marché artisanal sur la plaza Mayor.

GLOSSAIRE

Oui	*Si*
Non	*No*
S'il vous plaît	*Por favor*
Merci	*Gracias*
Aujourd'hui	*Hoy*
Hier	*Ayer*
Demain	*Mañana*
Jour	*Día*
Semaine	*Semana*
Mois	*Mes*
Année	*Año*
Excusez-moi	*Dispénseme*
Où ?	*¿ Donde ?*
Quand ?	*¿ Cuando ?*
Comment ?	*¿ Como ?*
Combien de temps ?	*¿ Cuánto tiempos ?*
A quelle distance ?	*¿ Cuánto lejos ?*
Gauche	*Izquierda*
Droite	*Derecha*
Bon	*Bueno*
Mauvais	*Malo*
Grand	*Grande*
Petit	*Pequeño*
Bon marché	*Barato*
Cher	*Caro*
Chaud	*Caliente*
Froid	*Frío*
Vieux	*Viejo*
Nouveau (neuf)	*Nuevo*
Ouvert	*Abierto*
Fermé	*Cerrado*
Libre	*Libre*
Occupé	*Ocupado*
Tôt	*Temprano*
Tard	*Tarde*
Facile	*Fácil*
Difficile	*Difícil*
Garçon	*Camarero*
Un instant	*Un momento*
Je ne comprends pas	*No entiendo*
Que signifie ceci ?	*¿ Que quiere decir esto ?*
Quelqu'un parle-t-il français ici ?	*¿ Hay alguién aquí que habla francés ?*
Combien est-ce ?	*¿ Cuanto es ?*
Avez-vous quelque chose de moins cher ?	*¿ Tiene algo mas barato ?*

Y a-t-il un droit d'en- trée ?	*¿ Se tiene que pagar para entrar ?*
Aidez-moi, s'il vous plaît	*Ayudeme, por favor*
Vite, appelez un docteur !	*¡ Llame a un medico, y prisa !*

POUR
LES GOURMETS

Nulle part en Europe, on ne mange pour aussi peu cher qu'en Espagne. La nourriture est riche et savoureuse, et chaque région a développé sa propre cuisine, utilisant pleinement ses ressources naturelles. Les fruits de mer dans les régions du nord sont excellents, la paella dans les régions du sud, spécialement à Valence, est délicieuse et variée. Et puis il y a l'agneau et le cochon de lait rôtis de Ségovie, les viandes d'Aragon au *chilindrón* (une sauce à base de tomates), le *gazpacho* d'Andalousie, la soupe à l'ail de Madrid et la fameuse *fabada* des Asturies (une soupe épaisse de haricots blancs et de saucisses). Profitez de votre voyage pour goûter les plats typiques de la région, et laissez le sommelier vous conseiller le vin qui convient le mieux.

Les autorités espagnoles ont établi une classification fondée sur la qualité et le prix, qui va de une à cinq fourchettes : cinq fourchettes indiquent un établissement luxueux, quatre fourchettes un établissement de première catégorie, etc.

Il est impossible de vous donner ici une liste complète des restaurants, mais en annexe vous trouverez l'adresse et les spécialités de quelques-uns.

Quelques adresses

● **Madrid**
El Bodegón, *Pinar, 15.* Cuisine castillane. Quatre fourchettes. Spécialités : ris de veau à la pâte feuilletée, saumon et *jewfish.* Ouvert de 13 h 30 à 16 h et de 21 h à minuit. Fermé le dimanche et au mois d'août.
El Horno de Santa Teresa, *Santa Teresa, 12.* Quatre fourchettes. Spécialités : saumon frais et *fabada.* Ouvert de 13 h à 15 h 30. Fermé les samedis et dimanches après-midi, ainsi qu'au mois d'août.
Bajamar, *Gran Vía, 78.* Trois fourchettes. Cuisine espagnole. Spécialisé dans les fruits de mer. Grande variété de poissons frais et de crustacés.
La Máquina, *or Angela de Cruz, 22.* Quatre fourchettes. Cuisine des Asturies. Les spécialités incluent la *fabada*, le colin et l'authentique cidre des Asturies. Fermé le dimanche soir.
La Ribera del Ebro, *Capitan Haya, 51.* Trois fourchettes. Cuisine aragonaise. Spécialités : salades variées, *migas* (croûtons avec des épices et du porc), truite et lapin. Ouvert de 13 h à 16 h et de 21 h à minuit.

La Trucha, *Nuñez de Arcé, 6.* Deux fourchettes. Cuisine espagnole. Restaurant typique charmant. Spécialités : soupe à l'ail, légumes à l'étouffée et colin.

● **Avila**
El Torreón, *Tostado, 1.* Trois fourchettes. Cuisine castillane. Spécialités : soupe à l'ail, rôti d'agneau et de veau. Ouvert de midi à 16 h et de 20 h à minuit.
Mesón del Rastro, *Plaza del Rastro, 1, tél. : 21 1219.* Deux fourchettes. Cuisine castillane. Spécialités : haricots avec du chorizo, ragoût de saucisse, veau.
Piquío, *Estrada, 2, tél. : 21 3114.* Deux fourchettes. Cuisine castillane. Spécialités : potage et fromage avec de la confiture de coing. Fermé le lundi en hiver.

● **Salamanque**
Chez Victor, *Espoz y Mina, 16, tél. : 21 3123.* Trois fourchettes. Nouvelle cuisine. Spécialités : mousse de poireau et de d'aubergine, canard et, pour le dessert, crêpes.
El Candil Nuevo, *Plaza de la Reina, 2, tél. : 21 5008.* Trois fourchettes. Cuisine castillane. Spécialités : porcelet rôti et tarte. Ouvert de 13 h à 16 h 30 et de 20 h 30 à minuit. Fermé le jeudi et de juin à août.
Río de la Plata, *Plaza del Peso, 1, tél. : 21 9005.* Deux fourchetes. Cuisine castillane. Spécialités : palourdes, viandes et poissons de la région, riz au lait. Fermé le lundi et au mois de juillet.

● **León**
Novelty, *Independencia, 4, tél. : 25 0612.* Trois fourchettes. Cuisine internationale. Spécialités : veau et poissons grillés. Ouvert de midi à 16 h et de 21 h à minuit. Fermé le lundi.
Casa Pozo, *Plaza de San Marcos, 15.* Deux fourchettes. Cuisine espagnole. Spécialités : langouste aux palourdes, *morcilla* (boudin au riz et aux oignons), et la tourte de San Marcos. Fermé le lundi, au mois de juillet et à Noël.
Casa Teo, *Avenida de Castilla, 17.* Une fourchette. Cuisine familiale (*cocina casera*). Petit restaurant réputé pour sa soupe aux épinards et son *cocido* (ragoût de légumes et de saucisses). Fermé le lundi et au mois de mars.

● **Ségovie**
Casa Amado, *Fernandez Ladreda, 9, tél. : 43 2077.* Une fourchette. Cuisine castillane. Fréquenté par les gens du pays. Bonne cuisine familiale. Spécialités : potage à l'ail, colin frit, cuisses de grenouilles, agneau, cochon de lait. Fermé le vendredi et au mois d'octobre.
Mesón de Candido, *Plaza de Azoguejo, 5, tél. : 42 8103.* Trois fourchettes. Cuisine castillane. Restaurant prestigieux, toujours complet et plein d'ambiance. La collection de photographies montrant des gens célèbres en train de déguster un cochon de lait est une des particularités de cet établissement.

● **Guadalupe**
Hospedería del Real Monasterio, *Plaza Juan Carlos I, tél. : 36 7000.* Deux fourchettes. Cuisine espagnole familiale. Tarifs peu chers pour les touristes et autres

promeneurs. Spécialités : porc frit, jambons, rôti de chèvre. Fermé du 10 janvier au 10 février.

Mesón del Cordero, *Convento, 11.* Deux fourchettes. Cuisine familiale espagnole. Fermé le lundi.

● **Mérida**

La Torre, *Marquesa de Pinares, 1.* Trois étoiles. Cuisine espagnole. Spécialités : plats régionaux tels que la *calderata* (ragoût de chevreau aux piments rouges), les *migas* et le *gazpacho.*

Mesón Emperador, *Plaza de España, 19.* Trois fourchettes. Cuisine *estremeña. caldereta,* le *frito* (un plat à base d'agneau), le *gazpacho* et les *sopas engañadas* (potages d'oignons frais, de figues et de raisin). Ouvert de 11 h à 16 h et de 18 h à minuit.

● **Caceres**

Delfos, *Plaza de Albatros, Hernán Cortes, 3.* Deux fourchettes. Cuisine *estremeña.* Spécialités : jambon de Montanchez, *frito* et gâteau Casar.

El Figón de Eustaquio, *Plaza de San Juan, 12.* Deux fourchettes. Cuisine *estremeña.* Spécialités : *frito,* dinde farcie, *migas* et, en saison, truite sauvage et sanglier.

● **Trujillo**

Casa de la Pata, *Domingo de Ramos, 2.* Une fourchette. Plats typiques d'Estrémadure. C'est un établissement peu cher et réputé pour ses *tapas* (amuse-gueules). Fermé en soirée.

Las Cigüenas, *autoroute Madrid-Lisbonne, km 243, tél. : 32 6650.* Deux fourchettes. Spécialités : *frito.*

● **Séville**

El Rincón de Curro, *Virgen de Luján, 45, tél. : 45 0238.* Trois fourchettes. Cuisine andalouse. Un endroit réputé où le poisson frit, le soufflé au citron et une agréable cave comptent parmi les spécialités. Fermé le dimanche.

Casa Senra, *Becquer, 45.* Deux fourchettes. Cuisine andalouse. Cette taverne typique est connue pour ses reproductions d'art taurin et son excellente cuisine. Spécialités : *gazpacho,* potage au hachis, flet et bacon. Fermé le dimanche.

Enrique Becerra, *Gamazo, 2, tél. : 21 3049.* Deux fourchettes. Cuisine andalouse. Situé dans une vieille maison, il est le restaurant préféré des gens de la région. Les spécialités comprennent d'excellents plats de viandes et de poissons frais, classés comme étant de très bonne qualité par l'Office national de tourisme. Fermé le samedi soir, les jours fériés et le dimanche en été.

● **Cordoue**

El Caballo Rojo, *Cardenal Herrero, 28, tél. : 47 5375.* Quatre fourchettes. Cuisine espagnole. Un verre de montilla, vin sec de la région, est offert aux clients à leur arrivée. Vous apprécierez ensuite la cuisine exceptionnelle dont les spécialités incluent le *rape mudéjar* (poisson frais préparé avec des raisins, des pignons et du montilla) et l'agneau au miel et au vinaigre. Ouvert de 13 h à 16 h 30 et de 20 h 30 à minuit.

La Almudaina, *Jardín de los Santos Mártires, 1, tél. : 47 4342.* Deux fourchettes. Cuisine andalouse. Installé dans un ancien petit palais du XIVᵉ siècle, ce restaurant propose une grande diversité de plats cordouans. Avant de manger, dégustez d'abord les olives facies et la montilla. Fermé le dimanche et du 1ᵉʳ au 15 juillet.

● **Grenade**

Sevilla, *Oficios, 12, tél. : 22 1223.* Quatre fourchettes. Cuisine andalouse. Spécialités : potage sévillan, *ajoblanco* (une sorte de gazpacho), asperges et ragoût aux haricots de Lima, omelette Sacromonte (faite avec des ris de veau, des poivrons et des pommes de terre) et queue de taureau. Ouvert de 13 h à 16 h 30 et de 19 h 30 à minuit.

Los Manueles, *Zaragoza, 2, tél. : 22 3415.* Cuisine espagnole. Spécialités : jambon de Serrano avec des haricots de Lima et vins des Alpujarras. Ouvert de 13 h à 16 h30 et de 19 h 30 à minuit.

Cunini, *Capuchina, 14, tél. : 26 3701.* Deux fourchettes. Cuisine typique andalouse ainsi que de remarquables plats de poissons et de fruits de mer.

● **Málaga**

La Alegria, *Martín Garcia, 18, tél. : 22 4143.* Quatre fourchettes. Cuisine espagnole. Ouvert de 13 h 30 à 16 h 30 et de 19 h 30 à 11 h 30.

La Brasa, *Fernando Camino, 4.* Quatre fourchettes. Cuisine andalouse. Spécialités : *ajoblanco* et plats typiques de Málaga aux anchois frais.

● **Valence**

Viveros, *Jardines del Real.* Cinq fourchettes. Cuisine levantine. Un restaurant cher et luxueux dont les spécialités comprennent une grande variété de salades et de homards au riz. Ouvert de 13 h à 15 h 30 et de 21 h à 1 h. Fermé le dimanche.

Les Graelles, *Paseo Alameda, Arquitecto Mora, 2, tél. : 360 4700.* Quatre fourchettes. Considéré comme le restaurant où l'on trouve la meilleure paella. Propose également divers plats de poissons et de fruits de mer et bon nombre de délicieux desserts. Spécialités : escargots, poulpe dans son encre, paellas et sorbet au citron. Ouvert de 13 h à 16 h 30 et de 21 h à 1 h 30.

La Hacienda, *Navarro Reverter, 12, tél. : 373 1859.* Quatre fourchettes. Cuisine internationale. Ambiance agréable. Les excellents plats régionaux sont mis en valeur par des spécialités internationales comme le consommé, les épinards au jambon et aux pignons, les aubergines napolitaines et les crêpes au saumon. Ouvert de 13 h 30 à 16 h et de 21 h à minuit.

La Carmela, *Isabel Villena, 155.* Deux fourchettes. Cuisine valencienne. Spécialités : crevettes, salade valencienne, bonie fumée, lapin, escargots avec des légumes et paella de Valence. Fermé le mercredi en hiver et le dimanche du 15 juillet au 15 septembre.

● **Palma de Majorque**

Ancora, *Ensenada C'an Bárbara, tél. : 40 1161.* Trois fourchettes. Cuisine internationale. Spécialités : des nouveautés comme le homard farci avec des asperges vertes ou blanc de grives, ris de veau aux poires, viande hachée à la moutarde et à la sauce à l'origan, et, pour le dessert, biscuits aux prunes avec sauce à la cannelle ou gâteau aux figues fraîches. Fermé le dimanche et le lundi après-midi.

El Patio, *Consignatorio Schembri, 5.* Quatre fourchettes. Cuisine internationale.

El Portalón, *Bellver, 9, tél. : 23 7866.* Trois fourchettes. Cuisine inventive. Spécialités : œufs pochés aux truffes et aux courges, lotte à la sauce aux crabes, filet mignon à la pâte feuilletée et tarte aux pommes. Fermé le dimanche après-midi.

Le Relais del Club de Mar, *Paseo Maritimo.* Trois fourchettes. Cuisine internationale. Réputé pour sa salade d'endives au roquefort, son espadon et son saumon à l'orange.

● **Barcelone**

La cuisine catalane que l'on trouve à Barcelone est délicieuse : essayez quelques plats bien particulier de la région, particulièrement ceux où il y a l'une des quatre sauces de base de la cuisine catalane : *sofrito* (ail, oignon, tomate et persil), *ali-oli* (crème d'ail et huile d'olive), *picada* (ail, persil, pignons et amandes grillées), et *samfaïna* (tomate et aubergine). Parmi les spécialités de la région, il y a le veau de Gerone, les saucisses de Vich, les *mongetas* (saucisse et haricots blancs), le potage aux pâtes, et l'*arroz abanda* (riz aux fruits de mer).

Scala, *Paseo de San Juan, 47.* Quatre fourchettes. Cuisine internationale. Ouvert de 13 h à 16 h et de 20 h à 4 h.

Flor de Loto II, *Avenida Diagonal, 493-Dp-29.* Trois fourchettes. Cuisine internationale. Ouvert de 13 h 30 à 15 h 30 et de 20 h 30 à 23 h 30. Fermé le dimanche.

Hostal del Sol, *Paseo de Gracia, 44.* Trois fourchettes. Cuisine catalane.

S'Agaro, *Carlos III, 136.* Trois fourchettes. Cuisine catalane. Ouvert de 13 h à 16 h et de 20 h à minuit. Fermé le dimanche.

● **Saragosse**

Los Borrachos, *Paseo de Segasta, 64.* Quatre fourchettes. Cuisine espagnole. Spécialités : pâtés, poissons frais, sanglier, grand gibier, glaces et sorbets maison. Ouvert de 13 h à 16 h et de 21 h à minuit. Fermé le dimanche et au mois d'août.

Costa Vasca, *Coronel Valenzuela, 13, tél. : 21 7339.* Trois fourchettes. Cuisine espagnole. Comme son nom le souligne, ce restaurant offre pour une bonne part des spécialités basques, mais également des spécialités du Nord comme le colin, le gratin d'aubergines, les rouleaux de flet avec du saumon fumé, ainsi que les viandes délicieuses de La Rioja. Ouvert de 13 h à 16 h et de 20 h 30 à 23 h. Fermé le dimanche et pendant les vacances de Nöel.

Mesón del Carmen, *Hernán Cortes, 4.* Trois fourchettes. Cuisine aragonaise. Spécialités : poulet au *chilindrón* (sauce à base de tomate), agneau, morue et, pour le dessert, pêches au vin.

● **Pampelune**

Hostal del Rey Noble, *Paseo de Sarasate, 6, tél. : 21 1285.* Quatre fourchettes. Cuisine navarraise. Spécialités : artichauts, haricots blancs et asperges ; poivrons farcis, agneau au *chilindrón*, homard, et glace caramel à la crème. Fermé le dimanche et du 15 juillet au 15 août.

Josetxo, *Estafeta, 73, tél. : 22 2097.* Cuisine navarraise. Situé dans la rue où a lieu le lâcher de taureaux. Plats typiques de la région : artichauts et asperges de Tolède, morue, agneau *al chilindrón*, et flet au champagne. Fermé le dimanche et au mois d'août.

Rodero, *Arrieta, 3.* Trois fourchettes. Cuisine navarraise. Spécialités de croquettes, de salades mixtes en été, de *jewfish a la donostiarra* et de colin *a la navarra*.

Dans les Pyrénées

● **Jaca**

El Parque, *General Franco, 1.* Trois fourchettes. Cuisine aragonaise. Plats typiques de la région comme le poulet *al chilindrón*, les *magras con tomate* (jambon à la tomate), et les pêches au vin. Fermé du 1er au 30 novembre.

● **Panticosa**

Tio Blas, *Puente Escarilla.* Trois fourchettes. Cuisine aragonaise.

● **Biescas**

Edelweiss, *Autoroute C-40.* Trois fourchettes. Cuisine aragonaise. Ouvert de 13 h à 17 h et de 20 h à 23 h. Fermé du 15 octobre au 29 juin.

● **Saint-Sébastien**

Akelarre, *Barrio Igueldo, tél. : 21 2052.* Trois fourchettes. Cuisine basque. Parmi les spécialités, il faut noter les pointes d'asperges à la sauce hollandaise, la salade d'endives aux pommes et aux noix, le bar aux poivrons verts, le flet, et le gâteau aux fraises pour le dessert. Ouvert de 13 h à 15 h 30 et de 20 h 30 à 23 h. Fermé le dimanche et le lundi après-midi, et du 1er au 15 octobre.

Arzak, *Alto de Miracruz, 21, tél. : 27 8765.* Quatre fourchettes. Cuisine basque. Spécialités de calmar dans son encre, de flet au champagne, et de plats de légumes exceptionnels. Ouvert de 13 h à 15 h 30 et de 20 h 30 à 23 h. Fermé le dimanche et le lundi après-midi, et du 1er au 15 juin.

● **Santander**

Gran Casino del Sardinero, *Plaza de Italia.* Cinq fourchettes. Cuisine internationale. Spécialités de potage à la crème de légumes, de colin, de filet mignon et de tarte aux pommes.

Chiqui, *Avenida de García Lago.* Quatre fourchettes. Cuisine régionale. Spécialités : salade mixte, barbue grillée, *tocino del cielo* (tarte au sucre) et une excellente cave.

El Molino, *à Puente Arce sur l'autoroute N-611, km 12, tél. : 57 4052.* Deux fourchettes. Cuisine régionale. Spécialités de *pastel de setas* (tarte aux champignons sauvages), bar en salade, et, entre les plats, sorbet au céleri. Fermé le lundi.

● **La Corogne**
Duna-2, *Esterella 2 y 4, tél. : 22 7023.* Trois fourchettes. Cuisine galicienne. Spécialités de poulpe, de barbue aux palourdes, de lotte au fromage et, pour le dessert, de *filloas* (crêpes fourrées à la crème). Ouvert de 13 h à 16 h et de 21 h à minuit. Fermé le dimanche.
Coral, *Estrella, 5, tél. : 22 1082.* Deux fourchettes. Cuisine galicienne. Spécialités : colin, potage aux fruits de mer, filet mignon et *bonito* à la sauce tomate.

● **Vigo**
El Mosquito, *Plaza Villavicencio, 4, tél. : 21 3541.* Trois fourchettes. Cuisine galicienne. Spécialités : excellent flet, chevreau rôti et viandes grillées. Fermé le dimanche et au mois d'août.
Puesto Piloto Alcabre, *Avenida Atlántica, 194, tél. : 29 7975.* Trois fourchettes. Cuisine galicienne. Spécialités : *arroz de vieiras* (riz aux coquillages typiques de la région), lotte aux fruits de mer, jambon aux navets et, pour le dessert, *tarta de yema* (gâteau aux jaunes d'œuf).

● **Pontevedra**
Calixto, *Benito Corbal, 14, tél. : 85 6252.* Deux fourchettes. Cuisine galicienne. Spécialités : salades mixtes, poissons frais, et différentes viandes de la région.
Casa Solla, *route de Pontevedra à La Toja, km 4, tél. : 85 2678.* Deux fourchettes. Cuisine galicienne. Spécialités : flet aux palourdes et coquillages dans une sauce au beurre, omelette aux fruits de mer et tarte aux fruits. Fermé le jeudi et le dimanche soir.

● **Saint-Jacques-de-Compostelle**
Chiton, *Rua Nueva, 40.* Deux fourchettes. Cuisine galicienne. Spécialités de flet farci aux fruits de mer, de brochettes de fruits de mer, de colin au cidre, de *caldo gallego* (un bouillon léger), et de crêpes fourrées à la crème.
Vilas, *Rosalia de Castro, 88, tél. : 59 1000.* Deux fourchettes. Cuisine galicienne. Spécialités : poulpe aux pommes de terre, lamproie au vin rouge, et la *tarta de Santiago*, moelleux gâteau aux amandes. Fermé le dimanche.

OÙ LOGER

De nombreuses possibilités de logements sont offertes partout en Espagne, allant du très peu cher au très luxueux. Les régions touristiques sont en général les plus onéreuses. Si vous avez l'intention de résider dans des logements bon marché, demandez toujours à voir la chambre et la salle de bains avant de décider de rester.

● **Paradores**
Les paradores sont des hôtels gérés par le ministère du Tourisme. Ils ont été conçus pour offrir aux touristes quelque chose d'unique en Espagne. Beaucoup de paradores sont d'anciens châteaux ou de vieilles auberges restaurés ; d'autres sont des hôtels modernes luxueux, mais tous sont situés hors des sentiers battus et dans de magnifiques régions.

On trouve des paradores dans les villes suivantes : Cordoue, Grenade, Jaen, Málaga, Mérida, Santillana del Mar, Pontevedra, Fuenterrabia, Sos del Rey Católico Aiguablava, Vich, Cardona et Seo de Urgel.

Pour obtenir le répertoire complet des paradores, consultez l'office de tourisme.

Dans la liste (proposée dans l'annexe) des hôtels situés dans les régions les plus touristiques d'Espagne, vous trouverez l'adresse de quelques paradores.

Pour obtenir de plus amples renseignements ou pour faire des réservations, adressez-vous :
– à Madrid, *Calle Velázquez. 18.28.001 Madrid. Tél. : 19.341.435.9700. Tlx : 44.607.RR.PP.*
– à Paris : **Melia**, *31, avenue de l'Opéra, 75001 Paris. Tél. : 42.61.56.56.*

Quelques adresses

● **Madrid**
Ritz Madrid, *Plaza de la Lealtad, 5, tél. : 221 2857.* Hôtel appartenant à la catégorie « grand luxe ». Le prix minimal d'une chambre est de 35 000 pesetas.
Palace, *Plaza de las Cortes, 7, tél. : 429 7551.* Un hôtel cinq étoiles dans un très joli quartier de Madrid en face du Prado. Hemingway y séjourna. Chambres à partir de 10 500 pesetas.
Suecia, *Marqués de Casa Riera, 4, tél. : 231 6900.* Un hôtel quatre étoiles au centre de Madrid, près des Cortes. Chambres à partir de 8 250 pesetas.
Capitol, *Gran Vía, 41, tél. : 221 8391.* Un hôtel trois étoiles bien dans le style madrilène. Chambres à partir de 6 500 pesetas.

● **Tolède**
Parador Nacional Conde de Orgaz, *Paseo de los Cigarrales, tél. : 22 1850.* Parador situé dans une des plus belles villes d'Espagne, au riche passé historique, et dans un très joli quartier. Piscine. Chambres à partir de 7 500 pesetas.

● **Avila**
Palacio de Valderrabarros, *Plaza de la Catedral, 9, tél. : 21 1023.* Un hôtel quatre étoiles dans le plus beau quartier de la ville. 6 200 pesetas en moyenne par nuit.
Cuatro Postes, *Paraje Cuatro Postes, tél. : 21 2944.* Un hôtel deux étoiles avec restaurant et jardin, installé sur un site panoramique. Chambres pour un peu moins de 3 400 pesetas.
Parador Raimundo de Burgoña, *Marqués de Canales y Chozas, 16, tél. : 21 1340.* Hôtel trois étoiles situé dans un domaine du XVe siècle. Appartements disponibles. Chambres à partir de 5 500 pesetas.

● **Salamanque**

Monterrey, *Primo de Rivera, 13, tél. : 21 4400.* Quatre étoiles. Jardin et restaurant avec vue panoramique. Chambres à partir de 5 000 pesetas.

Gran Hotel, *Plaza Poeta Iglesias, 3-5, tél. : 21 3500.* Un hôtel quatre étoiles avec un restaurant « féodal ». Chambres à partir de 6 000 pesetas.

Alfonso X, *Generalísimo Franco, 44, tél. : 21 4401.* Trois étoiles. Chambres à partir de 3 500 pesetas.

Parador Nacional de Salamanca, *Teseo de la Feria, 2, tél. : 22 8700.* Quatre étoiles. Sur la rive du Tormes. Vue exceptionnelle de la ville et plus spécialement de la cathédrale. Chambres à partir de 6 500 pesetas.

● **León**

Parador San Marcos, *Plaza San Marcos, 7, tél. : 23 7300.* Hôtel cinq étoiles incluant le restaurant Don Sancho. Appartements disponibles et chambres à partir de 9 600 pesetas.

Conde Luna, *Independencia, 5, tél. : 20 6512.* Quatre étoiles, avec jardin et piscine. Chambres à partir de 5 600 pesetas.

Quindos, *Avenida José Antonio, 24, tél. : 23 6200.* Hôtel deux étoiles avec piscine et jardin dans un endroit pittoresque. Chambres à partir de 3 500 pesetas.

● **Ségovie**

Parador Nacional de Segovia, *Apartado de Correos, 106, tél. : 43 0462.* Hôtel quatre étoiles avec vue splendide sur la ville, piscine couverte et découverte, des appartements et un gymnase. Chambres à partir de 6 500 pesetas.

Acueducto, *Avenida Padre Claret, 10, tél. : 42 4800.* Fermé lors des principales fêtes de Ségovie. Chambres à partir de 4 000 pesetas. Trois étoiles.

Los Linajes, *Doctor Velasco, 9, tél. : 41 5578.* Hôtel trois étoiles avec jardin dans un agréable quartier. Chambres à partir de 4 700 pesetas.

● **Guadalupe**

Hospedería del Real Monasterio, *Plaza Juan Carlos I, tél. : 36 7000.* Deux étoiles. Chambres à partir de 3 000 pesetas dans cet ancien monastère.

Parador Nacional Zurbarán, *Marqués de la Romana, 10, tél. : 36 7075.* Trois étoiles. Situé dans un vieil hôpital datant du XVe siècle. Piscine et beaux jardins. Chambres à partir de 5 500 pesetas.

● **Mérida**

Emperatriz, *Plaza España, 19, tél. : 30 2640.* Trois étoiles. Appartements disponibles, restaurant. Chambres à partir de 4 000 pesetas.

● **Trujillo**

Parador Nacional de Trujillo, *Plaza Santa Clara, tél. : 32 1350.* Quatre étoiles. Ce parador se trouve dans l'ancien monastère de Santa Clara qui date du XVIe siècle. Proche de Cáceres, capitale de la province. Chambres à partir de 6 500 pesetas.

La Cigüenas, *route de Madrid-Lisbonne, km 243, tél. : 32 0650.* Hôtel deux étoiles avec un agréable jardin. Chambres à partir de 3 000 pesetas.

● **Séville**

Alfonso XIII, *San Fernando, 2, tél. : 22 2850.* Luxueux hôtel cinq étoiles avec appartements, piscine, jardin et restaurant italien, tout cela dans un majestueux édifice seigneurial de style antalou. Chambres à partir de 12 000 pesetas.

Los Lebreros, *Luis Montoto, 118, tél. : 25 6200* Hôtel quatre étoiles dans lequel se trouve le restaurant Almoraima. Jardin et piscine. Chambres à partir de 9 000 pesetas.

Fernando III, *San José, 21, tél. : 21 7307.* Hôtel trois étoiles dans un vieil édifice historique, situé dans un beau quartier. Chambres à partir de 5 000 pesetas.

Murillo, *Lope de Rueda, 7-9, tél. : 21 6095.* Deux étoiles. Chambres à partir de 3 200 pesetas.

● **Cordoue**

Meliá Córdoba, *Jardines de la Victoria, tél. : 29 8066.* Hôtel quatre étoiles, avec jardin, piscine et restaurant. Chambres à partir de 8 650 pesetas.

Los Gallos, *Avenida Medina Azahara, 7, tél. : 23 5500.* Hôtel trois étoiles avec piscine et restaurant. Chambres à partir de 7 425 pesetas.

Riviera, *Plaza de Aladreros, tél. : 22 1825.* Deux étoiles. Chambres à partir de 3 250 pesetas.

● **Grenade**

Alhambra Palace, *Peña Partida, 2, tél. : 22 1468.* Hôtel quatre étoiles très agréable dans un joli cadre, avec appartements disponibles et restaurant. Chambres à partir de 8 300 pesetas.

Condor, *Avenida Calvo Sotelo, 6, tél. : 28 3711.* Hôtel trois étoiles dans un environnement pittoresque. Chambres à partir de 5 000 pesetas.

Rallye, *Paseo de Ronda, 107, tél. : 27 2800.* Trois étoiles. Hôtel confortable dans un joli quartier. Chambres à partir de 3 440 pesetas.

● **Valence**

Sidi Saler Sol, *Playa del Saler, tél. : 367 4100.* Hôtel luxueux cinq étoiles avec piscine, courts de tennis et de beaux jardins. Situé sur la plage. Chambres à partir de 7 500 pesetas.

Reina Victoria, *Barcas 4 y 6, tél. : 321 1360.* Quatre étoiles. Très élégant, avec appartements disponibles et restaurant. Chambres à partir de 7 950 pesetas.

Sorolla, *Convento Santa Clara, 5, tél. : 322 3145.* Trois étoiles. Chambres à partir de 4 000 pesetas.

Bristol, *Abadía San Martin, 3, tél. : 322 4895.* Deux étoiles. Chambres à partir de 4 500 pesetas.

Dans les îles Baléares

● **Palma de Majorque**

Son Vida Sheraton, *Castillo de Son Vida, tél. : 23 2340.* Cinq étoiles. Hôtel chic appartenant à la catégorie « grand luxe » avec appartements, piscine, courts de tennis, jardins et terrain de golf. Chambres à partir de 13 000 pesetas.

Valparaíso Palace, *Francisco Vidal, 23, tél. : 40 0411.*
Hôtel luxueux cinq étoiles avec restaurant, jardins,
piscine et courts de tennis. Chambres à partir de
15 700 pesetas.

Victoria Sol, *Avenida de Joan Miró, 21, tél. : 23 4342.*
Charmant hôtel cinq étoiles avec toutes les commodités. Chambres à partir de 15 500 pesetas.

Hotel Hacienda Na Maxamena, *Apdo, 361, tél. :
33 3046.* Élégant hôtel quatre étoiles situé à San Juan
Bautista, une des villes les plus pittoresque d'Ibiza.
Chambres à partir de 10 500 pesetas.

Bellver Sol, *Paseo Maritimo, 106, tél. : 23 5142.* Quatre étoiles. Proche de la mer. Piscine d'eau douce.
Chambres à partir de 8 500 pesetas.

Alcina, *Paseo Maritimo, 26, tél. : 23 1140.* Un bel
hôtel trois étoiles. Chambres à partir de 2 550
pesetas.

● **Saragosse**
Hotel Don Yo, *Bruil 4 y 6, tél. : 22 6741.* Très bel
hôtel quatre étoiles avec un personnel charmant.
Chambres à partir de 6 000 pesetas.

Goya, *Cinco de Marzo, 5, tél.: 22 9331.* Quatre
étoiles. Chambres à partir de 5 000 pesetas.

El Cisne, *route de Madrid à Barcelone, km 309, tél. :
33 2000.* Trois étoiles. Terrain de golf et piscine dans
un joli paysage des environs de Saragosse. Chambres
à partir de 4 500 pesetas.

Conde Blanco, *Predicadores, 84, tél. : 44 1411.* Hôtel
deux étoiles situé dans un beau quartier. Chambres à
partir de 2 860 pesetas.

● **Barcelone**
Avenida Palace, *Gran Via, 605, tél. : 301 9600.* Cinq
étoiles. Grand hôtel avec d'excellentes installations.
Chambres à partir de 13 000 pesetas.

Majestic, *Paseo de Gracia, 70, tél. : 215 4512.* Quatre
étoiles. Chambres à partir de 11 500 pesetas.

Colón, *Avenida Catedral, 7, tél. : 301 1404.* Quatre
étoiles. Au cœur du magnifique quartier gothique.
Chambres à partir de 8 340 pesetas.

● **Pampelune**
Los Tres Reyes, *Jardines de la Taconera, tél. :
22 6600.* Bel hôtel cinq étoiles avec vue panoramique.
Jardins, piscine et restaurant. Chambres à partir de
10 000 pesetas.

Ciudad de Pamplona, *Iturrama, 21, tél. : 26 6011.*
Hôtel trois étoiles au cœur de la ville. Chambres à
partir de 5 100 pesetas.

Orhi, *Leyre, 7, tél. : 25 4800.* Trois étoiles. Chambres
à partir de 4 700 pesetas.

Yoldi, *Avenida de San Ignacio, 11, tél. : 22 4800.*
Hôtel deux étoiles avec restaurant. Chambres à partir
de 3 800 pesetas.

Dans les Pyrénées

● **Huesca**
Pedro I de Aragón, *Del Parque, 34, tél. : 22 0300.*
Trois étoiles. Situé dans un très beau cadre, aux pieds

des Pyrénées, dans la province d'Aragon. Chambres
à partir de 4 900 pesetas.

Montearagón, *route de Tarragone à Saint-Sébastien,
km 208, tél. : 22 2350.* Deux étoiles. Ce petit hôtel pittoresque se trouve dans les environs de Huesca, profitant pleinement du beau décor naturel. Chambres à
partir de 3 500 pesetas.

● **Jaca**
Gran Hotel, *Paseo del General Franco, 1, tél. :
36 0900.* Trois étoiles. Chambres à partir de
2 975 pesetas.

Orsel, *Avenida de Francia, 37, tél. : 36 2411.* Trois
étoiles. Chambres à partir de 4 550 pesetas.

La Paz, *Major, 41, tél. : 36 0700.* Hôtel deux étoiles
dans le centre de cette petite ville de montagne.
Chambres à partir de 2 600 pesetas.

● **Saint-Sébastien**
Londres y de Inglaterra, *Zubieta, 2, tél. : 42 6989.*
Hôtel quatre étoiles très agréable proche de la plage
et du célèbre vieux quartier. Chambres à partir de
7 400 pesetas.

Avenida, *Subida a Igueldo, tél. : 21 2022.* Hôtel trois
étoiles situé sur la route qui mène à l'une des collines surplombant la mer. Chambres à partir de
4 000 pesetas.

Parma, *General Jauregui, 11, tél. : 42 8893.* Agréable
hôtel deux étoiles au cœur du vieux quartier. Chambres à partir de 4 500 pesetas.

● **Santander**
Real, *Paseo de Perez Galdos, 28, tél. : 27 2550.* Élégant hôtel cinq étoiles proche des plages de Santander. Ouvert uniquement en été, du 15 juillet au
15 septembre. Chambres à partir de 10 350 pesetas.

Bahia, *Alfonso XIII, 6, tél. : 22 1700.* Hôtel quatre
étoiles proche du pittoresque quartier portuaire.
Chambres à partir de 5 050 pesetas.

Sardinero, *Plaza de Italia, 1, tél. : 27 1100.* Trois
étoiles. Sur la plage Sardinero. Chambres à partir de
3 900 pesetas.

Rhin, *Avenida de la Reina Victoria, 155, tél. : 27 4300.*
Deux étoiles. Dans un joli quartier proche de la mer.
Chambres à partir de 3 770 pesetas.

● **La Corogne**
Atlantico, *Jardines de Mendez Nuñez, tél. : 22 6500.*
Quatre étoiles. Chambres à partir de 5 000 pesetas.

Riazor, *Anden de Riazor, tél. : 25 3400.* Trois étoiles.
Chambres à partir de 3 200 pesetas.

España, *Juana de Vega, 7, tél. : 22 4506.* Deux étoiles.
Chambres à partir de 3 000 pesetas.

Rivas, *Avenida Fernández Latorre, 45, tél. : 29 0111.*
Deux étoiles. Chambres à partir de 3 000 pesetas.

● **Pontevedra**
Rías Bajas, *Daniel de la Sota, 7, tél. : 85 5100.* Trois
étoiles. Appartements disponibles. Chambres à partir
de 3 850 pesetas.

Vírgen del Camino, *Virgen del Camino, 55, tél. :
88 5904.* Deux étoiles. Chambres à partir de
3 500 pesetas.

● **Vigo**

Bahía de Vigo, *Avenida Canovas de Castillo, 5, tél. : 22 6700.* Hôtel quatre étoiles avec restaurant. Appartements disponibles. Chambres à partir de 7 000 pesetas.

Ensenada, *Alfonso XIII, 35, tél. : 22 6100.* Trois étoiles. Chambres à partir de 3 500 pesetas.

Mexico, *Via Norte, 10, tél. : 41 4022.* Trois étoiles. Chambres à partir de 3 700 pesetas.

Junquera, *Uruguay, 27, tél. : 21 4050.* Deux étoiles. Chambres à partir de 2 500 pesetas.

● **Saint-Jacques-de-Compostelle**

Parador de los Reyes Católicos, *Plaza de España, tél. : 58 2200.* Luxueux hôtel cinq étoiles proche de l'imposante cathédrale de Santiago. Chambres à partir de 11 950 pesetas.

Peregrino, *Rosalia de Castro, tél. : 59 1850.* Hôtel trois étoiles avec piscine, jardins et restaurant. Chambres à partir de 4 300 pesetas.

Gelmirez, *General Franco, 92, tél. : 59 1100.* Deux étoiles. Dans un quartier touristique. Chambres à partir de 3 400 pesetas.

● **Málaga**

Málaga Palacio, *Cortina del Muelle, 1, tél. : 21 5185.* Luxueux hôtel cinq étoiles proche de la mer. Chambres à partir de 6 900 pesetas.

Guadalmar, *Atdo. de Correos, 568, tél. : 31 9000.* Quatre étoiles. Chambres à partir de 9 250 pesetas.

Los Naranjos, *Paseo de Sancha, 35, tél. : 22 4317.* Un parmi d'autres hôtels trois étoiles situés dans cette rue. Chambres à partir de 5 300 pesetas.

Lis, *Córdoba, 7, tél. : 22 7300.* Deux étoiles. Chambres à partir de 2 325 pesetas.

BIBLIOGRAPHIE

Littérature

Cervantes, M. de
L'Ingénieux Hidalgo don Quichotte de la Manche (Folio, deux tomes), Gallimard.
García Lorca, F.
Œuvres complètes (La Pléiade, deux tomes), Gallimard.
Gautier, Th.
Voyage en Espagne, suivi de *España* (Folio), Gallimard.
Hemingway, E.
Mort dans l'après-midi,
Pour qui sonne le glas (Folio), Gallimard.
Hugo, V.
Les Orientales (Poésie), Gallimard.
Kessel, J.
Une balle perdue (Folio Junior), Gallimard.

Le Sage, A.-R.
Histoire de Gil Blas de Santillane (Folio), Gallimard.
Malraux, A.
L'Espoir (Folio), Gallimard.
Mérimée, P.
Carmen (Folio), Gallimard.
Montherlant, H. de
Le Maître de Santiago,
Les Bestiaires (Folio), Gallimard.
Morand, P.
Le Flagellant de Séville (Folio), Gallimard.
Romans picaresques espagnols (La Pléiade), Gallimard.

Histoire

Blaye, E. de
Franco ou la Monarchie sans roi, Stock.
Delperrié de Bayac, J.
Les Brigades internationales, Marabout.
Erlanger, Ph.
Charles Quint, Perrin.
Franco, F.
Franco au jour le jour (Témoins), Gallimard.
Houben, H.
Christophe Colomb, Payot.
Loth, D.
Philippe II, Payot.
Taillemite, E.
Sur des mers inconnues, Découvertes Gallimard.
Thérèse d'Avila, Ste
Vie écrite par elle-même, Stock.

Arts et culture

Baticle, J.
Goya, d'or et de sang,
Vélasquez, peintre et hidalgo, Découvertes Gallimard.
Bouchet, P. du, et Bernadac, M.-Cl.
Picasso, le sage et le fou, Découvertes Gallimard.
Cabanne, P.
Rubens, Somogy.
Leyris, M.
Miroir de la Tauromachie, Gallimard.

CRÉDITS PHOTOGRAPHIQUES

3	Carl Purcell	53	Jose Martin	106	F. Lisa Beebe
5	Joe Viesti	54	F. Lisa Beebe	107	Jose Martin
6-7	Joe Viesti	55	Joe Viesti	108	Joe Viesti
8-9	Bill Wassman	56	Efe/Jose Martin	109	Fiona MacGregor
10-11	Joe Viesti	57	Imagen 3	111	Jose Martin
12-13	Bill Wassman	58	Jose Martin	112-113	Joe Viesti
14	Joe Viesti	59g	Joe Viesti	114-115	Joe Viesti
16-17	Offert gracieusement	59d	Joe Viesti	116	Joe Viesti
	par l'Instituto	61	Imagen 3	117	Joe Viesti
	Geografico Nacional	62-63	Joe Viesti	118	Joe Viesti
18-19	Bill Wassman	64-65	Joe Viesti	119	Joe Viesti
20	Imagen 3	66	Bill Wassman	120	Joe Viesti
21	Jose Martin	69	Joe Viesti	121	Jose Martin
22	M + W Fine Arts/New	70g	Carl Purcell	122	Jose Martin
	York/Jose Martin	70d	Diane Hall	123g	Jose Martin
24	Carl Purcell	71	Joe Viesti	123d	Jose Martin
25	Jose Martin	72	Diane Hall	125	Joe Viesti
26g	Joe Viesti	73g	Joe Viesti	126	Joe Viesti
26d	Imagen 3	73d	Joe Viesti	128	Joe Viesti
27	Imagen 3	74	Joe Viesti	131	Jose Martin
28	Jose Martin	75	Joe Viesti	132	Carl Purcell
30	Imagen 3	76	Joe Viesti	133	Joe Viesti
31	Joe Viesti	77	Joe Viesti	134	Joe Viesti
33	Jose Martin	78-79	Bill Wassman	135	Joe Viesti
35	M + W Fine Arts/New	80-81	Joe Viesti	137	Jose Martin
	York/Jose Martin	82-83	Joe Viesti	138	Jean Kugler
36	Jose Martin	86	Joe Viesti	139	Joe Viesti
38	M + W Fine Arts/New	90-91	Jean Kugler	140	Joe Viesti
	York/Jose Martin	92	Bill Wassman	142	Joe Viesti
39	Jose Martin	94	Carl Purcell	143	Joe Viesti
40	M + W Fine Arts/New	95	Carl Purcell	144	Joe Viesti
	York/Jose Martin	97	Fiona MacGregor	145	Joe Viesti
41	Jose Martin	98g	Diane Hall	146	Joe Viesti
43	Jose Martin	98d	Carl Purcell	147	Joe Viesti
44-45	Jose Martin	99	Fiona MacGregor	149	Joe Viesti
46	Jose Martin	100g	Jose Martin	150-151	G. Barone
47	Jose Martin	100d	Carl Purcell	152-153	Carl Purcell
49	Jose Martin	101	Bill Wassman	154	Joe Viesti
50	Jose Martin	102	Carl Purcell	158	Bill Wassman
51	Jose Martin	103	Fiona MacGregor	159	F. Lisa Beebe
52	Jose Martin	104	Fiona MacGregor	160	G. Barone

CRÉDITS PHOTOGRAPHIQUES

161	Dallas & John Heaton	210	Joe Viesti	255	Joe Viesti
162	Joe Viesti	211	Joe Viesti	256	Joe Viesti
164	Joe Viesti	212	Robin Townsend	259	Joe Viesti
165	Joe Viesti	213g	Robin Townsend	260	Joe Viesti
166	G. Barone	213d	Robin Townsend	262	Joe Viesti
167	Joe Viesti	214	Jose Martin	264	Jose Martin
168	Joe Viesti	216	Joe Viesti	267	Imagen 3
169	F. Lisa Beebe	217	Joe Viesti	268	Jose Martin
170	Bill Wassman	218	Joe Viesti	269	Joe Viesti
172	Jean Kugler	219	Joe Viesti	270	Bill Wassman
173	Joe Viesti	220	Robin Townsend	271	Imagen 3
174	Jean Kugler	221	Bill Wassman	272	Bill Wassman
175	Joe Viesti	222	Joe Viesti	273	Joe Viesti
176	G. Barone	223	G. Barone	274-275	Joe Viesti
177	Institut espagnol	224	Bill Wassman	276	Joe Viesti
	de New York	225	Rita Kümmel	277	M. Feiner
178	F. Lisa Beebe	226	Joe Viesti	278	Rita Kümmel
179	Rita Kümmel	227	Joe Viesti	279	Joe Viesti
180	F. Lisa Beebe	228	Joe Viesti	280	M. Feiner
181	Joe Viesti	229	Joe Viesti	281	M. Feiner
182	Joe Viesti	230-231	Joe Viesti	282	M. Feiner
183	Joe Viesti	232-233	Joe Viesti	283	M. Feiner
184	Joe Viesti	234	Rita Kümmel	284-285	Joe Viesti
185	Joe Viesti	236	Joe Viesti	286-287	Jose Martin
186	F. Lisa Beebe	237	Joe Viesti	288	Jose Martin
187	Joe Viesti	238	Joe Viesti	290	Jose Martin
188-189	Bill Wassman	239	Joe Viesti	291	Jose Martin
190-191	Joe Viesti	240	Joe Viesti	292	Jose Martin
192	Joe Viesti	241	Joe Viesti	293	Jose Martin
193	F. Lisa Beebe	242	Joe Viesti	295	Jose Martin
194g	Joe Viesti	243	Joe Viesti	296	Carl Purcell
194d	Joe Viesti	244	Joe Viesti	298	F. Lisa Beebe
195	Joe Viesti	245	Joe Viesti	299	Gustave Doré
196	Joe Viesti	246	Joe Viesti	300	Joe Viesti
198	Joe Viesti	247	Joe Viesti	301	Joe Viesti
200	Joe Viesti	248	Joe Viesti	303	F. Lisa Beebe
202	Joe Viesti	249	Joe Viesti	304-305	F. Lisa Beebe
203	Bill Wassman	250	Joe Viesti	309	Harald Kümmel
205	Joe Viesti	252	Joe Viesti	310	Joe Viesti
208	Joe Viesti	253	Joe Viesti		
209	Joe Viesti	254	Joe Viesti		

INDEX